# Москва:
## МЕСТО ВСТРЕЧИ

# Москва:
# МЕСТО ВСТРЕЧИ

## ГОРОДСКАЯ ПРОЗА

РЕДАКЦИЯ
ЕЛЕНЫ ШУБИНОЙ

Издательство

АСТ

Москва

УДК 821.161.1-32
ББК 84(2Рос=Рус)6-44
М82

Составители Елена Шубина, Алла Шлыкова

Художественное оформление и макет Андрея Бондаренко

Книга иллюстрирована московскими акварелями Алёны Дергилёвой

М82 Москва: место встречи : городская проза / Сост. Елена Шубина, Алла Шлыкова. — Москва : Издательство АСТ : Редакция Елены Шубиной, 2020. — 509, [3] с., илл. — (Москва: место встречи).

ISBN 978-5-17-099718-3

Миуссы Людмилы Улицкой и Ольги Трифоновой, Ленгоры Дмитрия Быкова, ВДНХ Дмитрия Глуховского, "тучерез" в Гнездниковском переулке Марины Москвиной, Матвеевское (оно же Ближняя дача) Александра Архангельского, Рождественка Андрея Макаревича, Ордынка Сергея Шаргунова... У каждого своя история и своя Москва, но на пересечении узких переулков и шумных проспектов так легко найти место встречи!
Все тексты написаны специально для этой книги.

УДК 821.161.1-32
ББК 84(2Рос=Рус)6-44

ISBN 978-5-17-099718-3

# Содержание

*Нравится Москва*
*нравится Москва*

*и даже кажется*
*что всё не так страшно*

*Пожалуйста*
*Москва*

*И пожалуйста*

*Можете*
*Радоваться*
*Можете*
*Жаловаться*

*Можете идти*


ВСЕВОЛОД НЕКРАСОВ

# Людмила Улицкая
## Моя Москва: сороковые–шестидесятые

**П**ятое поколение нашей семьи живет в Москве. Дед купил полдачи в близком пригороде, в Петровском парке, в начале семнадцатого года. Это был пригород, да притом с плохой репутацией. Низкопробные трактиры, публичные дома, знаменитый "Яр"... Сюда ездил развлекаться Лёвушка Толстой, пока не взялся за ум и не сделался великим русским писателем.

Дедушка мой учился в предреволюционные годы на юридическом факультете Московского университета, но не доучился. Революция грянула, и предложение поучиться еще год и выйти уже советским юристом дед не принял. Он ошибочно счел, что это безобразие продлится не больше года, но безобразия хватило как раз на всю его жизнь. Бабушка, окончившая гимназию в Калуге с золотой медалью, собиралась на Женские курсы, но родила мою маму, и образование ее гимназией и ограничилось. Бывшая эта дача, первое семейное гнездо моих деда и бабушки, простояла очень долго, до конца шестидесятых годов, но старики мои выехали оттуда еще в двадцатых, сначала на Садовую, на год-другой, а потом на Каляевскую, где почти всю жизнь и прожили. Под конец жизни их выселили, дали квартиру на Башиловке, то есть все в тех же местах, в десяти минутах ходьбы от их первого дома в Петровском парке. До сих пор остался небольшой пятачок от этого парка, он между метро "Динамо" и церковью Рождества Богородицы на Красноармейской улице. Отец мой, уже в тридцатых годах, работал на строительстве станции метро "Динамо". Рядом.

Я в Москве северянка — жила на Каляевской, потом на Лесной, теперь вот на "Аэропорте" уже тридцать лет. Я люблю север Москвы. Впрочем, ни старого центра, ни севера уже нет — только отдельные зубья в новой челюсти изредка встречаются.

Во многих городах мира северная часть города более пристойная, благообразная. Ну, во всяком случае, выезд по Волоколамскому и Ленинградскому шоссе, на мой глаз, куда как приятнее, чем по Варшавскому или Каширскому.

Москва исчезала на моих глазах, и тот город, который образовался в результате строительств и разрушений, мне не очень нравится. Совсем даже не нравится. Он утратил свой разляпистый, хаотический и мягкий облик, обаяние, складывающееся из соединения слобод, бывших деревень и усадеб, утратил свою кривоколенность и приватность, а до столичного города не дотянул по отсутствию городской культуры. Теперь скажем хором: А Большой театр? А Румянцевская библиотека? А Консерватория? С большой натугой — Английский клуб…. Не так уж много для столицы. Не Петербург.

Вспоминая о месте, где проходило детство, вступаешь во взаимодействие с ушедшим временем, с памятью. География ребенка расширяется очень быстро, и каждое такое расширение открывает новый мир — соседней квартиры, соседнего двора, керосинной лавки, до которой ходу целых десять минут, а прадед, опираясь на палку и звеня пустым бидоном, идет медленно. Я держусь за бидон. Он алюминиевый, к его крышке грубо приварено ушко…

Каляевская была окраинной улицей, то есть за Садовым кольцом. Мне нравилось это название — какой-то "каляй-валяй-катай" в ней присутствовал, а террориста Каляева в школе едва-едва проходили, но это будет еще не скоро… Про Каляевскую теперь забыли, она снова стала Долгоруковской, а из окраинной превратилась почти в центральную… И трамвай к Савеловскому вокзалу по ней давно не ходит, и станция метро "Новослободская" — помню открытие! — обветшала и давно ждет реставрации. И про Ивана Каляева забыли. А ведь какие славные были революционеры в добольшевистское

время — пошел взрывать генерал-губернатора, великого князя Сергея Александровича, подстерегал с бомбой
в ситцевом узле у Никольских ворот, у выезда из Кремля,
заглянул в карету, а там, кроме приговоренного револю-
ционерами князя, сидели его жена Елизавета Федоровна
и детки. И дрогнула рука, убрался вместе с ситцевым узе-
лочком. Шахиды всех времен руководствуются принци-
пом "Убивший да убьет себя!" А этот деток пожалел и себя
сам не взорвал, а казнен был через два года в Петропав-
ловской крепости, "через повешание", после того как
добрался-таки до генерал-губернатора...

Лет в шесть меня стали выпускать гулять во двор
без надзора. Я брала санки — старые-престарые, с гнутой спинкой и мягким высоким сидением, обитым гобе-
леном с бомбошками. Наверное, мамины... И шла в соседний двор, на горку, что было запрещено. Горка была
высокая, ледяная. Двор был чужой, двадцать девятого
дома, а я была из тридцать первого. А соседи — всегда
враги. Я знала уже, что идет вражда, а я была маленькой,
и ко мне это как будто не совсем относилось.

Малышня скатывалась на санках, ребята средние —
на своих задах, а самые шикарные и дерзкие — на ногах.
А во мне, видно, с раннего детства проснулась постыд-
ная тяга быть в первых рядах, себя показать... И страшно хотелось вот так, как большие мальчишки, на ногах.
Два обстоятельства останавливали. Оставлю санки под
горой — украдут. Но это второе. А первое — страшно
было. Однажды, преодолев оба страха, съехала на заду,
для ощущения близости горы, вероятно, а потом уж по-

пробовала по-взрослому. Получилось отлично — и раз, и два. А на третий подставил мне ножку толстый парень из двадцать девятого двора, и я полетела кувырком и разбила себе нос нешуточно. Кровь хлынула, и шуба моя, пока до дому дошла, вся была в крови. Нос же мой практически перестал существовать отдельной единицей, а полностью слился со щеками. Санки же за мной катила дворовая подружка Женька и приговаривала: не велели же ходить в двадцать девятый…

Я с тех пор туда не ходила, стала понимать, что такое граница. Зато были и нейтральные территории — например, Миусский сквер. Он был метрах в трехстах от дома, и был он общий, неопасный. К тому же я туда ходила не одна, а с сопровождением. Сначала прадед отводил меня в прогулочную группу, где пятеро приличных деток гуляли под надзором "немки" Анны Юлиановны, женщины заковыристой судьбы, о чем мы и не догадывались. С тех времен у меня остался друг Саша и две подруги — Маша и Таня, которых давно уже нет на свете. Благодаря им завелась и первая детская компания, а также расширилось представление о жизни. У Тани с Машей была отдельная квартира без соседей, в Доме композиторов на Третьей, кажется, Миусской. До этого времени я полагала, что все люди живут в коммуналках, и даже не задумывалась, хорошо это или плохо. Так жили все.

Между бабушкиными и Жениными окнами рос ряд тополей и был проезд. Из моего окна была видна часть комнаты Жениной семьи — пол в лоскутах, стрекот швейной машинки. Тетя Шура была портниха. А Женя видела из своего окна часть бабушкиной комнаты — золоченый круглый столик, черный бок пианино и тоже швейную машинку. Первый в нашем дворе телевизор был со временем водружен на золоченый столик. Бабушка моя тоже подрабатывала шитьем, но ее продукция была классом выше, она шила грации, шелковые и "дамастовые" чудовища для обуздания необъятных телес певиц и начальственных жен. Жаль, не сохранилось ни одного изделия — для музея времени. Обе швеи — и тетя Шура, и моя бабушка — занимались подпольной экономической деятельностью и трепетали при упоминании фининспектора. Но семью кормить надо было обеим, невзирая на разницу в образовании и общественном статусе. Моя бабушка была дама в костюме, а тетя Шура "из простых". Великая вещь равенство.

Освоение пространства шло почему-то нелегально. Мне не разрешали ходить по улицам одной, но временами я совершала рейды по расширению мира. Добралась я самостоятельно до дровяных складов, оставшихся с тех пор, как в нашем районе — от Лесной улицы до Миусс — шла большая торговля дровами и строительным лесом. Тот склад на Миуссах был из последних сохранившихся в Москве. Рядом раскинулась Котяшкина деревня — группа бараков с дощатой длинной уборной на много посадочных мест, с колонкой посреди двора и веревками, на которых трепыхалось рваное тряпье. Одежда. С девочками из Котяшки я потом училась в одном классе, они все рано заканчивали образование, после шестого класса никого уже не осталось. Кто в ремеслуху, кто куда… Одна вышла замуж за шведа из партийной школы, что стояла наискосок от нашей. Первая проторила дорожку. За ней следом и другие девочки положили глаз на молодых коммунистов, западных и восточных. Лучшая моя подруга выбрала себе самого лучшего — итальянца. Прекрасный брак оказался, до сих пор, глядя на них, радуюсь!

А однажды с подругой Женей зашли мы в Пименовскую церковь. Конечно, я тогда ничего не знала об интереснейшей истории этой церкви, которая долгие годы была "обновленческой". Боговерующая соседка моя Анастасия Васильевна ходила в другую, хорошую, я тогда не понимала, почему — а старушка была святее Папы Римского, и даже тень обновленчества была ей противна. Но мы с Женей пришли в Пименовскую однажды зимой, под вечер. Жене-то ничего — она русская. А я-то еврейка! Вдруг меня выгонят, если узнают? А дома что скажут, если узнают? Но в церкви было неземное пение, неземной запах и свет. Дух захватило! Шла служба, народу множество. Может, это был канун Сретенья? Я теперь уж не восстановлю. Хорошо бы, если Сретенье… Я люблю этот праздник и по сей день…

Да, вот что важное, о чем не сказала, — двор! С него-то все и начиналось, только он никакого отношения не имел к городу Москве. Он был весь деревенский, земляной, а у ворот была брусчатка. Стояла колонка, зимой во льду, летом в луже. Она исчезла к началу пятидесятых. Во дворе было множество строений, они окружали двор, как опята пень. Наш был самый приличный — флигель, относящийся к соседнему строению, дореволюционной постройки. Было в нашем флигеле четыре квартиры и винтовая лестница посередине, которая упиралась в чердак. Чердак был на замке, но иногда можно было туда пробраться. Там было страшно и интересно. Наш дом был в глубине двора, а тот, что выходил на улицу, был деревянный, ветхий, "допожарный", то есть стоял еще до Наполеона и уцелел при пожаре 1812 года. Я однажды туда зашла — там жил старик с самой большой библиотекой, которую я к тому времени видела. Почему-то запомнилось, что все книги были коричневые… Еще были бараки, сейчас не помню сколько, но к концу шестидесятых оставалось два двухэтажных. Но самое интересное — палисадники. У всех жителей первых этажей были свои золотые шары, а под осень и астры. Праздники дворовые справляли по-деревенски: расставляли длинный стол и на похороны, и на свадьбы. Свадьбу не помню, а поминки справляли, и напивались, и на гармошке играли. Моих не приглашали, думаю, по многим причинам, не только из-за того, что евреи. Больно культурные. Бабушку во дворе уважали, она ходила с сумкой и на каблуках в музыкальную школу на Пушкинскую площадь, где работала бухгалтером, и меня иногда с собой водила. Я с папочкой, на ней Пушкин выдавлен в овале. В папке ноты. Мой дворовый статус был довольно высок — может, из-за папочки, может, из-за бабушки. Бабушка всегда деньги одалживала соседям "до получки". И вообще мы жили "чисто". Хотя и евреи.

Во дворе у меня стибрили георгиевский крест, отец моего прадеда получил за взятие Плевны, он двадцать пять лет в царской армии прослужил, у генерала Скобелева. Я лично виновата — ведь сначала я сама его стибрила из бабушкиной шкатулки… Хотела похвастаться.

Кроме географии окрестной, была еще география родственная — меня время от времени возили в гости: к бабушке Марии Петровне на Поварскую, которая называлась тогда улицей Воровского, и не все липы тогда еще умерли. Сейчас — ни одной. Один бабушкин брат жил (и до сих пор квартира его в полной и удивительной сохранности) в Воротниковском переулке, а второй — в доме Нирнзее. С домом Нирнзее в Большом Гнездниковском переулке связан яркий кусок московской культурной жизни — с театром-кабаре "Летучая мышь". Бабушка Мария там бывала, когда начинала свою неудавшуюся театральную карьеру в Московском Свободном театре, у Марджанова… А мне в этот дом предстояло ходить в гости к замечательному человеку с разнообразными интересами, театралу, умнице и знатоку всего на свете Виктору Новацкому. В более поздние годы. Он был соседом бабушкиного брата, но теперь на свете нет ни того, ни другого.

К сестре другой бабушки, Елены, ходили на Сретенку, в Даев переулок. На Сретенке когда-то жили и другие родственники, как бабушка говорила, богатые. У них был кинотеатр. До революции, конечно. Еще была прабабушка Соня на Остоженке. Дом этот до сих пор стоит напротив Института иностранных языков. Я вырастала, и Москва становилась для меня все больше и интересней. Привозили меня в Измайлово, тоже к родственникам, в Лефортово.

Потом, уже в более поздние годы, в начале шестидесятых, я освоила район Хитровки-Солянки. Мама работала на Солянке в Институте радиологии и рентгенологии, в доме с кариатидами, там она и умерла. А я в шестидесятые годы работала в Институте педиатрии, лаборантом. Здание было старинное, в нем с XVIII века был воспитательный дом, первый в Москве. Я любила там гулять, Заяузье было чудесным, запущенным, до сих пор остались очень душевные уголки.

Теперь появилась в этом районе еще одна важная семейная точка — старший сын живет в Старосадском переулке, напротив церкви Святого Владимира в Старых Садах. Во дворе его дома не так давно поставили памятник Осипу Мандельштаму — это был один из его московских адресов. Здесь в тридцатые годы жил родственник Мандельштама. А теперь — мои внуки…

Зато семья младшего сына живет в пяти минутах ходьбы от нашего первого московского жилья в Петровском парке.

Москва от себя не отпускает. Ни один город на свете я не знаю так долго и так хорошо, как Москву. Я даже не могу сказать, люблю ли я Москву. Скорее, нет. Но нет и города роднее. Правда, очень часто приходится говорить: здесь была Собачья площадка… здесь была моя музыкальная школа… здесь был Минаевский рынок… Очень большая часть Москвы, для меня лучшая, отошла в прошлое. Хорошо, что Введенское кладбище, где похоронены мои старики, все еще стоит на прежнем месте.

# Ольга Трифонова
## Миуссы

Оказывается, помню всё: как пахла мама, какой потертой была ее старая кожаная сумка, как с напряженным грустным вниманием мама смотрела на деньги, вспоминая, куда делись недостающие купюры.

Господи, почему у нас не хватало для них времени, почему мы раздражались на их наивные вопросы и бесконечные наставления!

Теперь, когда я стала такой же, я часто просыпаюсь утром с горькой мыслью: мамы нет, а бессонными ночами меня грызет запоздалое раскаяние.

Я помню, как садилось солнце за Белорусским вокзалом, какой белой, точно в снегу, была площадь перед ним в сорок третьем, четвертом и пятом.

Мама водила меня по утрам через мост на 1-ю улицу Ямского Поля (это здание недавно снесли), а площадь была белой от бинтов и простыней: раненых на носилках, в ожидании медицинских автобусов, клали на землю.

Я помню американские "студебеккеры" и вкус мягкой колбасы из железных банок, ее тоже присылали из Америки, я помню…

Я родилась и выросла на Миуссах. Загадочный топоним. Миуссы — это район возле Белорусского вокзала, там когда-то торговали лесом, и я еще помню дровяные склады на Лесной.

Миуссы представляют собой прямоугольник (а может, и квадрат), образованный 1-й Тверской (бывшей улицей Горького), Лесной, Новослободской и исчезнувшим Оружейным переулком.

Эти места описаны в романе "Доктор Живаго", неподалеку родился автор, там прошли мои счастливые и несчастливые детство и юность.

Запах моего детства кому-то показался бы ужасным, а мы привыкли.

Дело в том, что непосредственно к моему дому номер восемь по улице Александра Невского примыкал ЦНИДИ — Центральный научно-исследовательский дезинфекционный институт.

В подвале существовал виварий с мышами, крысами и прочей нечистью, которую полагалось травить.

Мы подглядывали в окна и видели, как женщины кормили вшей. На руке у них была стеклянная банка, а под ней — вши. Теперь понимаю, что только голодное послевоенное время могло родить такую профессию, а тогда… детская жестокая брезгливость.

Мы что-то выкрикивали в окошко и разбегались.

Другое окно, которое тоже притягивало наше порочное любопытство, располагалось над пристройкой к родильному дому имени бездетной Н.К.Крупской. Из его раскрытых окон летом раздавались душераздирающие вопли, а за окном над пристройкой готовили рожениц: подготовка заключалась в осмотре и бритье причинных мест.

Мы, девчонки, проявляя стихийную женскую солидарность, отказывались подглядывать в это окно, но мальчишки во главе с Пиней Рыжим залезали на крышу пристройки регулярно.

Пиня вообще-то был не из нашей компании, хотя жил в одном из домишек напротив. Он болел чесоткой, и участь безотцовщины, проживавшего в трущобах дореволюционной постройки, была предрешена.

Довольно скоро Пиня отправился в свою первую ходку.

Трущобы простирались до крайнего дома по 1-й Тверской, носившего название "спичечный коробок".

Пересечь их можно было через вереницу проходных дворов с арками-туннелями, и я, каждый раз отправляясь к метро или от него, нарушала обещание, данное маме, не ходить "проходняшками".

Вечером, да и днем, пожалуй, это было чем-то вроде русской рулетки, но пронесло.

В "проходняшке" находился пункт приема стеклопосуды.

Весь год мы собирали пузырьки от духов и лекарств, в марте сдавали их в пункт приема стеклотары и на вырученные гроши́ покупали подарок матерям к Восьмому марта.

Обычно хватало на коробочку очень вкусных лимонных вафель.

"Проходняшками" мы бегали выстаивать в бесконечных очередях за мукой и сахаром к празднику.

Давали с изнанки гастронома, что располагался в "спичечном коробке".

Номер в очереди записывали чернильным карандашом на ладони, и мы отправлялись играть в "штандер" или "классики" на крышу гаража при доме, время от времени отправляя доверенное лицо поинтересоваться, как продвигается очередь.

Очередь продвигалась медленно, но мы радовались таким дням (школу прогуливали легально), мы радовались любому пустяку и совершенно не сознавали всего убожества нашей жизни.

Но однажды мне дали понять, что я пария, дали понять жестоко.

После ареста отца я по привычке пришла на елку в институт, где он работал.

Этот тоже Центральный институт, но по исследованию сахара, располагался в одном квартале с домом. Дом и принадлежал этому убогому институту. Ну вот я и пришла на детский праздник, и меня, в разгар веселья, лично вывел из зала директор института и по совместительству брат академика Виноградова.

Он подошел, взял меня за руку и вел до гардероба, не отпуская руки. Я только спрашивала: "А что я сделала?!"

Будь прокляты эти времена, но они были моим детством, моим — и ничьим больше!

Наша улица Александра Невского была тенистой и зеленой. Начиналась она от Лесной и упиралась в 3-ю Миусскую (ныне Чаянова).

А дом стоял на углу Александра Невского и 2-й Миусской.

На другом углу — с 3-й Тверской — росла самая большая липа, и под ней стоял круглый киоск.

В киоске продавали немыслимо вкусное фруктовое мороженое в картонном стаканчике и газированную воду с сиропом.

Задачей было выпросить ничтожные гроши́, и пока был отец, я довольно часто бегала "к липе". Мимо руин храма Александра Невского, мимо загса, где меня по-советски "окрестили". Кстати, почти что нарекли Трибуной. Таково было желание отца, бывшего революционного черноморского матроса.

Мама — из других "бывших" (дед имел отношение к эксплуататорам) — проплакала десять дней, умоляя отменить решение и дать мне нормальное имя.

Выплакала, вымолила.

В сорок восьмом отца арестовали, и даже несчастные копейки на мороженое стали проблемой.

Но зато можно было бесплатно покататься на чудесных лифтах большого серого дома с эркерами. В него упиралась моя улица.

Лифты были красного дерева с замечательными кнопочками слоновой кости.

Считалось, что до революции дом был кооперативом офицеров, и сейчас над подъездами красуется вензель ДО, но на самом деле он был построен обществом "Домохозяин".

У меня была мечта — побывать когда-нибудь в квартире этого дома: что-то в нем было достойное (сохранилось и до сей поры), какая-то выправка, что ли. Может, из-за этой выправки и числили его Домом офицеров.

Теперь я стараюсь исполнить все мечты и желания, те, что не случилось воплотить. И с домом я придумала: нужно прийти туда под видом покупателя квартиры.

Но самое главное: одну мечту он исполнил. В первом этаже его расположилась библиотека имени Юрия Валентиновича Трифонова.

Я всегда верила в рифмы судьбы и не удивляюсь тому, что большие окна библиотеки смотрят на "мою" улицу и что у одного из этих окон стоит письменный стол, за которым Юрий работал.

В Доме офицеров жил хороший поэт и, говорят, хороший человек Павел Васильев.

К Дому офицеров (будем называть его так) примыкает тоже дом с именем: Дом композиторов.

Он увешан мемориальными досками, и в нем когда-то жила моя любимая и талантливая подруга — поэт Таня Макарова.

Она очень рано вышла замуж и с мужем-художником жила в Доме композиторов.

Первый раз я увидела ее из окна райкомовской читальни (об этом периоде моей жизни ниже, а сейчас об удивительной, талантливой и глубоко несчастной Танечке).

Она была дочерью композитора Макарова, погибшего на фронте, и знаменитой советской поэтессы Маргариты Алигер.

Таня была бесконечно талантлива, но издательства отказывались печатать ее стихи, так как считали их пессимистическими.

Мне говорят: "Печать поставьте".

А слышу я: "Печаль оставьте!"

А с чего ее стихам было быть оптимистическими? Таня ждала великой любви, а мужчины были практичны и неверны; она хотела внимания матери, но мать обожала младшую дочь Машу, которую родила от секретаря Союза писателей Александра Фадеева.

Над этой семьёй тяготел рок.

Таня умерла, не дожив до сорока, Маша покончила с собой, ее отец застрелился, и только Маргарита Иосифовна, пережив всех, обрела на старости лет любовь и семью.

Тогда, в конце пятидесятых, Таня ходила на высоких каблуках и выводила гулять коричневого пуделя. Из его шерсти у нее потом была теплая безрукавка.

А гуляла она с псом по улице, названной потом именем отца ее сестры, причинившей ей много страданий.

Я любовалась ею из окна райкомовской читальни: ее хрупкостью, фарфоровым личиком, копной вьющихся волос.

Это был темный период в моей жизни, когда я была бесконечно одинока, не имела ни друзей, ни денег на кино, не могла находиться дома и потому проводила время в читальном зале Фрунзенского райкома.

Единственное доступное мне развлечение.

Я читала и смотрела в окно. Сейчас понимаю, что не таким уж плохим было то время. Во дворе райкома был яблоневый сад, о нем никто не знал, и яблони цвели только для меня.

Я прочитала много книг, много страдала и много думала.

Вообще с течением лет вдруг переменяются цвета разных времен: то, что казалось черным, видится светлым, и наоборот.

Но если бы знать!

С Таней мы через несколько лет оказались соседками по другому дому и могли часами болтать и часами играть в крестословицу под названием "скрэбл".

У нее не было телефона, и мы придумали сигнальную систему из разноцветных тряпок.

Красная означала "приходи срочно!".

Один раз Таня пришла ко мне рано-рано утром, убежав из психиатрической лечебницы.

Я очень любила Таню, но до конца понять и оценить не смогла.

Это совсем другая история, а тогда, в конце пятидесятых, тоненькая девушка, качаясь на каблуках, водила важного пуделя. Предчувствие необычайного.

Но вернусь в послевоенное, почти беспризорное, детство.

А еще между моим домом и Институтом сахара расположилось длинное помпезное серое и загадочное здание. Теперь понимаю, что принадлежало оно ГУЛАГу, и там со стороны 2-й Миусской был подъезд с жилыми квартирами.

Недаром здесь появлялся зловещий генерал Масленников.

Появлялся нечасто — высокий, красивый, в серой каракулевой папахе с красным верхом.

Нечасто, потому что "дела" с Северов не пускали, и жила здесь не жена, а зазноба — красавица докторша, что работала в роддоме напротив.

Они гуляли под ручку, статные, влюбленные, он — в каракуле и красном оперении, она — с чернобуркой на плечах.

В пятьдесят четвертом Масленников покончил с собой, а красавица (и очень милая к тому же) докторша продолжала трудиться на ниве родовспоможения еще долго. Подозреваю, что о "подвигах" генерала в лагерях ГУЛАГа она в те времена понятия не имела.


Наш дом тоже не был обойден жильцами необычными. И тоже время от времени в дом приезжал академик Опарин.

Но он приезжал, наоборот, к жене: жил с молодой, а старушку (так нам тогда казалось) жену не оставлял, потому что был благодарен ей за то, что когда-то она выучила голодного бездомного студента Сашу.

Старушка Опарина единственная жила не в коммуналке, а в трехкомнатной квартире с домработницей Маней.

Маня была фигурой значительной и проходила как Обанина — так искаженно произносила она фамилию академика, автора марксистской теории происхождения жизни на Земле.

Наверняка к происхождению каким-то боком был причастен Сталин и уж точно Фридрих Энгельс со своей теорией белка.

К Мане почему-то подлизывались другие немногочисленные домработницы.

Например, наша Дуся.

Дуся помогала работавшей в две смены маме за еду и из благодарности к исчезнувшему отцу.

Когда-то до войны он, обладая какими-то возможностями, устроил ей комнатенку в Марьиной Роще.

Дуся была глупой, но характер имела легкий и доброжелательный. По совместительству она нянчила сына наших подселенных после ареста отца соседей, маленького и умненького Сашку.

Его она тайком угощала тюрей, и он часто просил: "Дуся, дай тюри!"

Мечтой Дуси была чернобурка как у докторши, но ей не светило, потому что работала Дуся коренщицей в столовой трамвайного депо имени Петра Щепетильникова. Оттуда она приносила жирный "стюдень", и под конец месяца этот "стюдень" был нашей основной едой.

Кто такой Петр Щепетильников, никто не знал, да и не интересовался особо, но все знали дешевый магазин при депо на Лесной.

Магазин имел прозвище "Трамвайка".

А вот что на электрической подстанции на 2-й Миусской, снабжающей депо током, работал Калинин, знали все.

Об этом сообщала гранитная доска на стене.

Михаил Иванович был председателем Верховного Совета, имел прозвище Дедушка и считался очень добрым.

Подстанция вызывала если не восторг, то уважение. Дом был красивым, он и сейчас выглядит импозантно. Промышленная архитектура конца XIX — начала XX веков была изящной и выразительной.

За большими окнами в светлых, идеально чистых залах бесшумно вращались маховики электрических машин.

Вообще 2-я Миусская улица была зеленой и тихой. Она и до сих пор такая. По ней я ходила в школу мимо деревянных заборов, за которыми стояли деревянные бараки и весной цвела сирень. В бараках жили татары, и татарские ребята не общались с нами. Девочки носили шаровары (зимой байковые), а поверх — форменные школьные платья.

Многие татары работали дворниками, и был один звук, присущий московским снежным зимам, — звук скребущей асфальт лопаты ранним утром. Очень уютный звук.

Там же, на 2-й Миусской, есть еще одно здание красного кирпича красивой "фабричной" архитектуры рубежа XIX—XX веков, бывшее училище имени Александра Второго.

В нем преподавал брат Антона Павловича Чехова Иван Павлович, и Чехов нередко бывал здесь, даже приехал переодеться после свадьбы.

А в самом конце, там, где 2-я Миусская упирается в 1-ю Миусскую, находилось ремесленное училище — страшный сон мальчишек-двоечников.

Училище было организовано еще до революции благородным дворянином Шелапутиным для осмысленного радостного труда. Там даже художественные кружки были.

АЛЁНА ДЕРГИЛЁВА. Большой Лёвшинский переулок, 1
(фрагмент). Акварель. 2006

В мое же время лозунга "Пролетарии всех стран, соединяйтесь!" будущие пролетарии были худыми, прыщавыми от недоедания, одетыми в серые убогие формы. И от отчаяния своей жизни, конечно, хулиганствовали.

Первая Миусская — улица моей школы № 174 — пропахла дешевой едой, потому что на углу Весковского переулка располагалась фабрика пищевых концентратов. Концентраты издавали аромат пшенной каши и свиных консервов.

Весь квартал между 1-й Миусской и сквером занимает Химико-технологический институт имени Менделеева, напротив него и располагалась моя школа.

Слева от нее до самой Лесной — дома тормозного завода и опять же НКВД.

В домах тормозного завода жили несколько тихих и бедных испанских семей, тех, кого детьми привезли из Испании во время Гражданской войны.

А в домах НКВД жили личности таинственные. Главы семейств почти всегда отсутствовали. Отца моей одноклассницы Наташи я, кажется, так никогда и не увидела, видно, занят был очень на Северах.

А отцом другой одноклассницы Эллы был, видно, большой начальник. Приезжал он редко, дома ходил в полосатой пижаме и щедро давал нам, девчонкам, деньги на театры и буфет.

В квартирах этих людей была красивая немецкая мебель, немецкая живопись и фарфоровые тарелки с рисунком-фруктами на стенах.

Я, конечно, только потом поняла, кем были папаши, но какое-то шестое чувство подсказывало, что интересоваться их профессиями не следует.

Отцы в классе мало у кого были. Кто погиб на фронте, кто сгинул в лагерях.

Или…

Однажды мама зачем-то взяла меня с собой в дом своей ученицы на Лесную рядом с Бутырской тюрьмой.

Мама преподавала в моей школе в начальных классах, и, видно, с какой-то из учениц были проблемы, вот мама и пошла к ней на дом после уроков, прихватив меня. И пожалела об этом. Я тоже.

Речь шла о чем-то темном и страшном. Отец ученицы, муж женщины, служил надзирателем в Бутырках и по ночам издевался над женой, делал что-то ужасное.

И все-таки школу свою № 174 напротив Менделавочки (так в просторечии называли Химико-технологический институт) вспоминаю с печальной нежностью.

Это была женская школа в полном смысле. Нет, два мужчины всё же наличествовали — учитель географии и, конечно, учитель физкультуры.

Почти все учительницы были одиноки; их одиночество скрашивали шефы — слушатели Высшей партийной школы при ЦК КПСС.

Таким образом, решалась и проблема одиночества партийных кадров.

Но они были одиноки временно, а наши училки — навсегда. Может, этим объяснялась их хотя и скудная, но бескорыстная женская щедрость.

А что они могли предложить со своими коммуналками. Лишь у одной — исторички Лии Львовны — была крошечная однокомнатная квартирка в деревянном домике на 5-й Тверской-Ямской. Там и встречались.

Иногда собирались у нас, так сказать, платонически, и мама с красавцем, ставшим потом хозяином Украины, замечательно "спивалы".

Многие из них стали потом начальниками своих республик, членами ЦК, и многие надолго сохранили чувство благодарности к нищим училкам, надевавшим по кругу на свидания одну и ту же черную трофейную комбинацию и фильдеперсовые чулки.

Я, большая любительница подслушивать, знала об их личной жизни почти всё.

Ах, какие они были чу́дные, как изо всех сил противостояли ужасу тогдашней жизни!

У химички сидел отец, у англичанки и исторички — мужья.

Директриса Вера Петровна вообще-то должна была их уволить, как и мою маму, но она этого не делала, а маме сказала, когда та, после ночи ареста и обыска, пришла заплаканная: "Теперь тебе надо работать за двоих".

У директрисы при школе была квартира, как в стародавние времена, ее тихий деликатный муж в чеховском пенсне на шнурке преподавал нам географию, и одно время в нашем классе учился их сын Юра.

Он был робким очкариком и умницей, и, видимо, в мужской школе его тиранили.

Учительница музыки — карлица Маргарита Ивановна — тоже приводила на уроки своего хорошенького, кудрявого, неведомо от кого прижитого сыночка.

У Маргариты был волшебный голос и бесконечная доброта, обращенная ко всему миру.

Но особенно она выделяла мою подругу Инну Макарову. Инну выделяли все, даже приблудный скрипач Сергей Филиппович Иванский, мучивший богатеньких учениц концертом Рединга, чтобы сводить концы с концами, — даже он занимался с Инной бесплатно.

Сергей Филиппович жил на углу Садовой и Дмитровки в огромной коммуналке в старинном доме, занимал с женой комнату, а его отец спал в стенном шкафу в коридоре.

Сергей Филиппович знавал лучшие времена, носил крахмальную манишку и пришитые к рукавам ситцевой рубашки крахмальные же манжеты, а над роялем висел большой портрет Элеоноры Дузе в красивой раме.

А Инну поцеловал Бог, она была талантлива во всем: в пении, в рисовании, в игре на скрипке.

Я очень любила ее и признавала без зависти ее очевидные достоинства, но дружба кончилась неожиданно и непонятно.

Однажды на перемене Инна отвела меня в конец коридора, где сквозь зашторенные стеклянные двери кабинета физики проникали солнечные лучи (помню как сейчас, будто не прошла вечность), и сказала как-то слишком отчетливо.

— Моя мать проститутка, — сказала она. — Она любовница своего начальника.

Отца у Инны тоже не было, а мать служила секретаршей у какого-то министра.

Мне ужасно не понравилось сообщение, и не только потому, что проституток я представляла курящих, с подбитым глазом, а мать Инны была тоненькой, с ямочками на щеках, веселой и ласковой, — мне не понравилось, *как* Инна это сказала.

Мне не нужна была такая искренность, такое доверие, и Инна это почувствовала.

Наверное, я была неправа, но, к удивлению всего класса, мы разошлись спокойно и бесповоротно.

Теперь по долгу службы я бываю в доме, где она жила когда-то. Дом переделали под офисы, но высокие, на два этажа, окна на лестнице остались, и всякий раз, когда я поднимаюсь тяжело в свой департамент, я вспоминаю, как мы стояли у этого окна с Инной, а ее мать в какой-то очень милой шапочке-колпачке из голубого пуха сбегала вниз, на ходу роясь в сумочке, чтобы дать нам на мороженое.

— Только не ешьте на улице, ешьте дома!

Как и в любом районе, у нас на Миуссах был свой хронотоп. Но только вместо больницы — родильный дом, вместо тюрьмы — десятое отделение милиции (да и Бутырка располагалась рядом), торжище — Тишинский рынок неподалеку, а роль тетра исполнял Клуб имени Зуева.

Кем был Зуев, мы тогда не знали (не было "Википедии"), но справедливо подозревали, что, как и Щепетильников, Зуев имел отношение к революционному движению.

Сейчас можно узнать, что работал он в трамвайном парке напротив и принимал участие в событиях 1905 года.

Также мы не знали, что чудесное здание построил архитектор Голосов.

А клуб… клуб дарил счастье и чувство благодарности на всю жизнь.

Там впервые увидела фильм, это была лента "Леди Гамильтон" с Вивьен Ли, и там я навсегда полюбила кино.

Там крутили трофейные фильмы с Марикой Рёкк и с Франческой Гааль ("Хорошо, когда работа есть", — пела Франческа)…

И там за десять копеек мы бессчетно смотрели знаменитого "Тарзана". Это было какое-то всеобщее помешательство с этим фильмом о человеке, выросшем в джунглях.

Продавались маленькие фотографии-кадры героя и его возлюбленной Джейн; имя Читы — умной обезьяны-прислужницы — стало нарицательным.

А незатейливые стишки знал каждый пионер:

Не нужен мне панбархат,
Жоржет и креп-сатэн.
Пусть буду я одета,
Как маленькая Джейн!

Напротив клуба (но это уже вне границ Миусс) располагался особнячок — детская поликлиника. Там была маленькая мебель с хохломской росписью, и туда мы добровольно ходили лечиться. Родители нас не проверяли, но инстинкт подсказывал, что выживают здоровые, на больных у родителей не хватит ни сил, ни времени, и мы не пренебрегали даже отвратительной процедурой выбивания гнойных пробок из гланд после ангины.

Зимы в Москве тогда были холодными и снежными, в сумерках высокие, чистые сугробы отсвечивали розовым от окон и голубым в тени.

Переулок, который вел мимо клуба к поликлинике, другим концом упирался в Миусский сквер.

Тогда сквер казался мне огромным, и на него падала тень от грандиозных, в духе Пиранези, руин храма во имя Святого Александра Невского.

О Пиранези мы, конечно, понятия не имели, но руины притягивали, и мы, несмотря на запрет родителей, частенько наведывались туда.

Храм построили в честь отмены крепостного права; при советской власти взорвали и хотели на его месте построить крематорий; не успели — началась война.

В пятидесятые храм разобрали и построили, скучной архитектуры, Дом пионеров.

А Миусский сквер остался, но теперь по его аллеям гуляют не слушатели Высшей партийной школы в габардиновых пальто и нахлобученных шляпах, а студенты Гуманитарного университета, ну и, конечно, мамаши с колясками.

Я изредка проезжаю мимо и всегда ощущаю что-то застарелое: то ли боль, то ли негодование.

Первый обман. Незабываемый во всех подробностях. Я владела драгоценным сокровищем — волшебным мячиком из "американского подарка". Мячик подскакивал непредсказуемо, то есть высота подскока не зависела от силы удара. Ударишь как следует оземь, а он еле поднимется, слабо ударишь — подлетает высоко-высоко.

Это было не просто чудо — это была моя единственная игрушка.

И вот одна девочка попросила этот мячик дать ей домой поиграть до завтра. С ней была мать, и я поверила.

Дело было на Миусском сквере возле подземного туалета.

До сих пор помню, как на следующий день я до сумерек простояла возле входа в этот самый бетонный туалет, как неожиданно поняла, что девочка не придет! Что она *об-ма-ну-ла!*

Я была потрясена.

Эту историю любил Юрий Валентинович.

Кстати, одно время он частенько пересекал сквер: ходил в "Политиздат", где издавали его роман "Нетерпение" и где у него был еще один роман.

Но пора рассказать и о доме, где я родилась и где прожила почти четверть века.

Сейчас он входит в комплекс какого-то министерства. В одной из комнат нашей бывшей квартиры прорубили добавочное окно, а на окнах полукруглых эркеров лестницы, где я за батареями прятала навязанные мамой галоши, а иногда и теплые байковые штаны, висят богатые кремовые занавески-маркизы.

Много еще чего происходило в этих эркерах: первый поцелуй, первые слезы разлуки…

Дом был странным. Принадлежал он Центральному институту сахара, имел пять этажей.

Четвертый был с коридором на два подъезда; там располагалось общежитие.

Там жила моя любимая собака Радж, большая красивая немецкая овчарка.

А странность дома заключалась еще и в том, что он был словно бы не достроен, словно бы брошен второпях, будто то ли денег не хватило, то ли война началась.

Полы были цементными, а ванная и кухня занимали единое пространство, хотя для ванной было предусмотрено узкое окно.

У нас ванна была закрыта досками, и на них спали многочисленные родственники мамы, когда приезжали с Украины.

А в квартире профессора Петербургского его жена Юзефа Карловна разводила в ванне кроликов.

Окна в обеих комнатах выходили на улицу Александра Невского. Только одно смотрело как бы вдаль, на храм, а другое — на трущобы Пини Рыжего. На их месте потом построили престижный дом для партийцев, и в нем одно время жили Ельцин и поэт Анатолий Софронов.

А после войны между трущобами и Красной коммуной (гнездом хулиганов и бандитов) — теперь там общежитие Щепкинского училища — умещался "поленовский дворик" с садиком и одноэтажным домиком.

В нем жили наш участковый и другие милиционеры десятого отделения.

Участковый был хорошим человеком. Когда отец вернулся из лагеря и не имел права жить в Москве, участковый, которому положено было проверять, не нарушает ли отец закона, медленно-медленно шел по улице и долго стоял у подъезда, чтобы отец мог спрятаться у соседки Доры Ильиничны или в стенном шкафу.

Фамилии участкового не помню, а жаль, потому что, как писал Юрий Валентинович, "бывают времена величия малых поступков".

Наш дом населяли в основном люди, имеющие отношение к сахарной и спиртовой промышленности.

Ну и дворники, конечно.

Вот с них и начну.

В полуподвале жила тихая и трудолюбивая семья дворника Крысина. Его умненький сын редко играл с нами в "штандер" и "ручеек", а всё больше читал, поэтому дружил он с Сашей Петербургским, с третьего этажа, тоже большим книгочеем.

В другом полуподвале жили какие-то невнятные люди. Их сын — даун по прозвищу Бяка — всегда торчал в окне.

А потом, конечно же, Пиня Рыжий научил его онанировать, и Бяку убрали от окна.

На первом этаже жила знаменитая московская красотка Нина Глушко.

Она считалась "плохого поведения", потому что была очень хороша собой, имела множество ухажеров, одевалась на американский манер и косила под Дину Дурбин.

Она и сама была ничуть не хуже Дины.

К ней приходили подруги, похожие на Зару Леандр или Вивьен Ли.

Среди ухажеров Нины был и какой-то знаменитый московский француз, он приезжал на голубом "шевроле", и этот автомобиль затмевал "ЗИЛ" академика Опарина.

Нина вышла замуж за венгра и уехала в Венгрию; я встретила ее через много лет в Будапеште, она была по-прежнему хороша, имела двоих детей, блестяще переводила книги и конгрессы.

Муж занимал большой пост в венгерском МИДе.

Другая красавица появлялась редко, и приезд ее становился большим событием в жизни двора.

Красавец, морской офицер Котик Пилецкий, был женат на актрисе Татьяне и привозил ее к маме.

У Татьяны были русалочьи глаза и пышные вьющиеся рыжеватые волосы.

Мы забрасывали мячик к ним в окно, чтобы посмотреть на нее, и она всегда бросала нам мячик назад не раздражаясь, с улыбкой.

Какие же еще радости были у нас на Миуссах?

А сама жизнь и была радостью.

Вечерние игры на тихой улице со старыми липами (липы исчезли), пирожное "корзиночка", которое приносила сестра "со стипендии", походы за книгами на улицу Горького в отличную библиотеку районного Дома учителя.

Это было удивительное заведение, расположившееся в бельэтаже старинного дома. С чудесной залой, отделанной мрамором и огромными зеркалами, с замечательным огромным стеклом-витриной с матовым узором. Через эту витрину в вестибюль проникал дымный свет с улицы.

Всё это пережило революцию, Гражданскую войну, Отечественную и было беспощадно испоганено пресловутым банком "Столичный".

Чудесная витрина выбита, вместо нее — уродливый вход в какое-то учреждение, в окнах волшебной квартиры горит мертвенный дневной свет и висят гнусные офисные жалюзи.

Что еще…

Да, в конце войны стали давать вещи из американских подарков, и дворовая мелкота приоделась.

Да и взрослые тоже.

Мне достались маркизетовое платье с крылышками и лаковые туфельки. Сестре — голубое шерстяное платье. Она его носила лет пять, до конца учебы в университете.

А Бяка появился в роскошном свитере с оленями.

Помню, как хоронили убитого бандитами участкового, помню празднование восьмисотлетия Москвы, отец повел меня на Красную площадь. Последний наш совместный праздник — вскоре его арестовали.

Теперь Миуссами владеют троллейбусы, они стоят повсюду, спокойные, с плоскими, как у восточных божков, лицами.

Они немного похожи на аэростат, который тоже спал среди дня на Миусском сквере, а к вечеру приходили девушки в военном и уносили его на дежурство.

Мне очень хотелось увидеть, как он поднимется в небо, и один раз я увязалась за процессией. Было мне лет пять-шесть, меня где-то перехватили и вернули домой. Как и где это было — не помню, а вот наказание помню хорошо: меня заперли в уборной.

Глупо… ведь я шла за мечтой.

# Евгений Бунимович

## Неглинка: фрагменты одной жизни и одной реки

Сюда меня привезли прямо из роддома — в деревянный дом, который в недолгий период нэповской вольницы построили вскладчину несколько приятелей, среди которых был и мой дед.

Как и большинство мест, начинающихся с "ново-", Новосущевская — весьма старая московская улица, проложенная по руслу Неглинной реки от Марьиной рощи к Селезневке.

Так что можно сказать, что родился я на берегу реки, хотя бумажных корабликов по течению не пускал, да и самой реки никогда не видел — ее загнали в трубу и убрали под землю еще два века назад, при Екатерине II.

Нынешняя натужная имитация Неглинки с ошалелыми церетелевскими зверушками у кремлевских стен — не в счет. Это водопровод.

Подземная, потаенная, настоящая Неглинка проявляет себя на поверхности иначе — в не характерной для московских широт активной растительности.

Новосущевская вся в вековых тополях.

Зимой улица моего детства утопала в снегу, да и летом она была вся белая, вся в тополином пуху, который мы, конечно, поджигали. Огонь шел далеко вдоль улицы. Ужас (как я теперь понимаю) — дома-то были деревянные. Зато как красиво, опасно, неизбежно — ползущая вдоль тротуара извивающаяся кромка огня…

Я уже школу заканчивал, когда пришла бумага, что дом наш будут сносить, а на его месте возведут трансформаторную будку. Нас выселили. Дом снесли. Стоит ли добавлять, что будку за прошедшие с тех пор полвека так и не построили?

По свойственной жителям моего великого города знаменитой московской лени ни один ансамбль тут никогда не достраивали, ни один проект не завершали. Надо признаться, что и забивающий пухом глаза и ноздри, а также решетки радиаторов и вентиляционных труб тополь выбрали москвичи (и засадили им весь город) всё по той же лености своей — потому как дерево это неприхотливое и ухода не требует. Само растет.

Теперь в целях борьбы с пухом тополя обрезают дважды в год по самое "не могу", оставляя только сиротливые обрубки стволов. Однако тополя бывают мужские, а бывают женские. Пух выпускают, как нетрудно догадаться, только женские особи. А вот если по ошибке обрезать особи мужские, они могут превратиться в женские и так же завалить всю округу пухом. При этом биологи утверждают, что тополя меняют пол не потому, что после обрезания лишаются гендерных признаков, а потому что "испытывают стрессовое воздействие". Тут, пожалуй, есть над чем задуматься.

Не могу понять: где же он помещался меж этими разросшимися тополями, казавшийся мне таким огромным дом? А ведь здесь был еще двор — большой, обжитой: дощатый стол со скамейками, белье на веревках, тропинки, клумбы, палисадники, темные углы, таинственное заброшенное бомбоубежище, точильщики, оравшие про "ножи-ножницы", старьевщики, ходившие по квартирам (я их боялся). Целый мир.

Однажды наш дом обновили — темные бревна обшили новыми досками. Дом помолодел и поскучнел. Заодно и тропинку от нашего подъезда до улицы городские власти решили цивилизовать — покрыли асфальтом. А там грибница была, шампиньоны росли.

Летом в асфальте обнаружилась маленькая трещина, потом шляпка вылезла. Меня это поразило — шампиньон (мягкий) пробил асфальт (твердый).

Гриб срезали, в асфальте образовалась дыра, ее замазали. Потом еще один шампиньон вылез, еще один. Осенью уже весь асфальт был в дырах, и по жалобе жильцов всё опять утрамбовали, заасфальтировали.

На следующий год шампиньоны снова пробили асфальт. Так продолжалось несколько лет, пока городские службы наконец не сдались.

И когда я теперь слышу привычные жалобы, что всех и вся закатали под асфальт…

## Магазины и помойки

Я — упитанный домашний ребенок, дошкольник, и мне разрешили самостоятельно покидать пределы двора и идти за хлебом!

С мелочью, зажатой в ладони, я отправлялся в булочную, именовавшуюся в народе "Три ступеньки". Вообще все окрестные магазины имели типовые вывески и совсем не типовые народом данные имена: "Курников", "Швейников", "Угловой", "Три ступеньки"…

— Где брали?

— В "Угловом".

"Угловой" и "Три ступеньки" понятно, почему так именовались, а вот так естественно рифмующиеся "Курников" и "Швейников" имели совершенно разную этимологию.

Как выяснилось много лет спустя, Швейников — это не фамилия, а родительный падеж множественного числа. Всё, что осталось от некоего профсоюза швейников времен позднего нэпа.

А вот Курников — это фамилия владельца. На торце курниковского дома на Новослободской до недавних пор сохранялась роскошная, дореволюционная, выложенная керамическим кирпичом надпись: "Мясная и рыбная торговля", которую очень любили киношники.

Эта вывеска постоянно мелькает в советских фильмах про старое время — ближе к финалу от "Мясной и рыбной торговли" идет непременная панорама вниз, чуть наискосок, к сквозному проходу во двор, выложенному той же тревожно поблескивающей в ночи керамикой. Там, в проходном дворе, и настигают всех шпионов, бандитов, вредителей.

Но для меня важней была, естественно, не сама булочная, а дорога к ней. Это был мой переход Суворова через Альпы, перелет Чкалова через океан. По дороге поджидало так много всего интересного и опасного: кусты, задворки, помойки, местная шпана…

О помойках стоит рассказать отдельно.

Украшением помойки на заднем дворе автобусного парка был вросший в землю скелет брошенного автобуса — наша ржавая беседка без окон и дверей, наш клуб по интересам. С дырявой крыши того автобуса можно было дотянуться до открытой фрамуги и с целью поиграть в прятки залезть в закопченный, зачуханный, насквозь провонявший бензином и соляркой Бахметьевский гараж, позднее оказавшийся шедевром мировой архитектуры XX века, который проектировали сразу два гения — гений русского авангарда Константин Мельников и гений русской инженерной мысли Владимир Шухов.

Безвинно пострадавшие автобусы сослали на край города, а в отмытом и отреставрированном гигантском конструктивистском параллелограмме открыли сперва гламурно-продвинутый центр современного искусства "Гараж", а теперь — Еврейский музей, полный медиа-чудес, включая сотворение мира в *4D* с натуральным землетрясением и всемирным потопом.

Прямо напротив дома находилась еще одна помойка. Точнее, напротив в сером сталинском ампире с приземистыми колоннами располагается МИИТ — институт инженеров транспорта, а на заднем дворе жива инженерная помойка моего детства — совершенно необыкновенная. Из миитовской помойки всегда можно выудить пестрые мотки проволоки, обрезки железа, обломки загадочных механизмов немыслимой красоты и пользы.

Большинство моих соотечественников по сей день не понимают и не принимают всяческие безобидные мобили и прочие скульптурные абстракции, воспринимают их как посягательство на святое. А для меня это свое, родное, из детства.

Деревянная моя улица упиралась в Сущевский Вал кривоватым сараем, гордо именовавшимся "Кинотеатр «Мир»". Потом, ко Всемирному фестивалю молодежи, в самом центре Москвы на Цветном бульваре (на берегу всё той же невидимой миру Неглинки) воздвигли новый роскошный панорамный (ныне обветшавший) кинотеатр "Мир", а наш переименовали в "Труд".

Следом за "миром" и "трудом" в тогдашней советской мантре-скороговорке шли еще свобода-равенство-братство-счастье, так что перед нашим киносараем открывались широкие перспективы. Однако до счастья так и не дошло — теперь на этом месте торчит покрытый веселеньким пластиком бизнес-центр.

Неподалеку от сиротливого "Труда" стоял еще один деревянный сарай, выкрашенный в голубой цвет, — синагога. Единственная, между прочим, синагога, появившаяся в славном отечестве за все советские годы. Сюда мы с бабой Эсей раз в год шли за мацой. Властью такое никак не одобрялось, в предутренней молчаливой очереди ощущался налет запретности — что-то потаенное, обреченное, спрятанное глубоко-глубоко. Как Неглинка.

От того деревянного мира и труда здесь не осталось ничего, кроме вышеупомянутых тополей.

Новая семиэтажная синагога с интернет-кафе и тренажерным залом, недавно открытая на месте той, старой, уже не лыком шита, не досками обшита, а выложена иерусалимским камнем — как Стена Плача. Так-то.

## Екатерининский парк

Пруды в парке — единственное свидетельство о Неглинной реке на поверхности земли.

В этом парке в маленькой частной группе я гулял в дошкольные времена. Тогда он назывался садом ЦДСА

(Центрального дома советской армии). Сам дом не дом, а огромный дворец, "загородный двор" графа Салтыкова с палатами и регулярным парком, позднее выкупленный в казну для Екатерининского института благородных девиц. Девиц в ходе революционно-рейдерского захвата выкинули мужчины в форме, устроившие здесь Дом армии — сначала красной, потом советской, теперь российской.

В группе, гулявшей по саду вокруг пруда, нас было пятеро дошколят: Сашка, сын поэта Давида Самойлова, Коля Шастин, будущий детский хирург Филатовской больницы, и две девочки, след которых утерян во времени и пространстве (пятый — я).

В типичном городском саду ЦДСА мороженое накладывали в вафельные стаканчики, парочки, юные и не очень, плавали на лодках (залог — часы). Культуре и отдыху верно служили также качели, голубятня, читальня (летом), каток (зимой) и даже мини-планетарий.

Паркам не свойственно меняться так, как городским улицам. И сегодня умиротворяет гуляющих всё тот же пруд, полный уток и лодок, свежевыкрашенные к лету беседки, заброшенный планетарий, уже почти невидимый за разросшимися деревьями, и всё та же скульптура "К звездам" — главное место свиданий и встреч (если кто потерялся). Скульптуру установили полвека назад — на волне энтузиазма и чистого восторга перед запуском первого спутника Земли.

"Подобно Прометею, несущему огонь человечеству, в скульптуре запечатлен молодой, полуобнаженный и могучий титан в набедренной повязке. Словно факел запускает он в небо ракету, которая устремляется в бесконечную синеву навстречу новым открытиям и приключениям".

Бодибилдинг тогда еще не практиковали, поэтому могучий титан в набедренной повязке вышел у скульптора несколько худосочным. Упражняясь с нашей бонной Адой Ивановной в устном счете, мы ему ребра пересчитывали.

## Школы и больницы

Французская моя школа (спецшколы тогда только входили в моду) стояла ниже по течению Неглинки по трубе — на улице Достоевского, бывшей Божедомке.

Атмосферу школы задавали местные "француженки" — учительницы французского языка. Их было много, и на каждой лежала своя печать нездешности, тень иного мира, отгороженного от нас, советских пионеров, глухим железным занавесом.

Если вдуматься, само по себе тщательное изучение французского языка и французской истории, географии, литературы было в те времена занятием весьма странным. С неменьшим успехом можно было подробно изучать язык древних шумеров или одного из исчезнувших племен американских индейцев.

Француженки наши сами никогда во Франции не были. При этом они тщательно отрабатывали нюансы произношения и грамматических форм французского языка, досконально изучали с нами план Парижа, по которому никогда не бродили.

Это был настоящий театр абсурда, рядом с которым дистиллированный абсурд Беккета-Ионеско кажется вершиной соцреализма, — но тем незамутненней, тем прекрасней был творимый ими миф Франции, избавленный от каких бы то ни было бытовых подробностей…

А школа и сейчас стоит, и сейчас французская — прямо напротив больницы, прославившейся тем, что в ее флигеле провел первые шестнадцать лет своей жизни сын здешнего штаб-лекаря Федя Достоевский.

Гранитный Достоевский работы скульптора Меркурова, спрятанный за больничной оградой в глубине двора, много старше и много пострадавши. У подножия гения всегда, в любую погоду беспокойно, нервозно, зябко, особенно если встретишься с ним глазами — что неудивительно, ведь, как свидетельствует впечатлительный поэт Сергей Городецкий, каменный писатель "вглядывается в последние бездны человеческого духа". Впрочем, тут с поэтом можно и поспорить. Как известно, позировал для памятника Александр Вертинский. Кто же из двоих теперь в бездны вглядывается?

Первые свои годы печальный памятник провел не здесь. В больницу его без лишнего шума отправили в 1936 году, когда Достоевский в очередной раз оказался не ко двору. Стоит ли добавлять, что до того писатель стоял на Цветном, то бишь тоже на Неглинке — и значит, перемещали его строго вдоль русла подземной реки.

Не в этих местах открывали и стоящий ныне совсем рядом с "достоевской" больницей, в скверике на площади Борьбы, памятник Веничке Ерофееву и его рыжеволосой подруге, которая с косой до попы. Памятник мы сначала открыли, естественно, на Курском вокзале. Точнее, бронзовый Веничка встал на перроне Курского, а возлюбленная — на станции Петушки. Получился самый длинный памятник в мире. Но руководство ж/д идею не оценило и велело парочку нелегалов убрать.

Так что Веничка смог наконец добраться до своей подруги. Но все равно герои оказались разделенными — невидимая граница столичных округов проходит между ними, Веничка оказался в Центральном округе столицы, а красавица из Петушков — в Северо-Восточном. Впрочем, остается надежда, что чиновник, сообщивший нам об этом прискорбном факте на официальном бланке мэрии, ошибся. "Нельзя доверять мнению человека, который еще не успел похмелиться" — гласит надпись на постаменте памятника.

За полвека эти места мало изменились. Даже трамвай, воспетый Давидом Самойловым в поэме "Снегопад", всё так же громыхает... В ностальгическом угаре мы отметили этот факт с Сашей и Колей Шастиным, когда открывали мемориальную доску поэту, который жил рядом, в угловом доме на площади Борьбы ("Борьбы с самим собой" — как шутил Самойлов).

А "достоевская" больница тут не единственная. Здесь много больниц. Одна как раз по дороге от моего дома в школу. Туда и привезли бабу Эсю. Она попала в больницу первый раз в жизни. Я даже не помню, чтобы баба Эся до того дня болела.

Мама ходила в больницу каждый день, говорила, что мне тоже надо бы зайти. Думал, успею — куда торопиться? В детстве есть более важные и интересные дела. Не успел.

## Трубная

Вроде нет Неглинной реки, и вроде — есть. Иначе откуда названия улиц — Самотека, Трубная, Неглинка, Кузнецкий Мост…

Да еще и Трубная площадь — с ее никудышной репутацией (смертельная давка на сталинских похоронах, регулярные наводнения) и неслучайным (о чем ниже) желанием заменить звонкое "б" на глухое "п".

И все-таки это одно из самых любимых моих московских мест, Труба — единственная в городе площадь, откуда во все четыре стороны уходят бульвары, обрамленные кривоватыми, приземистыми, такими нестоличными, такими московскими домами.

Особенно хорош неожиданный в пологой Москве резкий подъем Рождественского бульвара. Высокий берег без реки. Даже местному недострою — беззаконному павильону посреди бульвара в стиле курортного рококо — кажется, не удалось доконать эту красоту.

Справа — Рождественский монастырь, у стен которого наполеоновские солдаты расстреливали поджигателей Москвы, слева, на углу Цветного, — еще одно недавнее чудище, но уже размера XXL. "Бизнес-центр класса «А» и элитные апартаменты «Легенда Цветного»" настойчиво рекламировала на всех каналах супермодель Наоми Кэмпбелл. Знала бы чернокожая звезда, какую легенду пиарила….

Ведь именно здесь (свидетельствует Гиляровский) было самое страшное место в городе — трактир "Адъ". "По гнусности, разврату и грязи он превосходит все притоны…" — вторит скитавшийся по здешним ночлежкам писатель Михаил Воронов. Трупы из "Ада" ночами спускали непосредственно в трубу Неглинки.

Позднее это гиблое место было безошибочно выбрано Московским горкомом КПСС для строительства Дома политпросвещения, а в постсоветское время его преобразовали в Центр обучения избирательным технологиям (тоже неплохо). Потом захотели было возвести на обломках "Ада" политпросвещения и избирательных технологий что-то уж совсем грандиозно-парламентское — но и здесь всё закончилось бизнес-центром.

У этих мест издавна дурная слава. Еще в середине XIX века тогдашний московский генерал-губернатор, вспыльчивый самодур граф Закревский, отдал приказ: "…Найдя, что Трубный бульвар служит притоном мошенникам и проституткам, а по способу посадки деревьев полиции затруднительно иметь за ним наблюдение, приговариваю его к уничтожению". Стилистика городских властей схожа во все времена: уничтожить было велено не притоны с мошенниками и проститутками, а деревья на бульваре. Все деревья спилили, а бульвар на всякий случай переименовали в Цветной.

В прошлом году Цветной весь перекорежили в ходе очередной масштабной переделки. Один из водителей комбайнов-землероек хватанул, видимо, лишнего — и внезапно обнажилась аккуратная дыра, путь в подземелье, в Неглинку, в "Адъ". Вскоре всё снова замуровали, но пару дней можно было, заглянув в преисподнюю, увидеть старое кирпичное русло реки.

Направо от Цветного — Петровский бульвар с погорелым театром на углу, некогда знаменитым рестораном, родиной неизбежного теперь салата "Оливье".

Петровский бульвар — это еще и шальная моя молодость. Гуляли поэты обычно на кухне у Марка Шатуновского, которого выгодно отличала от всех нас огромная квартира с персональным выходом на Бульварное кольцо. Вообще-то за семейством Марка числились две комнаты в коммунальной на десять семей квартире с общей уборной, располагавшейся под чугунной лестницей каслинского литья, однако всех соседей переселили, а шатуновское семейство дальновидно застряло, и вся безразмерная коммуналка была в нашем распоряжении.

Марково семейство в итоге всё же выселили, но дух андеграундного искусства выселить не удалось — именно здесь возникла тогда первая перестроечная арт-коммуна, сквот Александра Петлюры "Заповедник искусств на Петровском бульваре" с его легендарной пани Броней.

## Кузнецкий Мост

Моста, как всем известно, нет. Следы его не так давно обнаружили при реконструкции улицы, долго думали, что с ними делать, — и снова закопали. Реки тоже нет. Зато всё так же плачет, склонившись над отсутствующей рекой, неожиданная посреди городского асфальта старая ветла. О чем плачет она перед главным зданием Банка России? О канувшей в подземелье реке? О канувших в нее сбережениях моих сограждан?

Лучше б не копили на черный день, лучше б пошили на свои кровные сарафаны и легкие платья из ситца — тут же, за углом, на Кузнецком Мосту, где "вечные французы", Дом моделей и ателье "Люкс", семейная наша легенда.

...С войны, с передовой вернулся папа в мае 45-го с трофеем, выданным на складе под расписку, — роскошным отрезом крепдешина (белые лилии на сиреневом фоне). Вернулся в аспирантуру мехмата МГУ, где вскоре и познакомился с мамой — студенткой того же мехмата, вернувшейся с университетом из ташкентской эвакуации.

После свадьбы отрез долго томился в диване — мама мечтала сшить шикарное платье в том самом лучшем в городе и во всем СССР ателье "Люкс", что на Кузнецком Мосту. Но пробиться туда было совершенно невозможно.

Наконец ее подруга нашла ходы в это модное ателье. Сговорились ехать вместе.

Мама мыла на кухне посуду, размышляя о фасоне будущего платья, когда по радио объявили, что умер Сталин. Тут она, во-первых, безутешно разрыдалась, а во-вторых, не зная, как бы еще выразить скорбь и значимость момента, бросилась в комнату и велела моему мирно болевшему корью старшему брату встать в его детской кроватке по стойке смирно.

Не знаю, сколько бы он так простоял, но вскоре пришел с работы папа.

Увидев, что мама рыдает, а больной ребенок в своей кроватке почему-то не сидит и не лежит, а стоит руки по швам, он спросил озабоченно:

— Что случилось?

— Сталин умер, — еле смогла выговорить мама, утирая обильные слезы.

— Идиотка, — сказал папа и уложил ребенка на место.

Однако мама моя не была бы моей мамой, если бы уже на следующий день (а это и был великий день записи в ателье) они с подругой не поехали через всю Москву на Кузнецкий, в заветный "Люкс".

Молодые, счастливые, в предвкушении долгожданного платья, с отрезом крепдешина, пропахшим нафталином после многолетнего заточения в диване, они не обращали внимания на пугающую пустоту московских улиц…

Только войдя в ателье, где в абсолютной тишине и полном отсутствии клиентов сидели приемщицы с опухшими красными глазами, две модницы слегка отрезвели и наконец испугались.

— Вам чего? — мрачно спросила самая главная приемщица.

Поскольку блат был у подружки, та начала:

— Ну вот, знаете, мы…

Тут-то мама, еще вчера рыдавшая навзрыд и чуть не рвавшая в отчаянии свои прекрасные волосы, сообразила, что в стране-то горе великое, траур и только враги народа (то есть как раз они с подругой) могут спокойно, а может, *и с тайной радостью* идти в ателье заказывать новое праздничное платье из легкого крепдешина, с белыми лилиями на сиреневом фоне…

Схватив все еще ничего не понимающую подругу за руку, мама пулей вылетела из злосчастного "Люкса".

В этом вся моя мама. Такой она была. Могла залиться слезами по поводу смерти тирана, который и ее семью гнобил как мог, но это никак не отменяло заказ нового платья.

Обошлось. А если б нет? Едва ли тогда год спустя мне удалось бы явиться на свет божий…

Неглинку полюбили диггеры, которые спускаются в подземный коллектор в поисках острых ощущений. Но зачем лезть под землю, если Кремль как и прежде стоит на слиянии двух рек?

Кому-то, конечно, может показаться, что река тут только одна. Но нет. Неглинка всё так же впадает в Москву-реку. Просто приезжие, идущие на экскурсию в Кремль по Троицкому мосту, не всё вокруг умеют разглядеть…

◆ ◆ ◆

я родился и рос как положено на берегу реки
                в деревянном доме почти в избе
и я бы тоже однажды наверно вернувшись из странствий
                устами к этой реке приник
но с 1819 года она в трубе
и об этом факте я недавно узнал из книг

ибо родился я не в 1819 году а позднее хотя
                и дожил до седин
это можно проверить в книге судеб
                есть запись на букву Б
и об этой реке я вспомнил сейчас
                потому что я сам в трубе
может это не так заметно потому что не я один

однако бублик это не только дырка особенно если он тор
ведь что такое вообще топология если не поиски
                жанра с заходом на тот свет
как выясняется даже шандор петефи не столько
                погиб в бою сколько женился
на дочке баргузинского почтмейстера
                и вообще оказался хитер
и об этом факте я недавно узнал из газет

фирменный магазин фабрики большевичка открылся
                на том месте где я родился и рос
где ввиду отсутствия плетня не на что наводить тень

Алёна Дергилёва. Бутербродная на Никольской (фрагмент).
Акварель. 2011

где предельный страх и предельная храбрость
                                    одинаково портят желудок
и вызывают понос
и об этом факте поведал еще монтень


я ни разу не был на том берегу реки хотя и дожил
                                    как уже было сказано до седин
ибо вброд эту реку не перейти и кроме кузнецкого
                                    вроде бы нет мостов
человек отличается от коллектива тем что всегда один
коллектив отличается от человека тем что всегда готов


не люблю играть в партизаны
                                    в кто предал и в кто донес
ибо каждый из тех кто сегодня прав
                                    уже в следующей серии виноват
человек пластинка неслишкомдолгоиграющая
                                    и несовсемвсерьез
может об этом еще никто не поведал но это факт

# Юрий Гаврилов
## Банный день.
## Сандуны

**К**олокольников переулок был горбат и мощен булыжником; весной между разноцветных, если присмотреться, камней зеленела молодая трава.

Булыжная мостовая (когда-то каждый крестьянин, въезжавший в Москву, должен был привезти дюжину камней величиной в пядь) вовсе не говорит о том, что мое детство и отрочество безмятежно текли в захолустье или же на окраине Москвы.

Мы жили в центре, между Рождественским бульваром и Садовой-Сухаревской улицей, там, где по крутому склону словно частым гребнем были проведены переулки от вершины Сретенского холма, Сретенки, к его подножию — Трубной: Печатников, Колокольников, Сергиевский, Пушкарев, Головин, Последний и Сухарев — самая малая моя родина.

Хотя родился я на Урале, в Верхней Салде, от родителей, встретившихся в эвакуации. Моя мама — коренная петроградка, а папа уроженец Колокольникова переулка.

Переулки наши не оставили в прошлом следа великого и кровавого, как соседняя Лубянка, но свою лепту в историю Отечества внесли. Если бы я был мистиком, я бы задумался о некоторых тайных знаках, каковые были сокрыты в истоках моей судьбы.

Улица Сретенка, не нашедшая себе певца, подобно Арбату, есть наилучшим образом сохранившаяся московская слобода, жители которой кормились многочисленными ремеслами.

Ряд наших переулков со стороны Рождественского бульвара начинается слободой печатников, т.е. типографщиков, которые построили себе каменную церковь Успения Богородицы в 1695 году на месте деревянной 1631 года; цела, слава Богу, по сей день.

Одно время в ней размещался музей Арктики, а затем — Морского флота СССР, который я неоднократно посещал по ненастным дням, сочетая полезное с приятным, — распивал спиртные напитки и знакомился с экспозицией — судите сами, читатель, что из этого было приятным, а что полезным.

Заметьте, что в это время я сам уже был матерым типографщиком, и не было ли здесь знака судьбы?

Сретенка заканчивается у Сухаревской площади церковью Троицы, что в Листах; здесь торговали продукцией печатников — листами: церковной литературой, печатными иконами и лубками.

И моя жизнь заканчивается вот этими листами — еще один знак.

Дом № 1 по Трубной улице, где жил мой школьный приятель, до революции носил название "Адъ" — по помещавшемуся в нем заведению последнего разбора даже для тогдашних гнусных московских трущоб.

И первый реактор Красноярского горно-химического комбината назывался "АД".

Ну почему я не мистик?

Жизнь была бы хоть и так же тяжела, но хотя бы понятна.


Колокольников переулок получил название по литейному колокольному заводу Ивана Моторина, отлившего, помимо всего прочего, Царь-колокол.

Жившие по соседству пушкари на склоне холма между нашим и соседним переулком поставили церковь преподобного Сергия; первая, деревянная, сгорела в пожар 1547 года, вторую строили долго, пока цари Иван V и Петр I не помогли камнем, и церковь освятили в 1689 году.

Крестный ход от нее совершался к Неглинским прудам, что славились рыбными ловлями, на месте нынешнего Цветного бульвара.

Пушкари по случаю праздника палили из орудий, пугая Сретенку, Сухаревку, Лубянку и Мясницкую — а ну как сожгут.

Строили церковь долго, а снесли в 1935 году быстро, под огромный, по проекту, клуб глухонемых.

Однако вместо клуба построили школу, № 239 мужскую (с 1944 года) школу Дзержинского района, куда первого сентября 1951-го я пошел учиться.

А клуб глухонемых открыли в полуподвальном помещении в Пушкарском переулке, с 1945 по 1993 год он назывался улицей Хмелева — в честь знаменитого исполнителя роли Алексея Турбина в любимом спектакле отца народов.

У Хмелева в Пушкарском была студия. Вообще этот переулок любим театральными деятелями: ныне на месте клуба глухонемых — филиал театра Маяковского, а неподалеку — еще какое-то театральное заведение.

В Большом Головином переулке была дровяная биржа, откуда мы на ломовом извозчике привозили в начале осени дрова.

Лошадь была такая откормленная, что с годами я начал подозревать, не от извозчика ли Дрыкина, возившего Ивана Васильевича во МХАТ, достался Мосгоркомхозу сей Буцефал.

В Последнем переулке располагалась старшая группа нашего детского сада, а наискосок от него — 18-е отделение милиции — неисчерпаемый кладезь детских впечатлений не совсем детского содержания.

Первое воспоминание детства — путешествие по почти неизменному маршруту, в Сандуновские бани.

Лет до трех меня и сестру мыли на кухне-коридоре дома, и я это помню. Видимо, это связано с тем, что сестру время от времени мыли таким образом и в более поздние времена. Воду грели на двух керосинках и примусе на двух столах — нашем и тети Мани. Вы когда-нибудь пытались вскипятить ведро воды на керосинке? Несколько часов терпеливого ожидания — и вы поймете, что это невозможно. Но Россия такая страна…

У меня было детское приданое, дожившее до шестидесятых годов: таз для купания, кувшин, большое ведро и ковшик. Все это было склепано на 45-м авиационном заводе из неправильно раскроенного хвостового оперения штурмовика "Ил-10" с разрешения очень высокого начальства. После войны 45-й завод частично вернулся в родную Сетунь, и мы с родителями ездили в гости к тем, кто мастерил мои купальные принадлежности. И мужчины обязательно пили за таз для купания, ковшик и другие предметы, за каждый отдельно, после чего им требовался отдых. В тех компаниях, что собирались у приятелей моего отца, у его сослуживцев-наборщиков, на складчинах, что собирались у нас, никогда не пили за Сталина, партию, родину — видимо, это не было принято в этой среде.

Во время очередной коммунальной свары, особенно зимой, мытье дома было невозможно, так как наш сосед Александр Иванович начинал ходить туда-сюда, поминутно открывая входную дверь, что грозило нам, малым детям, простудой, и нас вели в баню.

Ближайшей были знаменитые на всю Россию Сандуны. В них были три мужских разряда, два женских и еще
какие-то загадочные семейные, куда, как я слышал краем
уха, пускали по паспортам.

Сначала меня брали в женское отделение (что бы
сказал об этом больной на всю голову дедушка Фрейд?),
но я никаких комплексов по этому поводу не испытывал,
так как мальчиков дошкольного возраста в женском отделении было много — у них просто не было отцов.

Именно в предбаннике женского отделения 1-го разряда я сказал первое своё слово, и это слово, заметьте,
было "юбка". Мне было уже хорошо за два года, а кроме "мама", "папа", "баба" и "Лида" я ничего не говорил.
Обеспокоенные родители повели меня к врачу, и тот ус-
покоил их, пообещав, что я скоро начну говорить, и за-
ткнуть меня будет очень трудно.

Редчайший случай в практике — врач оказался прав.
Мама рассказывала, что, сказав "юбка", я на этом не остановился, а дал развернутую нелицеприятную характери-
стику бабушке Лидии Семеновне, самой коричневой юбке,
всему банному отделению и, оказавшись редкостным за-
нудой, ничего во всей вселенной благословить не захотел.
Дома папа и бабушка Мария Федоровна несказанно обра-
довались тому, что я наконец-то заговорил. Но уже на следующий день их радость омрачилась тем обстоятельством,
что, проснувшись против обыкновения ни свет ни заря,
я начал излагать свои взгляды на жизнь. При этом я обильно цитировал всё мне прочитанное: сказки народов мира,
стихи Маршака, Михалкова, Агнии Барто и Чуковского;

мама, видимо, пожалела, что читала мне на ночь каждый вечер, если не работала во вторую смену.

Умолк я не раньше, чем меня объял ночной сон.

Швейк, как известно, по любому поводу, даже про ужас нерожденного, мог рассказать историю из собственной жизни; мне же в конце 46-го года недостаток жизненного опыта восполняло радио. Черная тарелка висела у нас как раз над входной дверью, выключать ее было опасно: соседи могли донести, что имяреку не нравится наше радио, наш гимн, борьба с пресмыкательством перед Западом (нужное подчеркнуть).

С младых ногтей я был страстный и неутомимый обличитель империализма, колониализма, агрессивной внешней политики США и особенно морального загнивания и бездуховности западного общества.

А если учесть, что память моя той поры не уступала возможностям современного цифрового диктофона, то можно только поражаться терпению взрослых, вынужденных слушать мои бесконечные бредни, которые оказывались подчас и крепче, и круче официальной пропаганды.

Когда же годам к семи в голове моей уже хранилось изрядное число разрозненных томов из библиотеки чертей, появились первые поклонники моего таланта. Тетя Маня частенько просила меня: расскажи стишок, только не про политику, ну ее к шуту, и внимательно слушала и "Тараканище", и "Муху-Цокотуху", и "Мистера Твистера", и "Рабочий тащит пулемет, сейчас он вступит в бой. Висит плакат: «Долой господ! Помещиков долой!»"

Михалков был моим любимым поэтом. Нет, не дядя Степа, но "Жили три друга-товарища в маленьком городе *N*". Пришли фашисты, товарищей-подпольщиков схватили, пытали, двое не произнесли ни слова. Но "Третий товарищ не выдержал, третий язык развязал: «Не о чем нам разговаривать», — он перед смертью сказал", — надо ли говорить, что третьим товарищем я воображал самого себя...

Через лет двадцать я частенько был *"третьим"* товарищем.

Банный день был суббота, и это было святое.

Лет с четырех меня стал водить в баню отец.

Мать собирала нам смену белья, банные принадлежности, мне — обязательно два мандарина, мою любимую игрушку — трофейную собачку-прыскалку по кличке Индус; простыни, чтобы постелить на черный дерматин дивана в предбаннике.

И мама, и папа были равно одержимы страхом, что мы с сестрой можем подхватить какую-нибудь заразу (а при скученной жизни, когда все вынужденно терлись друг о друга жопами — выражение из детства, — заразы хватало, в 1946 году заболевания сифилисом увеличились в десять раз), — и перестарались: я до пятидесяти лет панически боялся заразиться именно сифилисом, хотя никаких к тому оснований не было.

Дорога шла вниз по переулку к Трубной улице, потом — к Трубной площади. Здесь, на углу, висела таинст-

венная эмалированная табличка с нерусскими буквами
WC и синей оперенной стрелой. Тут же в сезон стояла
тележка газированной воды, самой лучшей во всей округе. Дело, конечно, не в том, что вода была родниковая,
а в том, что толстая тетка, сидевшая на табуретке, где под
клеенчатой юбкой прятался бидон с вишневым сиропом,
сироп в стакан наливала по-божески, не жухая. На обратном пути мои два законных стакана с двойным сиропом
(1 р. 60 коп.) я пил, смакуя, и никто меня не торопил.

На углу площади и Неглинной улицы, там, где теперь безликая "Неглинная *plaza*" для очень богатых, помещалась аптека с чашей и змеей на витринном стекле.
Я уже на Трубной улице начинал санпросвет: реклами-
ровал гематоген как лучшее средство против малокро-
вия, признаки которого якобы были у меня настолько
очевидны, что грозили летальным исходом. Иной раз эта
проповедь имела успех.

У аптеки у светофора проезжую часть Неглинки пересекала надпись большими металлическими буквами,
опять-таки нерусскими, — *STOP*. Латиница меня смуща-
ла, я подозревал, что в этом могут таиться козни врагов.

В бани мы поднимались со стороны Звонарского переулка (в те времена он назывался 2-й Неглинный, а Сан-
дуновский — 1-й Неглинный) и на углу, напротив входа
в высший разряд, мы расставались с женщинами и останавливались возле могучего деда с окладистой бородой.

Вечный дед (он еще в мои молодые годы стоял, пока
не сгинул) торговал вениками. Баня была парная, а в парной веник — господин. Веники у деда были березовые

и дубовые, березовые по рублю, а дубовые — по два. Дед говорил: веник выбрать — не жену выбирать — это дело сурьёзное... Отец признавал только березовые; веник должен был быть ухватистый, однородный — его трясли, щупали, нюхали.

Московский пиит XIX века Петр Васильевич Шумахер, ныне прочно забытый вместе со всей прочей мировой поэзией, чудесно писал:

В бане веник больше всех бояр —
Положи его, сухмянного, в запар,
Чтоб он был душистый, взбучистый,
Лопашистый и уручистый.

Мы каждый раз покупали новый веник, хотя мать считала, что это мотовство, но старый забирали домой, им потом парились женщины. Как мне хотелось с этим веником войти в высший разряд, где, по слухам, был бассейн, но высший разряд стоил 10 рублей, а это было дорого — ненавистное и унизительное слово детства.

Но отец говорил, что в бассейн он меня не пустил бы: мало ли что там плавает, а пар в первом разряде лучше (значит, он бывал в высшем разряде, замечал я про себя).

Женского высшего разряда не было.

Первый разряд стоил 3 рубля со взрослого и 1 рубль с ребенка, а второй — 2 рубля и полтинник с ребенка. "Пар там хороший, — говорил отец, — но там грязно". В первый разряд всегда была очередь — от раздевалки и вверх по лестнице. Больше часа стояли редко, перед праздниками. Когда Сандуны (о горе!) закрылись на ремонт, начались наши странствия: Центральные бани, Селезневские, Донские, Краснопресненские — везде было хуже.

Наконец с лестницы нас запускали в предбанник, где помещалась парикмахерская, и здесь мы стриглись (не каждую неделю). Очень хотелось освежиться одеколоном: зеленым "Шипром", или "Полетом", или же "Тройным", который был так хорош, что некоторые (это я точно знал — слышал краем уха) его пили; но опять-таки это считалось транжирством.

И наконец — предбанник, хозяйство пространщика. Почти все пространщики и поголовно все банщики были татарами. Пространщик указывал место на диване, у него хранились деньги и часы клиента, он мог подать пива, организовать выпивку (в бане не отпускают, а пространщик отпускал), отнести в починку и глажку вещи, у него были казенные полотенца, мочалки, мыло, простыни, личный винный погребок, но мы этим никогда не пользовались.

Пространщики цену себе знали, держались с достоинством английских дворецких и имели одну забавную манеру: выслушав какую-либо просьбу клиента, они обязательно держали мхатовскую паузу и только после этого многозначительно роняли: "Сделаем".

У отца был знакомый пространщик, Николай, и если у него должно было освободиться место, мы ждали.

Послевоенная баня был ужасна — парад увечий, и каких! Иной раз непонятно было, как жив человек:

у одного не было половины живота, и отсутствующее место было затянуто темной полупрозрачной пленкой, у другого голова кое-как была собрана из кусков, неизвестно кому дотоле принадлежавших. На обожженных-обугленных и сваренных, на их пятнистую кожу с рубцами и шрамами смотреть было страшно; я несколько раз видел человека без ягодиц, начисто отрезанных осколком, огромного мужика с такой ямой в спине, что туда легко мог уместиться футбольный мяч.

О безруких, безногих, слепых и контуженых и говорить не приходится.

Я изучал наши потери в войне не по книгам под редакцией генерал-майора Кривошеева, а в мыльнях послевоенных московских бань и в тех деревнях, куда никто не вернулся с войны…

Первым делом отец ошпаривал скамейку, на которой мы собирались мыться, и давал мне согреться. Ошпаренный веник ждал своего часа в двойной овальной шайке, которых в Сандунах было в избытке, не то что в иных второразрядных банях.

По правую сторону мыльни были в два ряда установлены на постаментах мраморные ванны с широкими краями, вода в них лилась из пастей бронзовых львов (все это было снесено при реконструкции). Чтобы полежать в ванне, надо было занимать очередь, но не тут-то было — гигиенические соображения отца раздавили и эту мою мечту.

Однажды, воспользовавшись тем, что отец надолго засел в парной, вступив в честный поединок с Равилем, носильщиком с Ленинградского вокзала, ярым парильщиком и человеком азартным, — кто кого перепарит, я таки залез в ванну. Расслабился в ней и был пойман на месте преступления. Отец никогда нас с сестрой не наказывал и не ругал, но отмывал он меня в тот день не то карболкой, не то каустиком и дегтярным мылом, так что мать была обеспокоена тем, что нас пришлось долго ждать, и тошнотворным запахом, от меня исходившим.

Когда я доходил до кондиции, отец вел меня в пыточное отделение — в парную.

Впоследствии я парился в других банях и других городах — от Петрикова в Белоруссии до Красноярска-26 — но нигде я не встречал такого жестокого самоистязания, как в первом разряде Сандунов.

Русско-татарское соперничество доводило парильщиков до исступления. Мой отец был король парной, вице-королем был Равиль, у каждого были свои преданные болельщики. Закладывались они далеко не каждый раз, но уж когда схлестывались, верхний ярус полка оставался за ними.

Большая печь с глубокой топкой и подом, уложенным булыжником, — каменка — стояла на полу у окна. Поддать пару, т. е. плеснануть воду на раскаленные камни и ни в коем случае не на огонь, нужно было уметь. Иной раз на поддающего дружно орали: "Одурел! Сварить нас хочешь? Круто берешь!" И начинались шуточки про яйца вкрутую… Кто-то считал, что лучший сухой пар дает только вода без примесей, кто-то любил пар с хлебным ароматом (в воду доливали пива или кваса), иной гурман выплескивал на каменку настой от веника, я любил, чтобы из-под дубового; бывает пар мятный и разный другой, но он обязательно должен быть сухим.

На полу стояли скамьи, на них парились люди ослабленные, которым, собственно, в парилке и делать было нечего, но они, если не помашут веником, то вроде и не помылись.

На деревянном полке было два уровня, и мы с отцом поднимались, разумеется, на самый верх.

— Поддать? — спрашивали у отца, и он чаще всего отвечал:

— Можно.

Кто-нибудь из молодых завсегдатаев шел к двери и придерживал ее, иначе входящего в момент смены пара могло сильно ошпарить. Начинало резать в глазах, щипать под ногтями, не хватало воздуха, но отец был прав — приучить ребенка к парилке можно только с младенчества, не давая ему пощады.

В одной из шаек — холодная вода на всякий случай. Некоторые макали туда полотенце и устраивали компресс на голову или сердце, но таких к состязаниям не допускали.

На верхней площадке полка всегда было несколько мальчишек моего нежного возраста, русских и татарчат. Более смуглые мальчишки наливались пепельно-багровым цветом, я же, со своей редкой белизны кожей ("Пшеничный ты наш", — говорила, бывало, Тоня, сестра бабы Мани), становился цветом — вареный рак, каковым и являюсь по гороскопу.

— Малец-то весь пылает у тебя, охолони его, — обращался к отцу какой-нибудь сердобольный инвалид, но отец пропускал эти советы мимо ушей.

Для меня спуститься вниз было равносильно признанию, что я — Гогочка.

Это было невозможно; я должен был ждать, пока отец, встряхнув веник, чтобы набрать в него побольше раскаленного воздуха, сначала слегка касаясь моего тельца, отхлещет меня веником от души, окатит прохладной водичкой — вот здесь уже прилично было сказать: я пойду, поиграю (собачка была со мной в парилке).

Отец возвращался из парной, мы мылись, после чего мне разрешалось постоять под душем (сначала отец шпарил пол в душевой, и только после этого я допускался под сень струй).

Из мыльни отец выносил меня на руках, и я покрывался коростой позора — меня, взрослого мальчика, почти школьника, папа держал на груди, как малыша, который толком и ходить-то не умеет.

Оказавшись закутанным в домашние простыни, я доставал из сумки два мандарина.

Мандарины надо есть подробно, господа, этому учит нищета, а просто так быстро облупить мандарин и засунуть его в рот — в этом, поверьте, нет никакого вкуса. Сначала надо было осмотреть мандарин — какая у него кожура и хорошо ли она будет прыскать душистыми тоненькими струйками на чистую, до скрипа и писка отмытую кожу. Потом с долек надо было снять все белые прожилки, оставленные исподом кожуры, и только после этого, отжав всю кожуру, можно было смаковать дольки и осматриваться по сторонам.

Срамотой исподнего и бедностью верхнего платья никого в то время удивить было нельзя — в нижних рубашках посещали лекции в МГУ, но казусы встречались: старик непонятно какого звания имел нижнее и верхнее платье из вываренной мешковины, так что на попе у него проступала надпись "сахар", на боку — "соль", на сюртуке — "ядрица".

Я наблюдал за пространщиком Николаем и поражался многообразной его деятельности; чрезвычайно меня занимал также "мозолист-оператор" и загадочная надпись "…и пяточные шпоры".

Начало надписи было, видимо, утрачено, но, сколько я ни осматривал ноги мужского 1-го разряда, я не видел ни одной шпоры на пятке, ни острогой, ни репейником, ни колесиком со звездочкой.

Со шпорами я был хорошо знаком.

Сосед Александр Иванович в молодости, по его словам, служивший в кавалерии, когда он выпивал "в плепорцию", как он сам выражался, извлекал из своих слесарных ящиков шпоры и прочие интересные причиндалы.

Здесь были огромные связки ключей от неизвестных замков, блестящие и позеленевшие гильзы от разных систем оружия, австрийский штык времен Первой мировой войны, обрубки цепей различной конфигурации, включая велосипедные, шарикоподшипники шариковые и роликовые, обрезки меди листовой, обрубки олова, связки металлических колец, карабины от простых до весьма головоломных, у которых верхняя и нижняя часть независимо друг от друга вращались на оси, застежки, медные английские булавки, такие большие, что ими можно было крепить конную упряжь…

Но, заглянув еще пару раз в сарай и нарушив "плепорцию", Александр Иванович утрачивал добродушие и шел точить именные ножи: "На Лёвку нож точу, на Вальку, на Юрку", — приговаривал он, стоя у ножного точила.

Впрочем, всё это были пустые угрозы.


Как правило, мы поджидали женщин, которые моются быстро, но собираются медленно.

Мы должны были возвращаться домой вместе, потому что в начале Трубной, между Печатниковым и Колокольниковым переулками, располагался филиал столовой № 3 Дзержинского района, попросту — шалман, "последний кабак у заставы".

Но это уже совсем другая история…

# Андрей Макаревич
## Старая Москва.
## Рождественка

К огда начинаешь думать о своем восприятии Москвы — мысль неизбежно скатывается к воспоминаниям о Москве. Нет — к вспоминаниям Москвы. И чем глубже ты ныряешь в прошлое, тем они ярче. Это свойство возраста, или просто дело в том, что раньше ты ходил по ней, бежал в школу, а потом в институт, спускался в метро, трясся в троллейбусе, ловил такси… Да чего там — жил в Москве, в самом центре, вдыхал ее запахи. Уже много лет я живу за городом, а по Москве передвигаюсь на машине — от одного дела к другому. Вечером друзья покажут очередной новый ресторан — отличный! Открывают и открывают. Москва очень изменилась. И запахи ее стали другие. И она мне по-прежнему очень нравится. Только вот вряд ли я буду эту Москву вспоминать. Потому что она — здесь, независимо от того, где я. А той — уже нет.

Недавно приезжал мой товарищ-архитектор, живет в Америке уже четверть века и в Москву вернулся за это время впервые. Я бросился ему показывать (местами — с гордостью!), как всё изменилось, а он расстроился оттого, что почти ничего не узнаёт. И здесь ведь дело не в том, какая Москва лучше, правда?

Вы помните старые московские окна? Деревянная, когда-то белая, скорее всего, еще дореволюционная рама в трещинках и шелухе краски. Очень грязное стекло (мыли два раза в год, а чаще один — весной). Закрашенные этой же краской и потому застывшие намертво шпингалеты: хочешь открыть — постучи молотком. Между рамами лежит валик из ваты, можно украсить звездочками из фольги — Новый год. Эта красота лежала у всех зиму напролет — может, заодно для тепла? А изнутри и первая, и вторая рама — вернее, щели в них — заклеивались полосками бумаги на крахмальном клейстере. Оставалась только форточка — как люк в подводной лодке. Обычно она плохо закрывалась и из нее дуло. На широком подоконнике — банки: огурцы, варенье, лечо. На лечо — страшное заклинание: "Имам Баялды". Какие такие баялды? Подоконник — холодное место. За окном — Волхонка, звенит, дребезжа, трамвай (банки отзываются дрожью), курит, поеживаясь, у дверей старый парикмахер Абрамсон, меня водят к нему стричься — вам польку или полубокс? Пятнадцать копеек, пожалуйста! На кухне идет большая стирка с кипячением, доносится запах пара и тряпок, переругиваются соседки. В радиотрансляции — "Театр у микрофона". "Кремлевские куранты".

Это было вчера.

А вот сейчас я очень спешу — дорога рассчитана до минуты, но накануне мы репетировали до поздней ночи, а потом еще пили портвейн под загадочным номером 33 и до умопомрачения спорили — сколько голосов звучит в битловской *When I Get Home*: три или четыре? Сережке Кавагоэ вечно мерещатся несуществующие голоса, и он страшный спорщик. В общем, поспать удалось часа два, и сейчас надо быстро перебежать Комсомольский проспект (ночью выпал снег, и машины уже превратили его в кашу цвета кофе с молоком), скатиться бегом по эскалатору метро "Фрунзенская", втиснуться в поезд (интервал между поездами полторы минуты. Интересно, как сейчас?), продремать двенадцать минут до "Дзержинской" (ты так плотно зажат гражданами, что упасть не получится, спи — не спи), теперь вверх по эскалатору (бегом!), сразу направо в "Детский мир" — через него короче, прямо насквозь, в это время в нем еще нет толпы, выскакиваешь, утыкаешься в двери ЦДРИ, налево, направо — и ты уже на улице Жданова, перебегаешь Кузнецкий Мост, еще сто метров — и вот слева за оградой твой родной Архитектурный, фасад с изразцами, немножко пряник. Интересно, когда знаешь, что все равно опоздал, — зачем бежишь? Никогда не мог себе этого объяснить.

Прямо перед входом — круглый фонтанчик. Ни разу не видел, чтобы он работал. На фонтанчике сидят друзья — Игорь Орса, Оля Зачётова, Витя Штеллер. Они разумнее меня и никуда не спешат. Они курят. И я сразу успокаиваюсь. Мы не пойдем на лекцию, раз мы опоздали. Мы пойдем в "Полгоры". Для этого надо (теперь уже совершенно спокойно) выйти из ворот (напротив через дорогу — наша любимая пирожковая: как же долго она просуществовала! Она пережила Брежнева, Андропова, Черненко, Горбачева, Ельцина — со своими жуткими жареными пирожками из автомата и сладким липким кофе со сгущенкой из бака "Титан". Закрылась недавно), потом повернуть налево, пройти мимо церкви, где у нас расположена кафедра рисунка, теперь опять налево и круто вниз к Неглинке. Не помню название переулка, но ровно посреди него (отсюда и прозвание "Полгоры") на правой его стороне — наша конечная цель. Шесть ступенек вниз — как это называлось на самом деле? Кажется, "Столовая самообслуживания". Важно не название, а то, что в это время там всегда были места и почти всегда было пиво — "Жигулевское", 32 копейки бутылка. А потом пустую бутылку у тебя здесь же принимали за 12 копеек и — сколько оставалось добавить? А с учетом того, что на столе лежал бесплатный серый хлеб и тут же стояли соль, перец и горчица — праздник уже висел в воздухе. Из перечисленных пищевых компонентов делалось блюдо под названием "адский бутербродик", которого в силу остроты хватало на любое количество пива.

О чем мы тогда говорили?

Старая Москва при полном отсутствии генерального архитектурного плана и наивного разностилья сооружений обладала удивительным обаянием — вся она была чуть-чуть кривовата, состояла из поворотиков, закуточков и уголков. Дом строили, естественно, стараясь сделать его прямым, потом он проседал, и попробуй выправи — в следующий раз штукатурили поверху, как есть. Посмотрите на эти карнизы, на линию окон (кое-где еще остались дома, не искалеченные реставрацией) — это не дома, это скульптуры. И скульптор тут — Время. Таким когда-то был старый Арбат. Его выровняли, выгладили, раскрасили веселенькими красками, понатыкали чудовищных фонарей — и он превратился в декорацию Театра юного зрителя города Мухосранска. Из него ушло дыхание.

Конечно, совсем скоро никакой старой Москвы не будет. Да ее уже нет — ибо отдельно стоящие отрафинированные памятники архитектуры не дают никакого ощущения живого старого города. Хотите ощущения — езжайте в Торжок. Пока там всё не развалилось. И ничего тут не поделаешь — нельзя жилой город взять и превратить в музей. "Дом — машина для жилья", — говорил Корбюзье. И город — машина для жилья. И эту машину будут непрерывно обновлять и реконструировать, пока люди тут живут.

А вот в памяти моей старая Москва все отчетливей и живее.

Одно только не могу вспомнить: о чем мы тогда разговаривали?

# Владимир Березин
## Чернила февраля.
## Тверские-Ямские

Сверху Москва похожа на древесный спил. Это известно.

Годовые кольца улиц неплотно прилегают друг к другу, и во все стороны расходятся трещинки магистралей. Площадь Маяковского — как раз на северо-западном луче, точка в конце прямой строки Тверской улицы. Я родился на улице Горького — в той ее части, что зажата между площадью Маяковского и Белорусским вокзалом.

Дом стоял серым броненосцем, вокруг были корабли рангом пониже, жестяные катера гаражей — маленькие арки, подъезды, огромная вентиляционная труба метрополитена с теплой воздушной струей из подземной вентиляции, помойка, а там чахлые деревца, впереди, в просвете — дом. И еще какой! Крейсер желтого кирпича с ломаным фасадом, чужой и холодный.

На моем доме было множество мемориальных досок — от клоуна Карандаша до авиационных конструкторов. На моем подъезде висит теперь доска поэту Шпаликову. Его я не помню, зато помню издательство "Детская литература", что занимало всё пространство внизу, а в новые времена сжималось, как шагреневая кожа, пока наконец не растаяло совсем.

Дом строился на фундаменте церкви Василия Неокесарийского, от которой остались лишь название улицы рядом и подвалы, наполненные трухой, в которых девочкой играла моя мать.

С одной стороны от улицы Горького — Тверские-Ямские, с другой — Брестские. Я довольно долго был уверен, что очертания белого дома с башенками, маячившие в конце улицы, — это и есть Брест.

Даже первые уроки географии не смогли поколебать этой уверенности.

Брестским был и вокзал.

Тут страдали герои Пастернака в баррикадные дни: "Дом был одноэтажный, недалеко от угла Тверской. Чувствовалась близость Брестской железной дороги. Рядом начинались ее владения, казенные квартиры служащих, паровозные депо и склады". "Это были самые ужасные места Москвы, лихачи и притоны, целые улицы, отданные разврату, трущобы погибших созданий".

Рядом Бронная, Патриаршие, Булгаков.

В Москве существует немного мест для встреч, как и в Ленинграде. Можно встречаться у метро "Краснопресненская", около рабочего с гранатой.

Еще хорошо стоять около уцелевших газетных стендов в конце Гоголевского бульвара, театрального киоска внутри станции метро "Парк культуры". Отъезжая в Крым, необходимо выехать на эскалаторе к сухому "фонтану" на станции "Курская". Никакой он не фонтан, ну да это не важно.

Летом в Москве хорошо встречаться на Патриарших. Нужно сидеть на скамеечке, спиной к полированной Моське и Волку с золотистыми зубами, лениво разглядывая домик на той стороне — без опасения влипнуть в историю.

У широченных штанин Маяковского встречаются редко, поэтическая тусовка смогистов• сгинула давно, и лишь в начале сентября рядом с ним собирается загорелый народ. Это называется "Крымская стрелка". Те, кто провел хоть день между Тарханкутом и Керчью, сходятся на Маяковке.

Площадь Маяковского — это начало уходящего к центру добротного сталинского ампира. Гипсовые женщины бьются в стальных сетках, как пойманные рыбы. Нагибаются к прохожим мертвые гербы с картушей. Ночь за окнами начала синеть.

• *Смогисты* — члены литературного объединения молодых поэтов "Самое молодое общество гениев", созданного в 1965 году.

Меня всегда радовал вид из окна квартиры, где я прожил первые четырнадцать лет моей жизни, куда я постоянно возвращался, гармоничная соотнесенность неба, крыши, стен и клочка тополиной кроны.

Двор за окном был мой и всегда вторгался внутрь дома. Летом оттуда в комнату влетал тополиный пух и, копошась под диванами и столами, вел свою независимую жизнь.

Ночью, если я лежал на спине, то на ночном потолке проплывал мимо меня световой штрихкод — белые полосы, загадочным образом рождаемые автомобильными фарами и валиками стеклоделательной машины.

В этот час исхода ночи не было мочи сидеть дома, наблюдая в окне странные цвета неба и стен, цвета переходного процесса ночь-утро, и слушая обязательный ночной атрибут — тихую музыку радио, отзывающуюся на слово *"rien"*.

Еще несколько минут я перекладывал листы и разглядывал фаберовские карандашные коробки, жалованные мне в детстве.

Скоро я перееду в другое место, и они вернутся в тот стол, который столько лет назад опрометчиво покинули. Карандаши были подарены мне покойной родственницей, в квартире которой я теперь, может быть, буду жить. Дом этот недалеко, через улицу. Там многометровый грязный паркет и печальный кот-старичок.

Борис Пастернак родился в январе. Это потом январь стал февралем, сместилась земная ось, началось новое тысячелетие, и такое количество родственников, зна-

комых и просто сверстников Пастернака улетело вверх
тормашками поверх барьеров, такие воздушные пути
начались, что просто святых выноси.

Так вот, день рождения перелез из одного месяца
в другой, а на первой странице всякого пастернаковского
сборника помещается стихотворение про февраль и что
"достать чернил и плакать". Эта фраза удивительно подходит ко всем публичным дневникам — и когда сдохнет
январь, они наполнятся криками и чернильными слезами: "Достать... А вот и февраль! Чернил! Чернил, я плачу".
В общем, хор мальчиков и бунчиков исполнит это много
раз, и совершенно справедливо.

Между тем, Пастернак родился на соседней улице
с другим моим домом. Собственно, тогда я жил на улице
Горького, потом переехал на другую сторону, а дом, где
родился Пастернак, был прямо за большим пустырем, где
раньше находился театр кукол. На пустыре, где много лет
строили второй выход из станции метро "Маяковская",
стояли щиты с гербами союзных республик и лозунгами,
оттуда хорошо было наблюдать за слякотными ноябрь-
скими парадами.

Но я всё не об этом. Пастернак довольно часто возвращался к этим местам. Сарнов, например, упоминает
в "Случае Мандельштама" такую историю: "Как-то, гуляя
по улицам, забрели они на какую-то безлюдную окраину
города в районе Тверских-Ямских, звуковым фоном запомнился Пастернаку скрип ломовых извозчичьих телег.
Здесь Мандельштам прочел ему про кремлевского гор-
ца. Выслушав, Пастернак сказал: «То, что вы мне прочли,

не имеет никакого отношения к литературе, поэзии. Это не литературный факт, но акт самоубийства, которого я не одобряю и в котором не хочу принимать участия. Вы мне ничего не читали, я ничего не слышал, и прошу вас не читать их никому другому»". Я не знаю, откуда эта цитата, но в любом случае тут натяжка. Пространство между нынешней площадью Маяковского и Белорусским (ранее — Брестским) вокзалом во времена сталинских строек уже не воспринималось окраиной. Да и для Пастернака она была родной. Сюда он поселил своих героев:

Мадам Гишар сделала это по совету адвоката Комаровского, друга своего мужа и своей собственной опоры, хладнокровного дельца, знавшего деловую жизнь в России как свои пять пальцев. С ним она списалась насчет переезда, он встречал их на вокзале, он повез через всю Москву в меблированные комнаты «Черногория» в Оружейном переулке, где снял для них номер, он же уговорил отдать Родю в корпус, а Лару в гимназию, которую он порекомендовал, и он же невнимательно шутил с мальчиком и заглядывался на девочку так, что она краснела.

Перед тем как переселиться в небольшую квартиру в три комнаты, находившуюся при мастерской, они около месяца прожили в «Черногории».

Это были самые ужасные места Москвы, лихачи и притоны, целые улицы, отданные разврату, трущобы «погибших созданий». Детей не удивляла грязь в номерах, клопы, убожество меблировки. После смерти отца мать жила в вечном страхе обнищания. Родя и Лара привы-

кли слышать, что они на краю гибели. Они понимали, что они не дети улицы, но в них глубоко сидела робость перед богатыми, как у питомцев сиротских домов.

Потом они живут неподалеку: "Дом был одноэтажный, недалеко от угла Тверской. Чувствовалась близость Брестской железной дороги. Рядом начинались ее владения, казенные квартиры служащих, паровозные депо и склады". Вот что это за место.

Тогда, накануне рождения поэта, родители приехали в Москву из Одессы, квартира снята за полкатеринки •, 50 рублей в месяц, — это, в общем, было дешево. Номер квартиры — 3, комнат было шесть, но на рисунках старшего Пастернака ощущение тесноты, стулья штурмуют комоды и столы, стены норовят приблизиться к зрителю. Сам дом прост, как большая часть послепожарной поросли, но именно про него в описи за 1890 год:

У действительного студента Леонида Осиповича Пастернака и его жены Розы Исидоровны Кауфман, января 30-го в двенадцать часов ночи родился здесь, по Оружейному переулку, дом Веденеева, сын, которому дали имя Борис.

Сейчас дом Веденеева выглядит полуразрушенным — вывески эволюционируют от притона "одноруких бандитов", через грузинский ресторан к парижскому кафе.

---

• *Катеринка (устар.)* — традиционная банкнота России, Российской империи и СССР номиналом сто рублей.
• • Этот дом построен в 1817 г.

Вообще-то его нужно, конечно, снести — это будет вполне по-московски.

Поскольку дом, где жила Парнок и что-то там делала с Цветаевой в перерывах между стихами, определенно снесут.

Надо как-нибудь вывесить его фотографию, потому что он красив, да и в кадр все время попадает мой, соседний. У нас дома маленькие, стоят стена к стене. Известно, что дом, где жила Парнок, строил знаменитый архитектор Нирнзее. В Москве лихо снесли за последнее время много его домов, и поэтому проектировщикам велели, когда они это снесут, сохранить в новом здании форму старого фасада.

Однажды я пришел к старухам, что пытались отстоять эти дома, на собрание.

Я сказал им:

— Старухи! Давайте повесим мемориальную доску: "Здесь в 1914 году Марина Цветаева потеряла невинность с Софьей Парнок".

Но старухи обиделись и меня больше не звали.

Впрочем, дом Парнок, кажется, отстояли.

Но потом застройщики взяли меня измором.

Кстати, отчего это творческие личности жили в квартирах за номером 3, непонятно. Парнок тоже жила в третьей квартире — но не на 2-й Тверской-Ямской, а на 4-й.

Я больше всего удивился именно этому открытию, ведь — каково? В трех метрах, значит, от меня — за стенкой… Цветаева… И Парнок… А потом — те… И эти… И те тоже… А я-то, прочитавший бог знает сколько текстов про всех этих людей, — ничего не знаю. Хотя, конечно, это всё

надо проверить — может, Парнок там делала совсем другое и с другими — она была известной ветреницей•. Дома
тут полны легенд — мне долго и серьезно рассказывали
про квартиру, что подо мной, о том, как маршал Тухачев-
ский пришел туда к любовнице, а его повязали поутру,
и еще со следами довольства на лице, и упаковали в черный автомобиль. И нужды нет, что его арестовали в городе
Куйбышеве. Где город такой? Глянь вон всяк желающий
прямо сейчас на карту — нет там никакого Куйбышева.

А несколько лет подряд я слушал из стены музыку. Нужно
было привалиться стоптанным ухом в определенном
месте — и было слышно тихое урчание электрогитары.
Наверное, в подвале сидел какой-то человек, для которого наступил вечный День сурка, — он играл всё лучше
и лучше и вдруг исчез. Может быть, я опознаю его на слух
в каком-нибудь радио. Или вот во дворе нашего дома
поставили какой-то бетонный куб, перевязанный арматурой. На нем написано: "Памятник потребителю". И точно,
вместо части двора и скверика нам поставили богатый
потребительский дом.

Или вот шагнешь в сторону — там рядом находится
Музей русской гармоники.

Русской гармоники! Я бы поставил перед ним статую
старика Флягина, очарованного лесковского странника,

---

• Интересной идеей было бы развесить по домам памятные доски:
"Здесь в январе 1821 г. встречался поэт А. С. Пушкин". Или: "В этом доме
по случайности Владимир Маяковский переспал с одной комсомол-
кой" — впрочем, всё к этому идет.

что просил в награду за подвиг гармонию-гармонику. Но потребители, конечно, геометрически и скульптурно более совершенны, чем он.

О том, что творится за площадью, я и говорить не буду — буйство булгаковских упырей, литература, бьющая через край, дом Фадеева с дыркой в голове, зоолог Иван Крылов в окружении детворы у пруда.

Потом прорыли выход из станции метро "Маяковская" — прорыли в двух шагах от моего дома.

Выход этот был странный, очень запутанный. Такое впечатление, что тогдашний градоначальник обиделся на плывуны, застучал клюкой и погнал свои большие строительные батальоны на убой.

Побродил я в лабиринте нового выхода, поездил на эскалаторах и вышел на волю.

Надо сказать, что рядом кипела ночная жизнь. Места вокруг моего дома внезапно стали дорогими и обросли недешевыми кафе. Например, если рядом с одним из них стоит меньше двух кубических "гелендвагенов" и одного кабриолета, я по старой привычке думаю, что там происходят какие-то траурные посиделки.

Этот выход из метро предполагалось встроить то в новый Театр оперетты, то в офисный дом, то еще в какую-то дребедень. До сих пор не вышло ничего. Но место было проклято, и, видимо, секретарь Фрунзенского райкома КПСС, увидев, как разбирают стоявший на нем лет двадцать стенд с гербом и портретами передовиков, топнул ногой и сказал:

— Быть сему месту пусту!..

В результате сумели построить только дырку в метрополитен. Ну и переделать то, что построено под рестораны.

Хозяевам давно исчезнувшего ресторана очень мешало, что их окна смотрят на унылый гофрированный забор, — ну и что, спрашивается, снимать тут свадебному фотографу? То, как невеста курит у ресторана на фоне ржавых труб и крана?

И они заказали дизайнерам длинный плакат. Дизайнеры заказ исполнили, плакат приклеили, и теперь каждый может посмотреть на картинки из журнала мод гоголевских времен — то с рюшечками, то с оборочками.

Сверху над картинками — длинная надпись. Я ходил мимо нее довольно давно и только теперь догадался переписать: "Красота, может быть, и не спасет мир, но 2-ю Тверскую-Ямскую точно в обиду не даст. В XIX веке здесь можно было встретить нарядных, богатых, красивых женщин. Они, как во все времена, мечтали об угощениях и приключениях. И, как во все времена, мужчин, считавших себя почему-то разумнее женщин и по возможности или из безрассудства позволявших им делать это. Потому что жить стоит красиво. Или не стоит".

Я добрался до конца этой фразы, такой же длинной, как рассказ Совы, прилетевшей к окруженному водой новоорлеанскому Пятачку, и понял, что и его тоже смыло беспощадное время.

Одна печаль — в эти времена кринолинов на 2-й Тверской-Ямской улице были сплошь дешевые кабаки; если и увидишь нарядных женщин, то будь уверен, что это… Жены в Ямщицкой слободе сидели тихо и не высовывались, а мужья — дальнобойщики прошлого — пили крепко, чтобы унять тяжесть дороги и больные спины.

Ну, мужчины со своим безрассудством были под стать. Я читал судебные отчеты, выискивая Тверские-Ямские, и находил лишь незнаменитого убийцу Балакина, что жил по этой 2-й Тверской-Ямской, дом 6, квартира 7, и зарезал Шурку в 31-м доме по 4-й Тверской-Ямской.

Недобрые были места, да.

А теперь — другое. Тишь да гладь — разве взорвут какого знаменитого бандита Сильвестра, перепугают взрывом моего кота, да и пойдет жизнь своим чередом. А гофрированный забор будет вечен, хоть с новыми картинками. И никто уже не расскажет нарисованным барышням, что оборок более не носят, что вместо них давно фестончики, что пелеринка из фестончиков и на рукавах фестончики, эполетцы из фестончиков, внизу в метро фестончики и в кабриолетах всё фестончики. Везде.

Чур меня, чур — всё заносит февральская метель.

Лишь чернильной кляксой надо всем — бетонный куб в человеческий рост, перевязанный гнутой арматурой.

Пространство между "Маяковской" и "Белорусской" — место неизвестных памятников.

Особые памятники были в Миусском сквере.

Сквозь каменное пальто Фадеева просвечивала церковь, где венчался Александр Невский. От нее остались название улицы и память об огромном соборе, что был возведен на ее месте и, простояв пустым полвека, исчез. В другую сторону от Маяковского, симметрично Патриаршим, находится Миусский сквер, где в жестяном колпачке обсерватории пионерского дворца прошло мое детство.

В посольском квартале на Брестских под сенью чешского флага стоял ныне исчезнувший бюст Фучека.

Исчез и он, и разбойный рынок на Тишинке.

Рядом была улица с нескромным названием Живодерка, потом полпред Красин дал улице имя, а у самого Садового кольца возник Институт биологических структур — говорили, что это эвфемизм для Института сохранения мумии.

Местные жители были уверены, что отсюда до Мавзолея был прорыт подземный ход, чтобы возить туда-сюда тело мертвого вождя.

Место встречи всегда оказывается местом ностальгии. Ностальгия — это не тоска по родине, а тоска по другой жизни. Несколько поколений в моей стране жили будущим, забыв о прошлом и закрывая глаза на настоящее.

Как сказал некто, они слишком долго дышали чистым безвременьем и оттого сожгли свои легкие. Нельзя долго вдыхать чистое безвременье, как нельзя дышать чистым кислородом. Это общий ожог — он есть и у меня.

В моем школьном детстве было несколько сакральных фраз.

Одна из них — заключительная из дневника Тани Савичевой: "Умерли все, осталась одна Таня".

И был в этой фразе особый поэтический и трагический смысл — сравнение себя с другими, ушедшими: вот ты и вот они.

Они ушли, а ты остался.

Один.

Одна Таня.

В силу отсутствия немецких войск и старости смерть замещается отъездом.

Уехали все.

Места изменились, и это я заметил уже давно.

Возник, например, дом, с каждого балкона которого торчит тарелка спутниковой связи.

Дальше — Тихвинские улицы и переулки. Тихвинские — это розовые свечи над ночным чаем, гитарные струны и песни по очереди. Тихвинский — это дорога домой по светящемуся в темноте снегу между трамвайных путей. Наконец, это моя мать с иголкой, графин и рваные тапочки.

В одной книге, название которой я уже забыл, было такое:

— Вы где там жили, осмелюсь вас спросить?

— Я жил в Тихвинском, это…

— Великолепный район, не нужно никаких пояснений. Это не в самом центре, но это и не пригород. В нескольких шагах — широченный проспект, немного подальше — Марьина роща… И не мне вас уговаривать, не мне, человеку природы, по-детски чистому, по-детски наивному, убеждать жителя Тихвинского переулка, которому достаточно повернуть налево, чтобы вдохнуть в себя тлетворное дыхание Бутырской тюрьмы…

Я помню один дом рядом с Миусским сквером, разлапистый и странный, с чередою арок и проходов, освещенных ночью маяками-лампами. Я часто ходил через его внутренние дворы, возвращаясь домой, и дом этот запомнился мне навсегда, как моя первая пешеходная любовь.

Другие машины, приземистые и вспыхивающие чужой краской, стоят теперь в его дворах.

Эти места совершено петербуржские. В них воздух Москвы мешается с другой, придуманной культурой.

Теперь-то этот район подорожал, взметнулось элитное жилье. А при старом календаре, напротив, наискосок через перекресток, в угловом магазине из окошечка в стене выбрасывали в очередь глазированные сырки. Сырки эти пропали надолго, снова появились, ароматизировались разными добавками, набрались, как дети — неприличных слов, разных консервантов. Тут всё путается. Всё сложно — и не поймешь, что додумал, а что было на самом деле. Память вообще очень эффективный генератор исторических событий.

Не так давно произошла история, казалась бы, незаметная, но важная, как падение Берлинской стены. Закрылась старая фабрика "Дукат" в Москве и открылась новая, где-то на Каширском шоссе. Что станет с прежними краснокирпичными корпусами этой фабрики, я не знаю. Неизвестно мне также, уцелел ли клуб этой фабрики, где в забытые времена дергали за струны гитароподобных инструментов подпольные рок-группы.

Я жил тогда неподалеку и ходил по этой улице мимо длинных табачных фур, набитых нерезаными листьями. Выглядывали из-за высокого забора какие-то изразцовые стены, бежевые да зелёные. Пахло коричневой дурман-травой, текло сыпучее, как табачная крошка, время.

Работники фабрики выбрасывали неудачные сигареты.

Мы подобрали одну из них, чрезвычайно длинную, протяженностью в метр, и устроились в чужом подъезде. Мы сидели с этой сигаретой у окна, как киллеры с одной на всех снайперской винтовкой. Горящий конец чудо-папиросы смотрел во двор, где шелестело детство. Потом пришла пора табачных бунтов, перевернутых троллейбусов, разбитых сигаретных ларьков. Потом "Кэмел" из роскоши превратился в карманного завсегдатая. Потом, как стремительно горящий "Беломор", скурили прежнюю власть, потом дымом подернулась вся история.

Это сейчас стареющие люди вспоминают сигареты "Упман", что, говорят, раскупали быстрее других дешевых. И всё это "упман суперфинос фильтрос эмпресса кубано дель табакос" звучит сладкой музыкой в ушах, как опознаватель, как пароль открывает тебе двери знание того, что "Лигерос" раньше назывались "Смерть под парусом", как и то, что их папиросная бумага была сделана из сахарного тростника и казалась сладкой на вкус.

Бренчат в копилке памяти "Астра", что звалась "Астма", "Дымок", что был "Дымстон". Много чего было, а традиция кончилась — сейчас при тысяче сортов водки ее названия мало кто знает, она, потеряв способность оборачиваться "Коленвалом" и "Андроповкой", снова вернулось в хтоническое состояние "просто водки".

Был такой замечательный ром *"Gavana Club"*. Причем брал он не крепостью, а токсичностью. В те самые времена, когда не отзвенел еще горбачевский указ, спиртное продавали по талонам. Суровые женщины, хозяйки кассовых аппаратов, отрезали талон и пробивали чек на две бутылки.

Это были две любые бутылки, то есть отчетности было неважно, брал ли ты две по пол-литра или две по 0,75.

Тогда-то в наше отечество и завезли этот самый кубинский ром.

Мне говорили, что завезли его только в столицы, поэтому провинции достались только сигареты "Лигерос".

А фабрики "Дукат" лет пятнадцать как нет. То есть она есть, только приобрела фамилию через дефис и переехала.

Но старый ее мир исчез, превратился в папиросный пепел империи, о котором все так много говорят.

# Марина Москвина
## Мой тучерез.
## Дом 10
## в Большом Гнездниковском
## переулке

Ну — я дотянула. Сколько раз собиралась написать про свой дом, как все детство провела на крыше. А теперь ему — сто лет! И музей Москвы его уважил — к столетию первого московского небоскреба, знаменитого Дома Нирнзее в Большом Гнездниковском переулке, устроил выставку "Московский тучерез".

В 1912–1914 годах зодчий Эрнст Карлович Нирнзее воздвиг небывалую громадину — десятиэтажный доходный дом (дом дешевых квартир, дом холостяков, "каланча", дом-крыша), вместивший в себя такое обилие событий, что его история кажется неправдоподобной. Легче сказать, чья нога не коснулась метлахской плитки на полу подъездов этого дома, чем озвучить имена людей, голоса и шаги которых звучат и поныне в его гулких коридорах. Неважно, прожил ты в этом доме жизнь или ненадолго снял угол, ютился на антресолях у знакомых или заглянул на огонек, любовался закатами в кафе "Крыша", снимал фильмы под звуки фортепиано — на верхотуре когда-то был оборудован павильон "Киночайка", — шутил и танцевал в подвальном кабаре "Летучая мышь" или, волнуясь, возносил к небу рукопись в издательство на "голубятне" — надеясь, что она превратится в книгу и останется жить в веках.

Знать бы заранее об этой выставке, с какой любовью здесь будут преподносить каждую сохранившуюся фотографию, документ, воспоминание — да я бы столько всего принесла, накопленного, сохраненного мамой моей Люсей, дедом Степаном Захаровым, бабушкой. Сундук на балконе — полный их рукописей, альбомов фотографий с начала XX века! Двадцатые, тридцатые, сороковые, пятидесятые… Еще полвыставки осталось за бортом из-за моей нерасторопности, а все равно — какая она теплая, насыщенная, согревающая сердце.

Виды на Москву с высоты птичьего полета, пожелтевшие театральные программки (жаль, не хватает котелка директора "Летучей мыши" Никиты Балиева!), трогательные артефакты, потускневшие от времени, радиола, патефон, оранжевый абажур над обеденным столом, ручки от старинных кушеток — с львиными головами,

плюшевый медведь и платье, господи, платье пятидесятых годов сестры воспитательницы детского сада на крыше — черное с белым отложным воротничком и ман-
жетами... Трогательные судочки — пирамидка из трех
кастрюль, с ней одинокие квартиранты в шлепанцах
и полосатых пижамных брюках шествовали в домовую
кухню за теплым обедом, ватные Деды Морозы и елоч-
ные игрушки — пионеры, красноармейцы, летчики,
хоккеисты, космонавты... "Фирменные" водопроводные
вентили и до боли знакомая старожилу белая фаянсовая
ручка в виде капли, свисавшая на веревке с бака над
унитазом.

Там, в музее, наконец-то мне удалось обрести коро-
левский подарок, полученный Домом к своему столетию, — второе издание захватывающей, уникальной книги "Дом Нирнзее" Владимира Бессонова и Рашита Янгирова, исследователей истории, да что там — живой жизни
этого фантастического сооружения, — богемной, бурной,
театральной, "киношной", музыкальной, литературной,
цыганской, вольной, ресторанной, и тут же — революци-
онной и эмигрантской, предвоенной, военной, "оттепели", "застоя", "перестройки"... И судьбы, судьбы обитателей, их взлеты и низвержения, сюжеты любви и разлук,
надежд, которым было не суждено сбыться, пики счастья
и вершины трагедии тех, чья слава не померкла с годами,
и тех, что материализуются из небытия под пером авто-
ров, которые осторожно переплетают реальность и мифы
Дома-корабля, Дома-призрака, Дома-океана с очевидно
присущими ему космическим сознанием и памятью.

Теперь я точно знаю, что он тоже помнит меня, этот дом, где на Крыше осталось мое детство. Именно на Крыше, с большой буквы, на плоской кровле громадного Дома — она заменяла жильцам двор. Там были клуб, клумбы, качели, волейбольная площадка. Мы разъезжали по крыше на роликах и велосипедах. А вечерами в клубный телескоп разглядывали звезды и планеты.

Тогда это казалось чем-то обычным, само собой разумеющимся, и то ликование, которое ты испытывал, когда взлетал на качелях над Москвой, проносился в небе на самокате или пел в хоре, паря над городом, считалось обычным делом. Но через много лет я узнавала это ощущение в приступе вдохновения, в объятиях возлюбленного или взбираясь по отрогам высоких Гималаев, чувствуя под собой горячую спину лошади, всплывая к облакам на аэростате или прижимая к груди свою только что вышедшую из типографии книгу, новорожденного сына… и дальше по списку.

Говорят, после революции в Доме селились одни партийцы. Да нет, в любые времена кто здесь только не жил и не бывал! Среди первых большевистских жильцов дома присутствуют даже таинственные члены Ордена тамплиеров (читаем мы у Бессонова, Янгирова), в квартире бывшего торгпреда СССР в Англии Н. Богомолова на пятом этаже происходили их тайные совещания и посвящения. Ходят слухи, сам архитектор Нирнзее был теософом и умышленно затеял это строительство, желая отыскать золото тамплиеров, зарытое в Гнездниках.

В год рождения моей мамы Булгаков знакомится тут со своей второй женой, а потом и с третьей! Дом 10 называет он "заколдованным домом". Мастер из одноименного романа Булгакова идет за еще незнакомой Маргаритой, судя по описаниям, явно в Гнездниковском переулке.

Напротив квартиры поэта и художника Давида Бурлюка гостил Маяковский. Сам Председатель Земного Шара Велимир Хлебников, поэт и ясновидец, размышлял тут о судьбах человечества, о том, как покончить со всеми войнами, с войной вообще и объединить континенты, выстраивал грандиозную концепцию "Всемира".

Вид на Москву с нашей крыши легко узнаваем у Ильи Ильфа, Евгения Петрова, Валентина Катаева…

Мой дом — "башня из слоновой кости", испокон века населенная интеллектуалами всех мастей, инженерами, философами, врачами, журналистами, актерами, учеными, футуристами, аэронавтами, даже одним замдиректора Музея фарфора! Возможно, именно здесь, на пятом этаже, архитектор Григорий Бархин спроектировал здание "Известий". Как выяснилось, "дедушка Гриша" с внуком — будущим художником Сережей Бархиным — чуть не у наших на потолке громоздили корабль из кресел, тумбочек и табуреток.

Моему брату Юрику был год, когда в доме поселился Юрий Олеша, он писал тут книгу "Ни дня без строчки". На моей памяти по соседству с нами в квартире 422 жил артист Владимир Володин, знакомый зрителю по кинофильмам "Кубанские казаки", "Волга-Волга" и, конечно, "Цирк". Это он катался на трехколесном велосипеде по манежу, неустанно напевая: "Весь век мы поем, мы поем, мы поем…" И под колыбельную "Спя-ят медведи и слоны…" укачивал негритенка Джима Паттерсона, который не раз приходил играть с Юриком, а когда вырос, то стал поэтом.

На десятом этаже было издательство "Советский писатель". Отправляясь гулять на крышу, мы сталкивались нос к носу в лифтах, на лестнице и в коридоре с легендарными личностями, ходячими легендами, которых потом будем изучать в университете, но кто да кто движется тебе навстречу и отвечает на твое "Здрасьте!", для нас пока оставалось тайной.

Огромные издательские окна смотрели на крышу. Однажды летом мы играли в двенадцать палочек. Игра вроде пряток, но выручаться надо, стукнув ногой по доске. С доски падают двенадцать палочек. Пока ты их подбираешь, все снова прячутся. В тот день мне страшно не везло, я эти палочки собирала раз восемь. Вдруг из окна издательства шагнул на крышу человек. Он был в очках, костюм с жилетом, в кармане на груди платок, как дирижер. И он сказал:

— Чур на новенького.

— Вот вы и водите, раз на новенького.

— Я и буду, — ответил этот человек.

Он собрал палочки, сложил на край доски, тут ему крикнули:

— Кассиль, где вы?

— Зовут, — он сказал и ушел. Обратно в окно. Это был швамбранский адмирал, автор "необычайных приключений двух рыцарей, в поисках справедливости открывших на материке Большого Зуба великое государство Швамбранское".

Одно из первых изданий "Кондуита и Швамбрании" подарил моей маме сам Лев Кассиль. В начале тридцатых на крыше устраивали грандиозные футбольные чемпионаты окрестных дворов и переулков. Их непременным участником бывал такой же, как моя Люся, футбольный фанат Костя Есенин, сын Сергея Есенина и актрисы Зинаиды Райх.

На матчах Люся бегала "заворотным хавом" или "загольным кипером" — так называли подающего мяч футболистам. Если мяч вылетал за ограду и падал вниз, лифтерши по таким пустякам лифт не гоняли, и Люся съезжала по перилам или спускалась по железной пожарной лестнице, которую я уже не застала. Особым шиком среди ребят считалось перелезть через ограду и гулять по карнизу над бездной. "А кто боялся, того все считали слабаком, и мы до сих пор помним их имена", — сказала служившая на войне в десантных войсках, чудом уцелевшая подруга Люси Галя Полидорова.

Однажды во время футбольного матча вратарь получил травму. Ворота заслонил "загольный кипер" и не пропустил ни одного мяча. Почетным членом жюри был Лев Кассиль. Он вручил кубок победителям и спросил: "А что, ваш вратарь — девочка?" "Да, бывший заворотный хав, голкипер Захарова". Тогда-то и получила мама в подарок от Кассиля "Кондуита и Швамбранию".

Люся родилась в этом доме. Ее родителям в 1922-м дали тут комнатушку после череды событий, которые легли в основу моего романа "Мусорная корзина для Алмазной сутры". Вкратце перечислю. Степан Захаров: с десяти лет — рабочий мастерских сапожных гвоздей, потом чаеразвесочной фабрики Губкина — Кузнецова у Рогожской заставы — Степа заворачивал чайные листочки в цинковую бумагу, цинк разъедал пальцы, и все там чахли молодыми, в развеске Губкина — Кузнецова, наглотавшись чайной пыли. Но Степа и не думал чахнуть: в декабре 1905 года он столь яростно бился на баррикадах, что дальше пошло-поехало: аресты, тюрьмы, солдатчина, снова арест за побег из крепости Осовец Гродненской губернии, потом ему забрили макушку в Сольвычегодске, три года каторги, в скотовозе отправили в Рыбинск и — поминай как звали — на Румынский фронт!

В 1917-м, когда все ячейки и тайные коммуны вылезли из щелей, вытащили спрятанные под полом ружья и "парабеллумы", завернутые в рогожку и промасленную бумагу, был среди этих отчаянных голов и Степан, рядовой 121-го Пензенского пехотного полка, влившегося в 4-ю армию Западного фронта Бессарабии. Немецкие войска разгромили румын, и тогда им на помощь бросили русский пехотный полк, в том числе политссыльного запевалу из 5-й дисциплинарной роты Захарова. Ой, как он пел солдатские песни: "Лагерь — город полотняный, и горе морем в нем шумит…"

В московском восстании Степа возглавил батальон самокатчиков, ему выкатили велосипед, он уселся на него — это был складной самокат системы Жерара. И в октябре 17-го на своем железном коне ураганно проскакал по Москве. Кое-кто сообщает в мемуарах, что Захаров дрался с юнкерами, засевшими в Крутицких казармах и Алексеевском военном училище. Другие отчетливо наблюдали его долговязую фигуру, открытую всем ветрам, в распахнутой, не по размеру шинели на баррикадах в районе Пресни. Н. И. Бухарин, бывший одним из руководителей московского мятежа, вспоминал, что "на Тверском бульваре во время атаки был ранен мой старый товарищ Степан Захаров". (С Бухариным Степа соседствовал в Таганской тюрьме, тот его образовывал по части материалистического понимания истории, притом свою камеру Н. Б. изрисовывал портретами Маркса, доводя до исступления надзирателя, которому приходилось драить казенные стены от несмываемого бородача.)

С Фаиной дед встретился той же осенью в штабе Красной гвардии Бутырского района, естественно, он там был самый главный. Мою раскрасавицу-бабушку, сестру из общины Лилового креста (она жила в доме Федора Шаляпина на Садовой и лечила всю его семью), в разгар московского мятежа начальник госпиталя послал подбирать раненых на улице под пулеметным огнем. Шесть сумрачных дней и ночей она таскала раненых и убитых, волокла на шинели к санитарному автомобилю, оказывая всем без разбору медпомощь, как ее учил профессор Войно-Ясенецкий. При этом до того себя доблестно проявила, что Семашко направил ее в медсанчасть того самого штаба, где мой воинственный дед влюбился в нее, сраженный красотой. Она же утверждала — особенно когда они развелись (влюбчивого Степана увела у Фаины донская казачка Матильда), — что вышла за него из жалости, уж больно он был взъерошен, рыж и конопат, даже пятки, она говорила, у этого черта рыжего были конопатые, и такой худой, что просто кожа да кости.

В 1919-м Захаровых направили освобождать Крым от Врангеля и Деникина, Степана — секретарем обкома ВКП (б), Фаину — начальником госпиталя. Два раза Красная армия в Крыму отступала с колоссальными потерями. Дважды Фаина формировала эшелоны — отправляла раненых бойцов и больных сыпным тифом в тыл. Оба раза — лично — по нескольку месяцев сопровождала до Москвы переполненные санитарные поезда под обстрелом и бомбежками. В 1920-м Степан был прикомандирован к 46-й дивизии 13-й армии, той самой, которая брала Перекоп и форсировала Сиваш. Фаина готовила съезд третьего конгресса Коминтерна, в кожаной тужурке с "маузером" на бедре возглавляла в Москве борьбу с беспризорностью. После победы над Врангелем Степу, на сей раз легально, назначили секретарем Рогожско-Симоновского райкома (в 1912-м он занимал этот пост в подполье), а также членом бюро Московского комитета ВКП (б), и заселили в "ячейку" № 430 дома 10 по Гнездниковскому переулку, где кроме них обитал управляющий трестом "Полиграфкнига" Н. Алмазов с семьей. С жилплощадью в Москве было туго, а тут много разных закоулков, надстроек, каких-то полостей на черной лестнице. Ютились, теснились, никто не роптал. Юность Захаровых пролетела без крыши над головой, без твердой земли под ногами, под грохот и лязг колес, гул аэропланов, удары взрывной волны. Вши, голод, сыпной тиф, мешочники, бандиты, мародеры, тени погибших городов. А тут — квартира на Тверской, из окна видно памятник Пушкину. Словом, спустя девять месяцев у них родилась дочка.

А "Тучерезу" исполнилось десять лет.

И я вам так скажу: если бы его судьба на этом завершилась, то он все равно вошел бы в историю не просто Москвы, но — мира, ибо все дороги ведут не столько в Рим, сколько в высотку Большого Гнездниковского переулка.

Дом строился на холме и возвышался над Москвой, как бы перекликаясь с высокой колокольней церкви Николы в Гнездниках. Мощная, прихотливо изломанная линия, серая плитка фасада расчерчена красными вертикалями, верхний этаж украшен орнаментом, гирлянды цветов оплетают его, и эти цветы — редкие орхидеи! — выполнены из добротного камня! С боков дом украшен барельефами чуть не роденовских "мыслителей". А уж на самом верху красуется майоликовое панно "Лебеди и русалки" художника Головина…

Перегородки и перекрытия сделаны из лиственницы! Хотя московский брандмайор еще в 1912 году предупреждал, что столь высоченное деревянное строение сулило пожар за пожаром, но вот пролетела сотня лет — и ни одного пожара. Громадные окна, продольные и поперечные коридоры, высоченные потолки! Со временем Захаровы переселились в отдельную "каюту" за № 421, Фаина выписала мать из деревни, и бабушка Груша у них обустроилась на просторных антресолях.

Груша катила коляску с внучкой по крыше и обмирала от высоты. Кусты персидской сирени в больших кадках источали терпкий аромат. Внизу простиралась Москва, по бульвару гуляли лилипуты, на Тверской громыхали редкие трамвайчики, аэропланы кружили над Ходынкой. Жизнь ей казалась сном, только одно она твердо знала: девочку надо окрестить. Но богоборец Степан вместо крестин затеял "октябрины". Груша нажарила пшенных оладий с грибной подливкой на той же чугунной сковороде, которая у меня и сейчас в строю, бессменная и доподлинная, — уж больно до революции делали нетленную хозяйственную утварь.

Стали подходить гости — фронтовые друзья Степана, с которыми Захаровы воевали в Крыму, военком А. Могильный, Витя Баранченко — Фаина ему в Мелитопольском госпитале раны залечивала. "Эта парочка, — рассказывала Фаина, — где-то раздобыла длинную палку копченой колбасы. За ними ввалился Ваня Лихачев. Батюшки мои! С тортом!" Лихачев — будущий директор автомобильного завода "АМО", позднее завод переименуют в завод имени Сталина — "ЗИС", а там и в "ЗИЛ" — завод Ивана Лихачева, соседа Захаровых по дому-крыше.

Курили у окна, заглядывали вниз в переулок — с четвертого этажа видна часть бульвара с памятником Пушкину и краешек Страстной площади. Приехали Дольский,

Карпухин, Шумкин, будущий нарком просвещения Андрей Бубнов — когда-то Захаров имел с ним плодотворное общение через отдушину в Таганской тюрьме, А.Б. ему лекции читал по литературе, истории, философии, натаскивал по немецкому языку и как школьника гонял по заданным урокам. Теперь они снова были соседями.

Герц подъехал на извозчике. Герц — партийная кличка Дмитрия Ульянова, со Степаном они прошли Первую мировую и Гражданскую, но неразрывно спаяла их страсть к шахматам. Раз как-то сам Ленин стал свидетелем их игры. Степа заволновался, не с той фигуры пошел. Светоч революции ахнул: "Непростительный промах! И кому проиграл — такой шляпе!"

Да, Дмитрий не был застрельщиком, как дерзновенный и бойкий Владимир Ильич. До революции служил врачом в Таврическом земстве. Кто-то назвал его "красным кардиналом" — младший брат Ленина смахивал на кардинала Ришелье из "Трех мушкетеров": те же усики и бородка цвета сохлой травы, благородный облик, солидный словарный запас. У Степы хранились его трактаты: "Улучшение обеспечения жителей Таврической губернии пресной водой", "Финансирование профилактики мероприятий для снижения заболевания на Крымском полуострове тифом, туберкулезом и холерой" и другие толково составленные руководства по избавлению от глада и мора. Он пекся о телесном здравии крымчан, изобилии пшеницы, умножении скота и не в последнюю очередь — виноделия: Дмитрий Ильич выпивал. Это следует из многих источников, Степа в ста случаях из ста составлял ему компанию, что, видимо, послужило причиной отзыва Дмитрия Ильича из Крыма в 1921 году в Москву на работу в Наркомздрав.

Ульянов-младший явился нарядный, в жилете, шелковом галстуке — с букетом лиловых ирисов.

— Из оранжереи Рейнбота, — сказал, вручая Фаине цветы.

Горки до революции принадлежали Рейнботу, московскому градоначальнику.

Груша привезла из деревни самогон. Стаканчик за стаканчиком — стали перебирать имена. Степа ждал сына, хотел назвать Степаном, "чтоб наш Степан Степанович Захаров дожил до коммунизма". Ладно, Шумкин (партийный псевдоним Фуфу) предложил назвать девочку Марсельезой, Степан бредил самолетостроением и склонялся к Авиации, а Бубнов (Химик Яков) — к Александре в честь Пушкина. Все посмотрели на Степину дочку — физиономия сплошь в веснушках, из-под чепца торчат красные волосики, глаза скосила и погрузилась мыслями в себя.

— Александра не подходит, — махнул рукой Дмитрий Ильич. — Но есть другое имя, тоже пушкинское! Вон как она "возводит светлый взор"…

И продолжал под общий хохот:

Людмила светлый взор возводит,
Дивясь и радуясь душой…

Дмитрий Ильич поднял наполненный граненый стаканчик. В подтверждение "октябрин" был составлен "исторический документ":

1923 года 17 июня мы, нижеподписавшиеся, собравшись на заседание под председательством Дмитрия Ильича Ульянова для обсуждения вопроса, как назвать родившуюся 3 июня 1923 года девочку, постановили после всестороннего обсуждения и различных докладов назвать ее Людмилой. Родителями единогласно признаны Ст. Ст. и Ф. Ф. Захаровы. Отцом крестным избран под гром аплодисментов Дмитрий Ильич Ульянов, которому поручается наблюдение за воспитанием Людмилы и о последующем извещать собравшихся.
Вышесказанное подтверждаем: председатель — Дм. Ульянов… — и четырнадцать подписей.

В начале августа Д. Ульянов на автомобиле "Делонэ-Белльвиль" с шофером Ленина Гилем возил Захаровых в Горки. Степан играл в городки с Гилем и купался в Пахре, Фаина гуляла в парке, а Дмитрий Ильич носил нашу Люсю показывать брату — тот, уже слабый и больной, "одряхлевший лев", рассказывала потом Фаина, которая наблюдала за ними из-за деревьев, не смея приблизиться, сидел на скамейке с сестрами.

Дома под стеклом над письменным столом у нее всегда висел его портрет — в люстриновом черном пиджаке, — сделанный фотографом Оцупом. Мы выросли под этим портретом — сперва Люся, потом Юрик, ну и я тоже. (Правда, мы с Юриком уже росли не только под бабушкиным Лениным, но и под Люсиным Хемингуэем.)

Когда "лев" устал от вращения Земли и душа его вознеслась в эфир — Степа оказался в гуще вселенской похоронной церемонии. Шесть бессонных ночей, на сто лет вперед прокурив квартиру в Гнездниковском, он обдумывал стратегию движения кустовых групп от Рогожско-Симоновского района на Красную площадь числом около пяти тысяч, составлял планы, карты, бюллетени, вычерчивал схемы и диаграммы, по минутам назначая фабрикам и заводам, кто к кому и когда обязан пристроиться в хвост, а кого держать в затылке, сколько человек в шеренге (восемь), оптимальное расстояние между шеренгами (один шаг), скорость движения — три версты в час. И особое предписание начальникам делегаций организовать надежную связь вдоль своих колонн в виде одиночек-велосипедистов.

"Итак, на похороны Ильича район направляется по следующему маршруту, — писал Захаров красивым размашистым почерком с нажимом, лиловыми чернилами. — Таганка, Астаховский мост, Солянка, Варварская площадь, Лубянский проезд, Лубянка, площадь имени Свердлова, площадь Революции, проезд между Историческим музеем и Кремлевской стеной, Красная площадь, Варварка, Солянка и обратно. Ввиду острого мороза все участники указанного шествия должны одеваться тепло. Теплое пальто, валенки, шапка, закрывающая уши, шерстяные варежки — принимая во внимание, что на Красной площади придется простоять от 1–2-х часов… Партийным ветеранам и восходящей молодежи, — чисто по-человечески просил Степан, — необходимо поддерживать строгий порядок, помня, что на нас возлагаются большие надежды в смысле дисциплины, во избежание давки".

Степан был членом ВЦИК и ЦИК СССР, делегатом бесчисленных съездов партии, Всероссийских съездов Советов и конгресса Коминтерна. Историк и писатель В. Баранченко говорил: если б Степе Захарову дали возможность учиться, из него бы вышел академик, не меньше этого! В январе 1925-го, выступая на Московской губернской конференции, Степан заявил: "Сталин говорит одно, а думает другое". Рассказывают, что Сталин взял слово, попросил стенографистку выйти и, не выбирая выражений, разнес в пух и прах Захарова. Степа выскочил из зала, спустился в буфет и хватил стопку водки. Сталин вышел следом и бросил мимоходом: "Поделом, не будешь лезть наперед батьки в пекло".

Степан был выведен из бюро райкома партии, освобожден от должности секретаря, его "ссылают" на Кавказ: секретарем окружкома Ставрополя, потом Таганрога, Пятигорска, Ростова-на-Дону. В 1934-м со "строгачом" по нелепому обвинению выгоняют с должности секретаря Новороссийского горкома и вызывают в ЦК. По дороге в Москву его полуживого снимают с поезда с крупозным воспалением легких. Спустя несколько месяцев родные отыскали его на заброшенном полустанке в сельской больнице. Он долго болел. У него другая семья, неопределенные место жительства и род занятий, дед особо "не светился", но повсюду, куда его забрасывала судьба, устраивал курсы ликбеза и открывал избы-читальни, его возмущало, что в Америке Эйнштейн уже открыл теорию относительности, а в России две трети населения неграмотные. Единственное, что он возглавил за пять предвоенных лет, — рижский завод "Промутиль", реорганизовав его в трикотажную фабрику. Словом, не было бы счастья, да несчастье помогло. Как заявил мне один Люсин приятель: "Твой дедушка, Марина, был хитрый большевик. Он обвел вокруг пальца Сталина, Берию и Ежова". (А Юрий Никулин, когда я ему показала фотографию Захарова — они были знакомы по дачному поселку в Кратове, — воскликнул: "Степан Степаныч? Твой дед? Это ж мировой был мужик!")

Жители бывшего дома Нирнзее, переименованного в 4-й дом Моссовета ("Чедомос"), еще сушили белье на крыше и выбивали ковры, дети играли в "казаки-разбойники", посещали кружки бальных танцев и лепки, сооружали на крыше автомобиль, выпускали стенгазету, издавали рукописный журнал, публиковали свои первые стихи и рассказы. Они придумали себе утопическую "Республику Чедомос", где шел напряженный поиск диалога с миром. Там царило жизнеутверждающее, космическое, творческое начало: ты не мог, родившись в этом доме, например, не петь в хоре, или, что касается меня — опять же на крыше я играла Наф-Нафа в "Трех поросятах".

А они вот с этих самых лет уже готовы были защищать свою "республику", а заодно и живой, пульсирующий мир, который открывался им с высоты. Мальчишки и девчонки вырезали себе деревянные ружья, по карте следили за войной в Испании, учились стрелять, бегали с противогазом, носилками, осваивали противовоздушную оборону, всем домом вступили в "Осоавиахим", у Люси сохранились значки ГТО, ГСО, ПВО, ЗАОР,

"Ворошиловский стрелок", листочек с азбукой Морзе — предчувствие войны висело в воздухе.

В 1937-м вольный дух поднебесной "республики" сочли подозрительным, что-то пушкинское неискоренимо витало на крыше, недаром здесь любили бывать поэты и осенил нашу крышу своим присутствием Председатель Земного Шара Хлебников. Детский клуб распустили. Чтобы на крышу не просочился какой-нибудь залетный шпион, закрыли смотровую площадку. Рина Зеленая рассказывала мне: она когда-то в кабаре "Летучая мышь" изображала ресторанную певицу и раздобыла себе для этого огромный надувной бюст. Она его надувала, выходила и пела: "В царство свободы дорогу грудью, ах, грудью проложим себе…" Потом сдувала, прятала в карман и бежала выступать в кабаре "Нерыдай".

В тридцатых о подобных вольностях уж не было и речи. "Летучая мышь", взмахнув крылами, давно покинула Гнездниковский, а в опустевший подвал в кибитках въехали таб'орные цыгане. В канун Нового 1931 года Моссовет по ходатайству оргкомитета мобилизует Фаину Захарову на "выправление партийной линии" первого цыганского театра "Ромэн". Пару лет Ф. Ф. что-то там безуспешно выправляла, а потом всю жизнь гадала на картах, заваривала крепкий цыганский чай, любила ландрин, вспоминала, как ее подопечные, которых она тулила в партию, на вопрос о профессии неизменно отвечали: "Конокрад", каким донжуаном был драматург И. Ром-Лебедев, и вечно напевала романсы: "Ромны-Ромны, красавец мой…"

Меж тем каждую ночь к "Чедомосу" подкатывали черные "маруси", а утром беспроволочный телеграф разносил вести об очередном исчезновении соседей. Исчезали по одному и целыми семьями. На седьмом этаже обитал прокурор Андрей Януарьевич Вышинский, толпами отправлявший людей на расстрел. В целях самосохранения "Ягуарыч" приватизировал лифт. У двери его неотлучно нес вахту охранник. "В 37-м по канализационным трубам нашего дома шла запрещенная литература, засоряя время от времени канализацию", — вспоминают старожилы. Бессонов и Янгиров приводят список репрессированных — с номерами их квартир, как это значится в документах НКВД. Треть жильцов дома. По нашему четвертому этажу: 425, 428, 429, 430 (Алмазов!), 432… Как будто кто-то невидимый с пулеметом выкашивал соседей, сапогом выставляя двери, вдоль которых Люсины сверстники раскатывали в коридорах широкие лозунги: "Дети — цветы жизни!".

С крыши "чедомосовцы" наблюдали, как меняется Москва: сносили и передвигали дома, превращая узкую Тверскую в широкую улицу Горького, на месте разрушенного Страстного монастыря появились кинотеатр "Россия" и сквер с фонтаном, куда переехал с бульвара Пушкин. Люся видела с крыши, как потерпел катастрофу огромный четырехмоторный самолет "Максим Горький". В праздники мимо Дома двигалась военная техника на Красную площадь, ребята на крыше "принимали парады". А когда по улице Горького проезжали Чкалов, папанинцы и другие герои, с крыши бросали вниз поздравительные открытки.

Алёна Дергилёва. Дворик на улице Щипок (фрагмент). Акварель. 2013

В июне 1941-го Люся сдала последний школьный экзамен. После выпускного бала они до утра гуляли по Красной площади и Тверскому бульвару, нарядные, сияющие, влюбленные, Люся — в "ашника" Диму Сарабьянова, музыканта, поэта, легкоатлета, Женя Коршунов с Колей Денисовым — в "Ляльку" Энтину, Коля Раевский, Сонечка Кержнер, Милан Урбан…

Наутро объявили войну. Мальчиков сразу призвали в армию. Люся и Люба Соловьева подали заявления в военкомат. Пока ждали повестки, устроились на курсы военных медсестер в особнячке на Малой Бронной. Практика — в Филатовской детской больнице. Во время налетов они перетаскивали младенцев из палат в бомбоубежище, в подвал. "Наваливали их нам на руки, как дрова, — говорила Люся, — и мы бежали по синим от маскировочного освещения коридорам и крутым ступенькам в преисподнюю. Окна дребезжат, сердце колотится, только бы не споткнуться, не уронить спеленутые теплые бревнышки. И что удивительно: пока мы их тащили — они не кричали, не плакали — затаивались…"

Каждую ночь один или несколько бомбардировщиков прорывались к Москве. В ночь на 22 июля небо от самолетов было черное. Первый массированный налет. Люся говорила, ничего страшнее она вообще не видела — даже на фронте. В бою другое дело, говорила моя нежная Люся, ты — с оружием в руках, вы с противником на равных. А тут — полная безысходность. Хотя в доме была сформирована группа самозащиты. Особое звено следило за светомаскировкой. Не дай бог оставить в окне хотя бы щелочку света. Ребята провели по дому сигнализацию, оповещавшую жильцов о налете вражеской авиации. После чего все организованно спускались в бомбоубежище в подвал "Ромэн". Сто человек из дома ушли на фронт. Многие оставшиеся были одинокие, немощные люди. За ними закреплены "провожатые". На крыше — спецпост, где наравне со взрослыми дежурили подростки. Люся, разумеется, в их числе, во время бомбежек они гасили "зажигалки". Хватать их следовало перчатками или клещами и тут же совать в бак с водой или с песком, иначе разгорится пожар. Однажды бомба упала возле самого дома. Воздушной волной сбило с ног дежурных, выбило стекла в окнах, но, по счастью, бомба не разорвалась.

Дом, как мог, хранил своих обитателей.

Ближе к весне в медучилище на Бронной попала бомба. Занятия прекратились. Тут как раз пришло время для девушек-добровольцев. Много людей погибло в начале войны — первой из одноклассников Сонечка Кержнер, Любин брат Гоша Соловьев, Женя Коршунов с Колей Денисовым, Коля Раевский, Милан Урбан…

В апреле 42-го Люся с Любой получили повестки. Двадцать тысяч москвичек пришли на сборные пункты. Распределяли — в штаб полка, во взводы управления, в аэростатчики и прожектористы, в разведчики и связисты. Но все это, Люся говорила, не для нас. Только в зенитчицы — сбивать фашистские самолеты. И вот пару десятков девушек — еще в своем, гражданском, — привезли на 23-ю батарею 251-го полка 53-й дивизии Центрального фронта противовоздушной обороны в Филях, недружным строем подвели к ограде из колючей проволоки, за ней громадные орудия, нацеленные в небо. "Куда вас, таких молоденьких, — из-под пушек гонять лягушек?" — смеялись солдаты. Ничего, их одели в солдатские брюки и кальсоны, мужские рубашки с завязками, в шинели не по росту, на ногах американские ботинки с обмотками.

"Мы были форменные чучела, — говорила Люся. — Но тут уж никто не смеялся, наоборот, орудийщики всячески помогали нам обрести приличный вид, укорачивали шинели, учили накручивать обмотки и портянки, пришивать подворотнички".

Круглые сутки — и в снег, и в туман с дождем, — дежурный с биноклем пристально вглядывался в глубину небес. И если вражеский самолет — весь личный состав сломя голову бежит к орудиям и приборам, расчеты занимают свои номера. "Дальномер, высоту!" Люся ловит цель, совмещает с ней риску, кричит: "Высота такая-то! Дальность такая-то!"

Оказалось, на дальномере могут работать редкие люди, обладающие стереоскопическим зрением. Это все равно что играть на скрипке, говорила Люся. Из двадцати человек только у нее и Давыдовой Тони оказалось подходящее зрение.

"И еще дальномер мне дарил общение с космосом, — говорила Люся. — Ведь настраивать и выверять его надо было по звездам и по Луне. Смотришь на небо в этот огромный, четыре метра шириной, бинокль с 24-кратным увеличением и видишь на Луне кратеры и моря, видишь кольцо Сатурна, спутники Юпитера — и все это стерео, в объеме! Знаменитая труба Галилея — ничто по сравнению с дальномером…"

Дальномерщикам должны бы выдавать доппаек (не давали!), ибо от их таланта и настроения зависела точность определения высоты и дальности цели.

Мне кажется, в такие минуты Люся думала о нашем Доме, она его очень любила.

Потом мы переехали в Черемушки, но всякий раз, когда я и Люся гуляли по "Твербулю", она смотрела на крышу и разговаривала с Домом. Теперь я тоже так делаю. Никто из нас не хотел оттуда переезжать. Даже мой папа Лев, дипломат — считай, новобранец в Доме, — гордился Крышей и приводил туда дорогих ему людей со всей Земли — показывать Москву. Хотя мы впятером жили в одной комнате. Но когда кто-то являлся смотреть нашу квартиру, мы дружно пугались. Раз к нам по старой памяти заглянула прима "Ромэна" Ляля Черная. Они с мужем, актером МХАТа Михаилом Яншиным, вздумали перебраться поближе к своим театрам.

— У-у, — низким грудным голосом разочарованно произнесла цыганка Ляля, оглядев нашу крохотную кухню и туалет, похожий на бочку Диогена. — У вас тут Яншин не поместится в уборной!

И мы наивно радовались: еще немного побудем с нашим домом, хотя нас звали уже иные дома и пути-дороги… которые вновь и вновь приводят меня сюда. И я захожу, охваченная священным трепетом, просто побродить по коридорам, потоптаться у своей двери и с черной лестницы сквозь запыленное окно поглядеть на крышу, она ведь закрыта много лет...

— Вы настоящая "нирнзеевка"! — сказал мне Бессонов.

Точно, Владимир Александрович, дорогой Вы мой, да хранит Вас наш Дом, только продолжайте свою летопись, и с каждым новым изданием пускай Ваша книга становится все объемней!

"Прошлое — это единственное место, где я могу встретить отца", — написала Люся. А дом Нирнзее — это место, где я могу встретить мою Люсю, Таню Бек и Олега Салынского, который совсем недавно обещал вывести меня на крышу из окна "Вопросов литературы", да не успел, и многие родные души ждут меня на Крыше, куда я когда-нибудь обязательно вернусь, несмотря на все замки и запреты.

# Марина Бородицкая
## Дом на Пушкинской

Мне повезло, я жила в самом центре Москвы, на Пушкинской улице, которая теперь называется Большая Дмитровка, и мы гуляли "к Пушкину". И даже когда там было перекрыто движение для демонстраций и "народных гуляний", мы с папой везде могли пройти, потому что у папы в паспорте было написано: "Улица Горького, 12". Это был большой квадрат домов, в просторечии "Бахрушинка" (потому что дома строились по заказу Бахрушина), ограниченный с одной стороны Пушкинской, с другой — Горького, ныне Тверской, с третьей — Немировича-Данченко (теперь Глинищевский переулок), с четвёртой — Козицким переулком. И прописка у всех была одна: Горького, 12. От памятника Пушкину мы глазели на все эти шествия, пытались у памятника пройтись "по цепи кругом", смотрели на мальчишек у фонтана, которые лежали животами на гладком бортике и палками с приделанным пластилином собирали со дна монеты.

Помню, как в старших классах, отгородившись от спящей сестрёнки дверью шкафа, я писала по ночам сочинения, а из открытого окна слышались кремлевские куранты. Я вывешивалась за окно, держась коленками за подоконник, и смотрела на крышу дома — если бы мама увидела, она бы сразу умерла. Мне было интересно, какие там звезды…

(из интервью)

## Мой дом

Мой дом на Пушкинской сломали,
Пустырь забором обнесли,
В пятиугольной нашей зале
Звезду небесную зажгли.

Вдохну вечерний воздух влажный,
Приму столичный, праздный вид,
А в горле ком — пятиэтажный,
Оштукатуренный, стоит.

◆ ◆ ◆

Опять, опять дворами, вдоль помоек,
Обидою прерывисто дыша,
Вдоль желтеньких бахрушинских построек
Без спросу загуляется душа.

Отброшена взыскательной любовью,
Она утянет тело в те края,
Где в детстве научили сквернословью,
Где не смыкались школа и семья,

Где с крыш зимой съезжали, застревая
На желобе — и знали наперед,
Что вывезет московская кривая,
Бахрушинская лихость пронесет...

И вывезла! до самых новостроек,
И пронесла — над самой пустотой!
Да фиг теперь найдешь среди помоек
Хотя б клочок уверенности той.

## Трехпрудный переулок

По скрипучей лестнице взберусь я —
От материй летних здесь пестро:
Маме шьет портниха тёть-Маруся
Радостное платье "фигаро".

Сарафан, а сверху распашонка:
В этом платье с юбкой "солнце-клёш"
Мама будет прямо как девчонка —
Черненькая, глаз не оторвешь!

Тёть-Маруся перхает "Казбеком"
И обмылком чертит, как мелком.
Я по книжным полкам, как по рекам,
С удочкой сплавляюсь и сачком.

Алый ситец, белые горошки,
Час еще, наверно, просидим,
Пол дощатый, блеклые дорожки
И стоячий папиросный дым…

Тёть-Маруся достает булавки,
В окна лезет тополиный зной,
Я уже кончаю повесть Кафки
В комнатке прохладной, проходной.

Я уже, как муха в паутине,
Бьюсь и оторваться не могу —
И меня в трёхпрудной этой тине
Мама ждет на дальнем берегу.

Сонный морок, снятое заклятье,
Смуглых рук июньская пыльца…
Горький дух из радостного платья
Выветрится. Но не до конца.

# Песенка июньская

Вновь тополям размножаться пора,
Мечется пух по Садовой с утра:
Пух под ногами,
Пух наверху,
И у троллейбуса
Морда в пуху.

Пух залетает
В кафе и в кино,
Липнет к надкушенному
Эскимо,
К юбкам взметнувшимся
Пристает
И до любых этажей достает.

Что же ты медлишь?
Ну-ка, смелей!
Течка и случка
У тополей,
Город охвачен
Свальным грехом,
Вечер оплачен
Последним стихом,

Спичку горящую под ноги брось:
Вдоль тротуара —
Глянь, занялось!

Под фонарем на сахарном снегу,
У вечности глазастой под вопросом,
Я вензель свой рисую как могу
Мальчишеским ботинком тупоносым.

И связанные крепко за шнурки,
Подрагивая в отгремевших маршах,
Звенят в руке забытые коньки
О леденцовой глади Патриарших.

Там сок томатный, гривенник стакан,
От крупной соли он еще багровей,
Там детство терпеливо к синякам,
А юность исцелована до крови, —

И всё развеется, как снежный прах,
Всё в Лету утечет с весной слезливой!
И лишь уменье бегать на коньках,
Дурацкая привычка быть счастливой,

И светлый лед, и медная труба —
Слышна, хоть с головой в сугроб заройся! —
И, обнимая, шепчет мне Судьба:
"Закрой глаза и ничего не бойся".

## *Во дворе библиотеки*

Во дворе библиотеки
слышен звонкий Петр и Павел.
Кто-то здесь у бюста Гёте
кулича ломоть оставил.

Вот и Диккенс чуть надбитый,
Ганди с бронзовым лицом:
тот с чекушкой недопитой,
этот с крашеным яйцом.

Докуривши сигарету,
я в карманах шарю тоже:
на́ тебе, Аттила Йожеф,
шоколадную конфету —

ты мечтал о ней когда-то…
До свидания, ребята,
вечер светел, жизнь легка,
в небе кто-то, в меру датый,
крутит пальцем у виска.

...Встать пораньше, счастья захотеть,
В Тушино рвануть на барахолку,
Лифчик с кружевами повертеть
И примерить прямо на футболку,

Поглазеть на пестрые шатры,
Заглянуть в кибитки грузовые —
И себе, по случаю жары,
Шляпу прикупить на трудовые.

Чтобы красный цвет и желтый цвет
В синеве печатались контрастно,
Чтоб торговцы, окликая вслед,
"Женщина!" — выкрикивали страстно,

Чтоб растаял день на языке
И закапал голые колени,
Чтобы смять обертку в кулаке
И в метро сойти — без сожалений.

♦ ♦ ♦

Часы над Киевским вокзалом
сегодня вылитый Биг-Бен.
Циклон над нами одеялом —
Атлантики воздушный плен.

142

Народ бульварствует и бродит,
в дворнягах — аглицкая спесь,
и нету резкости в природе,
одна серебряная взвесь.

Замедлены деревьев жесты,
а на площадке смотровой
вуалехвостые невесты
парят, колеблясь, над Москвой.

Воришка, схваченный за ворот,
кортеж известного лица, —
всё в мире зыблемо. И город,
струясь, бежит из-под венца.

## Песенка закатная

Свет ты мой, светик мой,
Встреть меня на Сретенке.

Милый мой, любый,
Обними на Трубной.

Робкий мой, кроткий,
Проводи к Петровке.

Инда по Страстному
Побреду до дому.

# Иван Цыбин

## Москвич московского разлива.
## Малая Никитская

Я родился в Москве. Случилось это в день весеннего равноденствия 1969 года, увы, не у Грауэрмана на Арбате и не у Крупской на Миуссах, а в родильном отделении 67-й больницы, поскольку часть беременных женщин Краснопресненского района почему-то посылали увеличивать свои семьи аж на проспект Маршала Жукова.

Впрочем, я считаю местом своего рождения нашу квартиру № 155 в доме 16 по улице Качалова*.

* Сейчас — Малая Никитская.

Да-да, в том самом доме, где много лет были знаменитые книжный магазин и аптека. Построенный в тридцатые годы, это был не просто многоквартирный дом — но кооператив "Кремлевский работник". Дед моей мамы, Леонид Федорович Лимчер, был в те годы врачом в Лечсанупре Кремля, а попросту говоря, в Кремлевской больнице, поэтому его с семьей из четырех человек приняли в число советских "пайщиков-небожителей". Так мои предки получили четырехкомнатную квартиру № 61 в этом доме — надо сказать, я в ней никогда не был.

Прадед в тридцатые годы трижды участвовал в арктических экспедициях Отто Юльевича Шмидта на кораблях "Седов", "Сибиряков" и "Литке" в качестве врача — а в четвертый поход на печально знаменитом "Челюскине" его не отпустили из Кремлевской больницы. В 37-м, когда в Лечсанупре Кремля шла практически полная замена персонала, главврач честно сказал Лимчеру в лицо, что претензий к нему не имеет, но вынужден просить его уйти. И тогда прадед перешел в Клинику лечебного питания, где и работал до смерти. Переживаний в его жизни было немало, сердце оказалось слабым, и в октябре 1952 года его не стало. Как ни ужасно это звучит, умер он вовремя — через месяц, в ноябре, раскрутили "дело врачей", ему наверняка светил арест.

К концу пятидесятых семья "выросла" до семи человек, и тогда решили, что бабушкиному брату с женой и маленьким сыном надо выделить свое жилье. Квартиру разменяли на две комнаты в коммуналке на Богдана Хмельницкого (теперь снова Маросейке) для бабушкиного брата с семьей и на очень скромную трешку в нашем же доме № 16 на Качалова для прабабушки, бабушки с мужем и моей, еще маленькой, мамы. Именно в этой самой трехкомнатной квартире № 155 я и появился на свет.

В моем далеком детстве квартира (общая площадь 53 м²) мне казалась совершенно огромной. К тому же в квартире нашей были некоторые особенности. Дом этот строился в середине тридцатых годов, в постконструктивистские архитектурные времена, и изначально в квартирах этого "кремлевского гнезда" не было… ванных! Вообще! Тогда жильцы многих новых московских домов мылись исключительно на кухне: уборная слишком мала для "водных процедур", а в комнатах корыто не поставишь. Поэтому когда мои родные в середине пятидесятых годов въехали в 155-ю квартиру, первым делом они сократили кухню. Поставили серьезную стену, сделали отдельный вход в ванную из коридора, а трехстворчатое кухонное окно поделили: две створки остались в кухне, а третья отошла к ванной, которая получилась весьма узкой и длинной, как кишка. Принимая душ, можно было отлично видеть всё, что происходило в кабинетах сотрудников 83-го отделения милиции, чьи окна точно смотрели через маленький садик в наши кухню, ванную и большую комнату. Бабушка не сильно жаловала товарищей в погонах, поэтому всё мое детство светлые занавески на этих окнах были задернуты. Забегая вперед, скажу, что недавно я приезжал во двор моего дома и ходил под своими родными окнами. Люди, что живут в нашей старой квартире, увы, ликвидировали окно в ванной, заложили его кирпичами — и теперь на всех этажах окна нормальные, и только на втором — обрезанное.

Между кухней и ванной был туалет. Впрочем, это теперь мы называем его туалетом, а в моем детстве, в моей Москве, небольшая комнатка с белым другом всегда именовалась исключительно уборной. Особенность нашего отхожего места заключалась в том, что над входом, на уровне двух метров, были сооружены антресоли, но без дверок. А вдоль стены шли стояки горячей и холодной воды, по которым было весьма удобно на эти антресоли забираться. Когда мне стукнуло лет восемь, я нашел в секретере пачку сигарет, оставшихся от деда, маминого отца. Юрий Никитич Емельянов, известный в сороковые–шестидесятые годы профессор Московского архитектурного института, был не только блестящим профессионалом, но и заядлым курильщиком, обожавшим прямо на лекциях в МАРХИ прикуривать одну сигарету от другой, а выкуренную тушить о подошву своих ботинок. Так вот, в восемь лет я нашел сигареты, оставшиеся от него, и, когда никого не было дома, взлетал по трубам на антресоли в уборной и пробовал курить. Почему именно там? Вентиляционная отдушина была аккурат на уровне моего рта и, когда я сидел на антресолях, свесив ноги вниз, прекрасно втягивала в себя все вонюче-летучие следы моего преступления, а унитаз с шумом и свистом поглощал окурки, навсегда уничтожая улики. Однажды там, на антресолях, я нашел три свечки — странного серо-зеленовато-коричневатого цвета, тонкие, опаленные. Сначала я их зажег. Когда они стали мягкими, стал лепить из них, как из пластилина, всякие фигурки, одну смешнее другой. Так они там и лежали. И всякий раз, когда я покуривал в вентиляцию, — фигурку лепил новую. А спустя много лет бабушка рассказала, что это были мои крестильные свечки! Она их спрятала в глубине антресолей, чтобы сохранить, — но не подумала, что внучок найдет их раньше, чем у него появятся вменяемые для понимания того, что такое крестины, мозги.

Когда мне исполнился год, бабушка (Ольга Леонидовна Емельянова, прекрасный архитектор, спроектировавшая, ко всему прочему, и знаменитый обезьяний питомник в Сухуме), которую я всегда называл просто "Буля" (сокращенно от слова "бабуля"), решила меня покрестить. Понимая, что 1970 год — не лучшее время для публичности подобной процедуры, что ее дочь, моя мама — кандидат в члены партии, а мои папа и дедушка вообще коммунисты и занимаются *такой* работой, о которой лучше помалкивать, Буля, по совету приятельницы, решила покрестить меня дома. Приглашенный священник пришел в обычном, светском костюме и с большим портфелем, в коем лежали ряса и все остальные атрибуты настоящего батюшки. Воду налили вместо купели в ванну — и в тайных, практически подпольных условиях меня обратили в православную веру. Все молитвы священник пел вполголоса, практически шепотом — чтобы не услышали ни соседи, ни "погонники" в отделении милиции напротив.

Только вот надежды на то, что вырастет из меня прилежный отрок, к сожалению, не оправдались. Третьеклассник покуривал, испоганил свечки и вообще иногда вел себя так, что стоило бы всыпать мальчику по полной. Но Буля меня обожала, я для нее был абсолютным светом в окошке, поэтому четко знал, как из бабушки выжать всё, что мне нужно.

Комнаты в квартире тоже имели свои премилые особенности. Все они были весьма маленького размера, а две из них отделяла от двора полукруглая наружная стена. Если взять ровно половину круга и поделить ее еще пополам — получатся две наши комнаты, в каждой из которых будет по две стены ровных с углом в 90 градусов и третья стенка в четверть круга, куда архитекторы еще и врезали по два окна! Вероятно, человека, никогда не видевшего ничего подобного, такая планировка и смогла бы удивить, но только не меня, выросшего в этих стенах. Вещами квартира была забита под завязку! В трех комнатках умещалась куча старинной мебели красного дерева, мамин рояль, всякие столики, бюро, комодики, а на длину всего коридора были сооружены стеллажи для огромной библиотеки. Из всего этого великолепия меня больше всего привлекали несколько предметов. Секретер с передней откидной частью, где я ставил эксперименты — брал бумагу и, сильно нажимая шариковой ручкой, писал печатными буквами какое-нибудь слово, а когда листок убирал — наслаждался тем, как написанное мною вдавилось в лакировку красного дерева. Пишущая машинка *"Naumann"*, которая, кстати, великолепно печатает до сих пор! Я любил бренчать на рояле всякую белиберду, крутить ручку переключения каналов на телевизоре, щелкать клавишами радиолы, но больше всего млел я от содержимого одного шкафа, открывать который мне категорически запрещали. В шестидесятые годы Буля увлеклась домашними фото- и, главное, киносъемками! Благодаря ей у меня есть я в разном детском возрасте на фотографиях, слайдах и 8-миллиметровой кинопленке. Так вот в этом шкафу, кроме домашнего архива, стояли аж два кинопроектора! И только за огромные успехи и прилежное поведение Буля разрешала мне самому поставить у двери белый экран, вытащить кинопроектор, заправить пленку и показать фильм. Боже, какой в этом шкафу был запах! Смешанный аромат триацетатной киноленты разных производителей (не секрет, что наша пленка имела кислый запах, а импортная, типа ГДРовской *"ORWO-COLOR"*, источала более благородное, приятное носу благоухание) был таким сильным, что им пропитался и новый шкаф, в котором теперь живет этот архив. И когда мне хочется вспомнить детство, я просто открываю дверцы и нюхаю этот, самый родной и дорогой для меня, запах…

Как я уже говорил, дом наш был не сильно простым, но к семидесятым годам многие жители свои квартиры уже обменяли, появились люди, никакого отношения к сотрудникам Кремля не имевшие, — но и они были весьма горды тем, что живут в этом доме. Гордость эта заканчивалась ровно там, где начинались разговоры о продуктах. Пищу для ума в здоровом теле можно было купить, просто спустившись вниз, — со стороны улицы Качалова в доме были знаменитый книжный магазин, где букинистический отдел славился на всю Москву, и аптека № 106 Мосгораптекоуправления, в которой, в том числе по рецептам, изготавливали лекарства, и эти порошки я в детстве при каждом удобном случае высыпал в унитаз. А вот еду купить поблизости было непросто. Мои родные ходили или на Суворовский (теперь Никитский) бульвар в новый дом, или в гастроном в высотке на площади Восстания. Но тяжелые сумки так далеко таскать мог не каждый, и в шестидесятых годах кремлевские ветераны нашего дома написали коллективное письмо в Моссовет с просьбой открыть поблизости продуктовый магазин. Послание было рассмотрено, но резолюция, наложенная кем-то из тогдашних московских управленцев, потрясла даже видавших виды партийных старожилов: "Директору гастронома высотного дома на площади Восстания. Организовать для жителей дома № 16 по улице Качалова выездную торговлю продуктами повседневного спроса". Вы будете смеяться, но указание это четко исполнялось потом многие годы! Каждое утро, кроме понедельника, к 10:00 из гастронома на Восстания, со страшным звоном и грохотом, через Садовое кольцо и по нашей улице Качалова, здоровая бабища по имени Тамара везла телегу, набитую всякими молочными продуктами! В тамбуре второй парадной, где поставили даже небольшой столик, Тамара раскладывала весь свой товар и на открытую створку входной двери вешала белый фартук. Он и был сигналом для жителей дома. Облик Тамары был прекрасен особенно зимой: на ее вечной "химии" сидела видавшая еще те виды норковая шапка с местами сильно истрепаной мездрой, на ногтях всегда (до сих пор не понимаю почему) был облупившийся лак чудовищно оранжевого цвета, а сами пальцы, пунцовые от холода, торчали из обрезанных перчаток. Завершали образ валенки с калошами и ватник. Хамкой, надо сказать, Тамара была отменной. "Пошел в жопу!" — самое ласковое словосочетание, которое наша молочница себе позволяла. В отличие от цены магазинной, у Тамары всё стоило на копейку дороже. Пакет молока — не 16, а 17 копеек, глазированный сырок — не 15, а 16. Тот, кто случайно попадал в наш двор и пытался спорить о цене, посылался беспощадно. "Ты что за … с горы? У меня для партийных ветеранов не хватает молока, а тут чужой му…к приперся!" — кричала Тамара, повергая в шок чужака. Много раз дворовые "пришельцы" писали на нее жалобы, но никто, кроме этой бабищи, не соглашался на такую тяжелую работу, и Тамара оставалась на своем месте. Приторговывала Тамара и из-под полы. Многим жителям дома она тайком от их же соседей приносила различный дефицит. Сырокопченые колбасы, индийский чай, гречу, знаменитый финский плавленый сыр, парную вырезку и много чего другого Тамара доставляла "своим" прямо в квартиры, за что в доме ее обожали и всегда оберегали, закрывая глаза на ее матерные чудачества. Изо дня в день, в жару, дождь, мороз она тащила за собой свою немазаную телегу, вывешивала белый фартук — и ручейки жителей нашего дома стекались к ее парадной.

Вот сейчас многие спросят меня: а дружу ли я с головой, называя подъезд московского дома парадной? Отвечу — дружу! Это сегодня почему-то в Москве все употребляют только одно слово — подъезд. Моя Буля, а она столичная штучка с самого своего детства, говорила всегда только "парадная". Или "парадное". "Ой, звонок на парадном!" — кричала она мне, что означало: "К нам пришли, срочно приведи себя в порядок". В старой Москве никогда не было подъездов. Они появились с потоками переселенцев и, увы, вытеснили наши милые парадные. Но так мне в голову въелось это слово, что до сих пор я говорю именно "парадная", а название "подъезд" мне кажется каким-то просторечно-деревенским и уж совершенно не московским.

Удивительно, но детей в доме было немного, а те мои сверстники, с которыми можно было гулять во дворе, как правило, много занимались и отпускались родителями весьма редко. Тем не менее у ребят нашего двора была одна хулиганская забава, которой мы предавались каждый год. Когда в конце октября — начале ноября проходил первый сильный снегопад, мы бросали все свои дела и мчались всей ребячьей ватагой к Никитским воротам, где стоит памятник русскому ученому Клименту Аркадьевичу Тимирязеву. Это сегодня я знаю, что автор монумента — блестящий скульптор Сергей Меркуров, а в детстве меня в этой статуе не устраивало всё — и какое-то, как мне казалось, фашистское имя Климент, и мантия, в которой высечен Тимирязев, и поза, которую приняли его руки, аккуратно сложенные одна в другую точно на самом причинном мужском месте. Поэтому мы играли в "снежного короля". Смысл прост — кто большее количество раз попадет снежком Тимирязеву точно под руки, как мы хвалились, "по яйцам", тот и король, тому во дворе всеобщее уважение и подчинение. Но была одна серьезная проблема: рядом с памятником на тротуаре, прямо перед проезжей частью, стояла будка гаишников. Эти многогранные стеклянные будки на одной опоре с железными ступеньками все называли исключительно "стакан", по аналогии с советским граненым творением Веры Мухиной. (Кстати, именно эта будка отлично снята у Эльдара Рязанова в фильме "Служебный роман".) Так вот, в этом стакане всегда сидел гаишник. И если он видел наши проделки, то непременно гонял малолетних хулиганов. Не могу похвастаться, что я много раз попадал "Тимирязеву по яйцам", но восторг от совершения чего-то запрещенного помню до сих пор!

Весной 1979 года, когда снег еще грязными кусками лежал на пожухлой, старой траве, я пошел гулять во двор дома № 10 нашей улицы Качалова. Там была неплохо оборудованная детская площадка, сзади вплотную примыкавшая к полукруглой галерее флигеля знаменитой усадьбы Долгоруких-Бобринских. Роскошный дом № 12 с прекрасным садом перед зданием великолепно знают все москвичи. В семидесятых в этой бывшей усадьбе располагалось, по-моему, Министерство печати РСФСР. Вдоволь наигравшись с какими-то ребятами на площадке (пацаны были не из нашего дома), мы увидели, что одно из окон в галерее особняка приоткрыто, а внутри стоят стеклянные витрины, в которых разложены... записные книжки, альбомы, плакаты и календари — с олимпийским мишкой, кольцами и надписью "Олимпиада-80"! (Видимо, образцы печатной продукции, выпущенной к предстоящей Олимпиаде-80.) Как можно было устоять?! Конечно, мы залезли внутрь и из витрин стали, извините, тырить добычу. В эту секунду открылась дверь и в галерею влетела бабулька-сторожиха. Опрометью мы выскочили через окно и побежали кто куда. Я обогнул детскую площадку, пробежал двор 10-го дома и свернул направо на Качалова. Когда бежал мимо ворот усадьбы, был схвачен за руку сторожихой, успевшей выскочить через парадный вход. Немедленно отдав ей всё, что было у меня в руках, я быстро залепетал: "У меня больше ничего нет, ничего, правда ничего". "А ну, пойдем к милиционеру!" — взревела бабулька и потащила меня к мостовой, поскольку напротив, через улицу было чье-то посольство и там всегда дежурил наряд. "За что? Я же всё отдал!" — заголосил я, и старуха сжалилась над ребенком, отпустила рукав моего коричневого пальтишки и, дав пинка под задницу, отчеканила: "Пошел домой, засранец!" Как я очутился в квартире — не помню. Единственное, что меня очень беспокоило в ту минуту: куда теперь спрятать от милиции, которая может прийти в любой момент (ведь ее окна были в 15 метрах от наших), тот самый трофей, что сторожиха не заметила в моем кармане? Поразмыслив, я отправил календарь на антресоли в уборной. Да, дорогой читатель, мне очень стыдно, но я-таки увел оттуда совершенно потрясающий (как мне тогда казалось) перекидной календарь на 1980 год. В отличие от обычных, напечатанных на обычной белой бумаге и с большим пустым полем для заметок в нижней части листочка, этот календарь был из приятной вощеной бумаги, великолепный серовато-голубоватый рисунок с полной олимпийской символикой на разных страницах… Я перелистывал его, и мне казалось, что я держу в руках самое дорогое, что у меня было и будет в жизни! Потом, когда уже и Олимпиада отгремела, и Фестиваль молодежи и студентов 1985 года остался позади, этот перекидной календарь всё стоял на письменном столе на даче и долго напоминал мне о том, как гадко я поступил.

Улицы Качалова, Герцена, Воровского, Щусева, Жолтовского, Алексея Толстого, Наташи Качуевской, Горького… Из всего этого многообразия названий теперь, увы, ничего не осталось. Даже площади Восстания и Маяковского переименовали. Хорошо это или плохо — я не знаю. По моим ощущениям — плохо, поскольку я вырос в тех, советских названиях и, когда с домов сдирали таблички, было чувство, что уничтожают мое детство. С другой стороны, хорошо, что улицам вернули их исторические названия. Единственное, что осталось со мной во все времена, — это Вспольный переулок. Мы по нему ходили с Булей гулять на Патриаршие пруды. Кстати, только году в 1990-м в какой-то газете я прочитал, что отныне Пионерским прудам возвращено историческое название — Патриаршие. Никто и никогда в нашей старой Москве семидесятых-восьмидесятых не называл эти пруды Пионерскими! Всегда все говорили исключительно "Патриаршие"! Гуляли мы на Патриках всегда очень интересно, потому что там было много детей и много места для беготни. С криками и визгами, стаей, мы неслись по дорожкам мимо скамеек с чинно сидящими пенсионерами, причем я помню, как одна из милых бабулек говорила почти басом какой-то девочке, что бегала вместе с нами: "Деточка! Ну ты же девочка!" Когда потом, спустя много лет, я услышал эту историю вновь — у меня отвалилась челюсть! Рассказывала мне ее моя средняя жена, а их пока у меня было три — старшая, средняя и младшая, — так вот средней моей жене та бабулька и говорила эти слова! А звали бабульку Фаина Георгиевна Раневская.

На Вспольном переулке была, да собственно, есть и сейчас одна из самых "крутых" и "пафосных" московских школ. 20-я спецшкола, нет, не для умственно отсталых, а наоборот, для умственно одаренных детей с непростыми родителями, всегда была пределом мечтаний многих москвичей. Какими только способами не пытались пристроить туда своих чад несчастные папаши и мамаши! Когда пришло время определять меня в первый класс, родители долго думали, что делать. Прописан я был на Качалова у Були, но большую часть времени жил с мамой и папой на улице Горького, где обитали предки моего отца. (Квартиру № 68 в большом, сталинском семиэтажном доме на углу с Васильевской улицей мой дедушка авиаконструктор Павел Цыбин получил в 1946 году, как только новостройку приняли в эксплуатацию.) После долгих колебаний решили, что в 20-ю школу я не пойду. Слишком много блатных детей, а это точно повлияет на мое воспитание. Поэтому отдали меня в другую спецшколу, № 22 на Большом Кондратьевском переулке около Тишинской площади. С Качалова можно было дойти до нее и пешком, но я категорически отказывался топать в "такую даль" и с удовольствием ездил на двух троллейбусах. На улице Герцена, теперь Большой Никитской, была остановка 5-го и 8-го маршрутов. На них я доезжал до зоопарка, пересаживался на 66-й и, добравшись по Большой Грузинской до Тишинки, приходил в школу. Я обожал жить на Качалова, 16 и вот так ездить на учебу, потому что в месте пересадки был не только зоопарк, но и детский кинотеатр "Баррикады", где показывали исключительно мультфильмы! Я зависал в нем на несколько сеансов подряд, чем доводил несчастную Булю, а то и маму, до сердечных приступов. Мобильных телефонов тогда не было, и понять, куда исчез ребенок, было невозможно. Мне круто влетало, но на следующий день повторялось то же самое и родители забирали меня от Були в квартиру на Горького, чтобы исключить из пути в школу транспорт, кино, животных и прочие соблазны.

В доме на улице Горького я тоже довольно весело проводил свободное время, лихо гуляя с приятелями по двору. Одним из любимых объектов для исследования, конечно, была помойка. Году в 1977-м в наших парадных стали менять лифты: вместо очаровательно грохочущих распашными дверями кабин стали устанавливать лифты с автоматическими створками. Естественно, все детали от старых подъемников оказались на нашей помойке. Я дико гордился тем, что вытащил прямо из-под носа дворника несколько пультов управления кабиной с кнопками нужных этажей, а также умыкнул две или три красных кнопки вызова лифта. Потом это "редчайшее добро" долго валялось на дачном чердаке, пока отец, уже в девяностых, его не выкинул.

В нашем доме на улице Горького жил легендарный человек — к сожалению, сегодня ни имя, ни прозвище его почти никому уже не известны. Михаил Николаевич Румянцев. Карандаш. Да-да, тот самый знаменитый советский клоун Карандаш, при появлении которого на манеже публика в цирке сразу приходила в экстаз. Дважды в день — утром и вечером — полноватый человечек маленького роста в темных очках выходил во двор, ведя на поводках трех черных скотч-терьеров. Много лет он выступал на манеже с собакой по кличке Клякса, отчего всех своих четвероногих именовал исключительно так, по названию гадкого чернильного пятна. Детей Карандаш не то что бы не любил — он их не-на-ви-дел! Как только мы ватагой проносились мимо него и Клякс, гаденькие усики клоуна вставали дыбом, из-за темных очков выплывали безумные глазки и что есть мочи, своим фирменным фальцетом, Карандаш орал на весь двор: "Пошли вон отсюда, гаденыши!" Мы только этого и ждали! Обежав детскую площадку, снова неслись ему навстречу, вызывая у Героя Социалистического труда уже истерические приступы крика, над которым мы дружно ржали, пытаясь увернуться от клоунской клюки. Среди нас не было ни одного, кому бы Карандаш не заехал несколько раз по заднице своей палкой. Нет, бил он не сильно, но с совершенно серьезным выражением лица.

АЛЁНА ДЕРГИЛЁВА. Остоженка, 37 (фрагмент). Акварель. 2012

Ни разу не удалось рассмотреть на его физиономии хоть тень улыбки. Видимо, профессия накладывает отпечаток.

Ещё об одной достопримечательности нашего двора на Горького, 43 (теперь 1-й Тверской-Ямской, 13) я должен упомянуть. Это большая каменная, с огромными проемами, закрытыми черными решетками и металлической сеткой, будка вентиляционной шахты метро. Естественно, в детстве она манила нас, дворовых пацанов, как, наверное, манят женщин ювелирные украшения. Мы мечтали проникнуть внутрь, спуститься вниз и посмотреть на тоннели метро. Но увы, массивная железная, видимо, бронированная дверь была сделана на совесть: сколько мы ни пытались взломать замки или ломами поддеть дверцу — всё было тщетно. Правда, пользу от этой будки мы всё же извлекали. Зимой от решеток вентиляции шел теплый воздух подземелья, и в морозы мы играли около будки, не боясь замерзнуть. С тех пор я обожаю запах креозота, которым тогда для консервации дерева пропитывали шпалы. Сегодня на железных дорогах, кстати, и в метро всё больше и больше используют не деревянные, а железобетонные шпалы и этот фантастический запах детства постепенно исчезает. А жаль. С ним было очень уютно, хотя ученые утверждают, что креозот вреден для здоровья.

Было в моем детстве и еще одно весьма знаковое московское место. С дедушкой, а он любил по выходным гулять по окрестностям улицы Горького, мы иногда шли вдоль Васильевской улицы мимо Дома кино и 10-го отделения милиции на Тишинский рынок — удивительное, совершенно старомосковское место, странным образом сохранявшее своё лицо в неизменном виде аж до конца девяностых годов. Дед обожал покупать там то квашеную капусту, то картошку, то ещё чего-нибудь вкусное. По периметру рынка стояли многочисленные деревянные одноэтажные домики с названиями, которые мне мало о чем говорили: "Комиссионный", "Прием вещей на комиссию" или "Рыболов-спортсмен". Какие такие вещи принимали и на какую комиссию, я не знал. Меня манили открытые уличные ряды, где под желтыми навесами, среди овощей и фруктов, молочниц и мясников обязательно стоял странного вида мужичок. И зимой, и летом он не снимал своего замызганного ватника, в мозолистых, вечно грязных руках держал папироску, а на его прилавке были выставлены СОКРОВИЩА!!! Расписные деревянные игрушки — матрешки, птички-свистульки, круглые коробочки, копилки в виде грибов с прорезью на шляпке для монеток и предмет моей страсти — разрисованный, покрытый лаком деревянный пистолет, "стрелявший" резиновой пробкой-затычкой (чтобы эта самая резинка не улетела сразу и навсегда, она была привязана к дулу пистолета веревочкой)! Как же я хотел такую игрушку! Но на все мои просьбы дедушка отвечал отказом и тащил меня покупать грецкие орехи, сушеный инжир, мед и прочую, по моему мнению, ерунду. Году в 1977-м, когда мне уже исполнилось восемь лет, мама попросила меня сходить на Тишинку и купить килограмма два картошки. Мелких денег у нее не оказалось, и мне была вручена настоящая десятка с настоятельным требовани-ем, чтобы я купил только картошку, а сдачу, всю до ко-пеечки, принес домой. Как я добежал до рынка — уже не помню. Сейчас мне кажется, что я там оказался че-рез минуту после выхода со двора. Как только я увидел за прилавком знакомого мужичонку с папироской и рас-писными игрушками — я мгновенно забыл и о картош-ке, и о том, что должен принести матери сдачу. Не дол-го думая, на всю красную бумажку с портретом Ленина я накупил этих деревянных сокровищ. В общем, когда я предстал дома со всей этой рыночной добычей в руках, без денег, но с сияющей физиономией, мать мне всыпала по полной программе, но что самое страшное и унизи-тельное — взяв за руку, потащила обратно на Тишинку. Я рыдал на всю Васильевскую улицу! Умолял вернуться домой, просил о пощаде, рассказывал, что именно о та-ких игрушках мечтал всю свою жизнь и она, жизнь моя, закончится в ту же секунду, когда мама лишит меня этих сокровищ. Не помогло ничто. Мать была непреклонна. Подойдя быстрой и уверенной походкой к замызган-ному мужчинке за прилавком, мама вывалила ему все мое богатство, немедленно потребовала вернуть деньги и пригрозила сдать его в 10-е отделение, если он не под-чинится ее требованиям. К моему удивлению, мужик и глазом не моргнул. Забрал все игрушки и выдал матери 10 рублей. Видимо, это был не первый и не второй подоб-ный случай. Конечно, мамуля была права, но я еще долго с грустью вспоминал те вещицы, особенно пестик с пу-лей-резинкой, хозяином которых я побыл так недолго.

После московской Олимпиады-80, в самом конце осени 1980-го, мы переехали. Две наши трехкомнатные квартиры на Горького и Качалова родители поменяли на большую пятикомнатную между "Динамо" и Савеловским вокзалом и однокомнатную для Були в Беляеве. Меня забрали из 22-й спецшколы и перевели в школу обычную, где меня поражала классная руководительница, "оштукатуривавшая" свое лицо так густо и ярко, а духами поливавшаяся так обильно, что, похоже, тратила на косметику и парфюм не только всю свою зарплату, но и деньги мужа.

Когда мы переехали, мне было почти двенадцать. Вот именно в тот момент и кончилось мое московское детство. Район, где мы поселились, я так и не полюбил, новую дурацкую школу вскоре стал прогуливать, а Москвы, которая мне так дорога, — с ее маленькими домиками и милыми двориками, с ее бабульками, сидящими на скамеечках у парадных, с неповторимым шармом и еле уловимым, но присущим только ей запахом, с ее рогатыми троллейбусами, тихо плывущими по Бульварному кольцу, — скоро вообще не стало. Мне действительно очень жаль, что больше не существует тот город моего детства. Нет, многие дома так и стоят, как стояли, на своих местах, есть и улицы, и такая же толчея в метро, на вокзалах, но я хожу по родной Москве, и не покидает меня ощущение того, что у города вынули душу. К моему великому сожалению, многие мои друзья и знакомые, москвичи кореннее некуда, уехали. Кто-то живет на даче, кто-то эмигрировал за границу, немало тех, кто перебрался в Петербург. Удивительно: два абсолютно разных города, две совершенно не похожие друг на друга столицы России, — но сегодня в Петербурге осталось гораздо больше московского, чем в самой Москве. Я много лет живу на оба города и, может быть, как никто другой это чувствую. Чувствую, как я стал стремиться в северную столицу, чтобы скорее ощутить себя среди людей, которые так похожи на тех, кто окружал меня в московском детстве, у которых те самые интересы, какие были у многих наших друзей и знакомых в той, старой Москве.

В семидесятых годах был снят чудесный художественный фильм "Отроки во Вселенной" (режиссер Ричард Викторов), где на одной из планет созвездия Кассиопеи власть захватили роботы-вершители и всех не согласных с их деяниями при помощи роботов-исполнителей подвергали процессу "осчастливливания". Сегодняшняя Москва мне напоминает именно этот сюжет — мой город пытаются принудительно "осчастливить". Только вот останется ли после этого хоть что-то от моей Москвы? Ответа на этот вопрос, похоже, никто не знает.

# Алексей Козлов
## Под боком у Кремля

Т о, о чем я расскажу здесь, произошло на пустыре, который некоторое время существовал прямо рядом с Красной площадью. Можно сказать — под боком у Кремля. При всем своем рационализме в молодые годы меня постоянно тянуло на какие-то отчаянные поступки, подчас связанные с риском для жизни. Единственным объяснением этого может быть только одно — мое пижонство, идущее от желания доказать жлобам, что я со своим знанием джаза, любовью к авангарду, обэриутам и прочему и здесь лучше них. Это, конечно, было проявлением гордыни, которая осуждается всеми духовными учениями. Я осознал это гораздо позднее, но пока с удовольствием рисковал. Изображал из себя альпиниста, взбираясь в Крыму на отвесные скалы безо всякой страховки, купаясь в шестибалльный шторм в Хосте, на виду у всей толпы, стоявшей на набережной. Умом я понимал, что делаю страшную глупость, но совладать с собой не мог. Пижонство было главнее.

Году в 1958-м, будучи студентом Московского архитектурного института, я в очередной раз влип в опасное приключение, которое могло закончиться неизвестно чем. Кстати, одна моя приятельница тех лет с чувством нескрываемой зависти прозвала меня везунчиком, во что я даже склонен был поверить. Правда, в дальнейшем, когда со мной начали случаться очень неприятные и неожиданные вещи, которые можно было объяснить лишь типичным невезением, я от этого прозвища мысленно отказался. Но в том эпизоде, который я хочу вспомнить, мне явно повезло. В нашем институте историю архитектуры преподавал замечательный профессор, уникальный знаток всего, что было связано с какими-то редкими случаями из дореволюционной жизни, с архитектурными памятниками Москвы, Санкт-Петербурга, Киева и других крупных городов Российской империи. Я убедился в этом, проведя месяц в Ленинграде, вместе со своим курсом, на так называемой ознакомительной практике, где он рассказывал нам не только о том, кто и когда построил тот или иной дом или собор. Самым интересным в его рассказах были уникальные сведения о том, что происходило с обитателями тех или иных дворцов и особняков, с представителями высшего света. Это были типичные сплетни, о которых нигде невозможно было прочесть тогда. Откуда он все это знал — остается для меня загадкой. На обычных лекциях в стенах института он тоже сообщал нам редчайшие сведения, далеко выходившие за рамки учебного курса. Студенты любили его, что было редкостью по отношению к "препам". Его фамилия была Акимов.

В теплые солнечные дни он иногда проводил занятия на натуре, выводя весь курс на улицы Москвы и рассказывая нам о памятниках столичной архитектуры. И вот однажды вместо лекции он решил показать нам уникальный четырехэтажный жилой дом, единственный в России, построенный в итальянском стиле без единой лестницы. Дом этот имел в плане форму буквы "О", а по внутренним его стенам проходил винтообразный пандус, позволявший перемещаться всё выше и выше с этажа на этаж. Сооружение, прямо скажем, нелепое, но тем и интересное. Сохранился этот уникальный дом на огромной территории, огороженной деревянным забором и располагавшейся прямо рядом с Красной площадью. Там находилась стройплощадка очередной сталинской высотки. К моменту смерти Сталина в Москве уже существовали несколько высотных зданий. Это МГУ, дом на площади Восстания, на Котельнической набережной и гостиница "Ленинградская" у трех вокзалов. Эти дома составляли особый замысел Сталина, где последний из их ряда, судя по проекту, который я видел, должен был начисто подавить образ Кремля своими размерами. К моменту смерти Сталина в 1953 году уже была проделана огромная работа по закладке нулевого цикла здания. Был вырыт котлован, в котором должны размещаться фундамент и несколько подземных этажей. Практически уже было возведено гигантское подземное сооружение.

Со смертью Сталина строительство было заморожено, и лишь гораздо позднее, в шестидесятые годы, было принято решение возвести на готовом фундаменте здание гостиницы "Россия". А пока, в конце пятидесятых, на этом месте был заброшенный пустырь со следами подземных сооружений, затопленных водой. Но на этой огороженной территории чудом сохранился тот самый памятник итальянской архитектуры, который и захотел показать нам Акимов, зная, что вскоре его снесут. Ему была известна лазейка в деревянном заборе, через которую все мы пробрались в это не очень-то охраняемое место. Зрелище было не из самых приятных. Типичная мерзость запустения. Всё заросло бурьяном, повсюду валялся строительный мусор, из-под земли торчала ржавая арматура предполагаемых железобетонных фрагментов здания. Местами можно было лицезреть вход в отдельные участки гигантского фундамента, в глубине затопленного водой. Проведя нас мимо всего этого ландшафта, напоминавшего кадры из военных фильмов, а местами соперничавшего с иллюстрациями Доре к "Аду" Данте Алигьери, Акимов показал то, ради чего мы сюда пришли. В дальнем углу гигантской стройплощадки приютился дом из красного кирпича, ничем не приметный снаружи, но действительно необычный, если смотреть из его внутреннего дворика. Чтобы ознакомить нас с его конструкцией, Акимов предложил подняться по пандусу на один из верхних этажей, предупредив, чтобы мы держались ближе к стене, поскольку пандус может и обвалиться. И вот когда мы пошли по нему, то из квартир, располагавшихся на этажах, вдруг начали выползать какие-то странные люди, напомнившие мне персонажей из пьесы Горького "На дне". Сейчас мы свыклись с новым типом людей, называемых бомжами, а в советские времена такого понятия и быть не могло. Если и существовали люди "без определенного места жительства", то это тщательно скрывалось, поскольку в стране победившего социализма бездомных теоретически не должно быть, по определению.

Оказывается, в этом заброшенном доме, где давно были отключены все виды коммуникаций, то есть не было ни воды, ни электричества, не функционировали уборные, не было стекол, нашли себе пристанище самые разные личности. Это были бездомные, убогие и больные люди. Но среди них я заметил и явных уголовников, с характерным выражением глаз, с пронзительным, хитрым взглядом, знакомым мне со времен дворового детства.

Когда мы всей толпой поскорее спустились во внутренний двор, многие из этих обитателей вышли к нам пообщаться, попросить еды, воды или закурить. Они вели себя явно недоброжелательно, но к агрессивным действиям не переходили, поскольку нас было много. Я помню, насколько поразил меня этот контраст: рядом с Кремлем, в центре столицы существует такое, во что никто и не поверит, если рассказать.

И вот когда мне понадобилось охмурить очередную девушку, я не придумал ничего лучше, как провести ее на ту самую стройплощадку. Должен признаться, что в тот период холостяцкой студенческой жизни основным типом девушек, которыми я интересовался, были молоденькие, наивные студентки младших курсов московских институтов, из интеллигентных семей. Чаще всего это были девственницы, но в мои планы и не входил никакой секс. Более того, я боялся доводить свои отношения с ними до близких, поскольку у меня уже был печальный опыт с лишением невинности одной знакомой, после чего она так влюбилась в меня, что я вынужден был избегать проявления ее обожания и преданности на всю оставшуюся жизнь. Единственным выходом из созданного мною же положения было жениться на ней. А это представлялось абсолютно невозможным в том возрасте. Для удовлетворения физиологических потребностей существовали более независимые, опытные и ни на что не претендующие чувихи из прежнего бродвейского круга проверенных кадров. Чаще всего они были несколько старше меня.

В случае с юными студентками я преследовал иные цели. Мне хотелось завладеть девичьим вниманием, войти в полное доверие, влюбить в себя. Это были своего рода психологические эксперименты, в какой-то степени недобросовестные, поскольку я уже знал, чем это все закончится, а они и не предполагали. Мне очень нравилось часами ходить с какой-нибудь девушкой вдоль Бульварного кольца и рассказывать всё, что я знал о джазе, о художниках-абстракционистах, о модных западных писателях и поэтах. Надо сказать, что во время ранней хрущевской "оттепели" мало кто имел возможность получать информацию обо всем модном и зарубежном. Поэтому мои познания поражали воображение любой любознательной девицы. А если я понимал, что все это ей неинтересно, я тут же сам терял к ней интерес.

Но в данном случае мне только еще предстояло завоевать внимание одной из девиц, поразив ее воображение чем-то необычным. И я уже знал чем. Буквально вскоре после той лекции с посещением заброшенной стройплощадки я задумал при очередном свидании провести ее туда через известный мне проход в ограде. Когда мы встретились солнечным весенним днем в центре Москвы, я спросил, не хотелось бы ей испытать острые чувства, попав в рискованную ситуацию. Она с некоторым недоверием отнеслась к моему вопросу, поскольку тогда отыскать в Москве опасное место, особенно днем, да еще в самом центре, было довольно сложно. Но, как я понял, против этого она ничего не имела. И вот мы пошли мимо Ильинских ворот, вниз к площади Ногина (ныне Китай-город), к забору, который располагался вдоль левой стороны всей улицы Степана Разина (ныне Варварка), вплоть до самой Красной площади. Когда мы подошли к тому месту в заборе, где, отодвинув одну из досок, можно было пройти на территорию пустыря, я еще раз переспросил девушку, не боится ли она. И предупредил ее, что после того, как мы туда попадем, с нами может случиться что угодно, поскольку никаких милиционеров там не бывает. Она несколько заколебалась, но, как и любая комсомолка, воспитанная на лучших образцах советской юношеской литературы типа "Молодой гвардии", все-таки согласилась. Совершая этот, в общем-то, идиотский поступок, я прекрасно понимал, что иду на определенный риск, подвергая к тому же реальной опасности свою наивную знакомую. Отодвинув доску, мы попали в этот затерянный мир. У меня не было никакого желания далеко отходить от забора, чтобы в случае чего успеть вернуться обратно, в безопасный мир. Тем не менее я обязан был показать своей спутнице хоть что-либо впечатляющее. А для этого необходимо было углубиться в эту территорию хоть на некоторое расстояние. Я постоянно оглядывался по сторонам в надежде, что никто из мрачных обитателей этого места нас не заметит и не причинит нам зла. Моя тревога передалась девушке. Быстро осмотрев "красоты" брошенной стройки, мы с облегчением покинули это инфернальное место. Главное, я почувствовал, что моя знакомая оценила необычность приключения, поняв, что я ее не обманул. Уж больно ярким был контраст между беспечным настроением людей, гулявших по залитым солнцем улицам Москвы сразу за забором, и мраком, существующим прямо за этой оградой. Я думаю, что чувство страха, которое испытал я там, передалось и ей. А это и было главной моей целью. Мне повезло, что в тот момент нам никто не встретился. А то могли бы возникнуть непредсказуемые последствия. Позднее, когда уже началось строительство гостиницы "Россия", я узнал, что в процессе осушения подземных помещений там были найдены полуразложившиеся трупы. Некоторое время я даже гордился рискованным перформансом, проведенным мною. Правда, позднее я пересмотрел свое отношение к этому поступку, как, впрочем, и многое в своей прошлой жизни.

Что касается профессора Акимова, то сравнительно недавно, когда Эдвард Радзинский выпустил свою книгу о судьбе последнего русского царя Николая Второго, я узнал, что в число тех, кто имел отношение к расстрелу царской семьи в 1918 году в подвале дома купца Ипатьева в городе Екатеринбурге, входил и наш преподаватель по истории архитектуры. У меня до сих пор никак не вяжется его образ интеллигентного, тонкого и высокообразованного человека с тем, кто мог участвовать в той кровавой расправе. Вот такие неожиданные повороты могут встречаться в истории государства Российского.

# Сергей Шаргунов
## Замолк скворечник.
## Замоскворечье

Замоскворечье изначально звалось Заречье. Вольность весны, пустынность мест и холодок опасности.

На противоположном берегу жилища обильно лепились к дубовым стенам Кремля.

А в Заречье люди оседали неохотно, потому что, разливаясь по весне, набегала речная вода. Вдобавок норовили нахлынуть кочевники.

Большая Ордынка, утро, стужа, темень, за оградой храма — то удары, то скрежет. Сквозь прутья можно увидеть мальчишечью фигуру в тулупчике и шапке-ушанке.

Не могу сосредоточиться на чем-то одном: то лом, то лопата.

Боец Заречья.

То истово вмазываю по льду, зажмуриваясь от осколков, то отдираю отбитое вместе со снегом и воздымаю рыхлую тяжесть былинного пирога, который так трудно и радостно нести в сторонку, чтобы обрушить в уже нехилую кучу.

Мне — двенадцать, и я — алтарник этого белого храма, где мой отец второй год настоятель. Сегодня мы приехали раньше всех, папа в сладостном тепле готовится к службе, а мне сказал: почистить двор, но не опаздывать. При первом ударе в колокол, то есть когда пономарь, она же сторож, некогда профессор-математик Лидия Михайловна, седая остролицая женщина, живущая на колокольне, начнет благовест — надо отложить лом и лопату, бежать в алтарь, облачаться в стихарь, разжигать и раздувать угли для кадила, а затем выйти в самый центр под куполом, положить на аналой толстую книгу, открыть ее на месте, заложенном лиловой лентой, и громко, почти по памяти, угадывая церковнославянские строки сквозь жирок воска, заляпавший страницы, читать "часы", слыша, как за спиной беспрерывно открывается дверь, звякая железным кольцом, и прибывает народ.

Рождественская неделя. На белых арочных столбах посреди храма — по иконе, а над ними — по еловой ветке. Как мохнатые брови... Это я вижу сквозь окна, мигающие огоньками лампад, но пока я во дворе в битве со снегом и льдом.

Храм внутри белешенек, росписей не осталось, и папа решил обойтись без новых. Только во втором приделе обнажилась сочная фреска XIX века — Никола Угодник в облачении и пене седин, пронзая участливым взором, протянул руку к полуголым морякам с измученными, как бы в бредовом жару лицами; у их корабля уже и парус обвис простыней, а волны вокруг рушатся, как стеклянные небоскребы с перламутровыми рыбами и изумрудной тиной...

Как быстро восстановили храм! Еще год назад внутри были ткацкие станки, фанерные и деревянные перегородки, делившие его на три этажа.

"Никола в Пыжах". Так храм назван из-за стрелецкого головы Богдана Пыжова. Слобода его полка — избы да огороды — располагалась вокруг. Полковник ходил в походы. Против него бунтовали. А когда недовольных наказали кнутом, стрельцы учинили обширный бунт под названием Хованщина. Командиров сбрасывали с колоколен, ворвались в Кремль, перерезали многих бояр и на время сломили власть... Но Пыжов уцелел.

Светает. Кричат вороны. Церковь бела, как рубахи с картины "Утро стрелецкой казни"...

В стену чуть пониже окна вделана компактная плита, серая, с вырезанными по камню извивистыми письменами. Подхожу, провожу снежной варежкой, буквы вмиг белеют словно бы голливудской улыбкой, и читать легче.

1733 году ноября 8 числа преставися раба Божия прапорщика Игнатия Урываева жена ево Татиана Конъдратьева дочъ а жития ея было от рождения 58 годов а погребена противъ сей таблицы.

А вскоре была эпидемия чумы, выкосившая почти весь приход, включая отца-настоятеля, дьячка и пономаря…

В начале XIX века совсем рядом в усадьбе у дяди Алексея Федоровича жил молодой Грибоедов и любил слоняться с университетской компанией по Ордынке. Этот дядюшка был прихожанином храма, богатый барин, с которого, как полагают, срисован Фамусов; здесь крестили его дочь Софью, венчавшуюся с офицером из знатной семьи, одним из возможных прототипов Скалозуба.

Храм ограбили французы среди дыма Москвы…

Здесь стояла на отпевании героя Русско-японской войны георгиевского кавалера Давида Коваленко сестра царицы, великая княгиня Елизавета.

А потом храм закрыли, арестовали все духовенство, расстреляли священника и певчую, которые теперь причислены к лику святых.

Вернувшись к лому, бью лед со всей дури. Слышу: девочка что-то жалобно спрашивает у женщины, заметил краем глаза: они прильнули к решетке ограды и смотрят на меня с интересом, как на инопланетянина. А мне некогда отвлекаться, скоро колокол грянет… Бью и зажмуриваюсь.

Это моя бабушка и мама, у них за оградой — 1947-й…

Постояв и посмотрев минуту-другую в размытую синеву двора, они исчезают. Решили прогуляться по морозу перед школой? Или ладно — у них теплые майские сумерки 45-го, а не зимний рассвет. Все равно правда такова, что они, гуляя по Ордынке, заглядывали во двор этой церкви, где тогда было рабочее общежитие.

Мама моя Анна родилась неподалеку, в Лаврушинском переулке, в сером писательском доме. Бабушка моя, Валерия Герасимова, писала свою прозу, возлежа в алькове, на отделенной занавесью кровати, с крепким чаем и конфетами "Кавказские". А вечером отправлялась на улицы с дочкой — "прошвырнуться". Иногда зимой она выходила прямо в пижаме, заправив штаны в валенки, надев цигейковую шубу и шерстяной платок. Постояв возле ограды Николы, они пересекали пустую Ордынку и приближались к Марфо-Мариинской обители, тоже закрытой.

Там у обители до конца нулевых работала аптека, пережившая все эпохи. Можно было бы снять сериал "Аптека", показав лихое нагромождение исторических событий вокруг немого свидетеля со склянками и бинтами.

В этой аптеке Валерия покупала Ане то, чем выманивала ее на прогулку, — пакетик сухой черники или малины или леденцы из шиповника с сахаром. Шли дальше мимо домов, в подвалах которых на уровне земли сплошняком горел свет людских жилищ: оранжевые абажуры с кистями. Писательница, смущая дочку, останавливалась и с интересом заглядывала. Зимой за окнами на подоконниках лежала вата с елочными игрушками...

Став священником, мой папа в конце семидесятых познакомился в алтаре со старенькой монахиней Надеждой, одной из последних сестер Марфо-Мариинской обители. Она передала ему хранимые тайно бумаги — дневники протоиерея Митрофана Сребрянского, духовника обители и лично великой княгини, прошедшего тюрьмы и ссылку. Монахиня умерла в 1983-м в девяносто три года. В этих дневниках приводится несколько удивительных историй.

Вот свидетельство монахини Любови, в миру — Ефросинии. Юная сиротка Фрося, жившая в Харьковской губернии, впала в летаргический сон летом 1912 года. "Старец подводит меня к одной обители и говорит: «Это обитель святых жен Марфы и Марии»... Я увидела Великую Княгиню Елисавету Феодоровну в белой форме, на голове — покрывало, на груди — белый крест. Отец Митрофан тоже был в белой одежде, на груди такой же белый крест. Я совершенно не знала до этого времени о существовании Марфо-Мариинской обители милосердия, Елисавету Феодоровну и отца Митрофана не знала и не видела"... После летаргического сна Фрося стала расспрашивать всех, есть ли такая обитель, и когда приехала в Москву в 1913 году, княгиня и духовник (узнав их, она "еле удержалась на ногах") приняли ее ласково...

А вот из жизни самого протоиерея Митрофана. Незадолго до Февральской революции он пришел на литургию в большом волнении и, прежде чем начать служить, позвал к себе в алтарь великую княгиню и рассказал ей свой предутренний "тонкий сон": рушится объятая пожаром церковь; портрет императрицы в траурной рамке, который затем покрывают лилии; архангел Михаил с огненным мечом; молящийся на камне преподобный

Серафим… В ответ Елизавета спокойно сказала, что это картины ближайшего будущего: страдания Церкви, мученическая гибель ее сестры и большие бедствия.

Через два года ее сбросили в шахту на Урале.

Моя мама бегала по Замоскворечью с четырех лет. Писательский дом высился скалой среди захолустья: развалин, деревянных домиков за дощатыми заборами, заброшенных церквей…

Еще продолжалась война, и вечером окна закрывались черными шторами. Иногда с домработницей Марусей затемно отправлялись за хлебом, который давали по карточкам — вставали в долгую очередь. Маруся одаривала Аню довесочком.

Как-то в квартиру пришел человек из органов и сообщил, что домработница отправляет любовные письма самому Молотову.

— Маруся, это правда? — спросила встревоженная хозяйка.

— Валерия Анатольевна, — ответила та с достоинством, — у вас своя личная жизнь, у меня — своя.

Маруся была уверена во взаимности, ей казалось, что во всех речах Молотов оставляет ей намеки…

Возле дома зимой на руинах барской усадьбы высилась ледяная гора, с которой катались окрестные ребята в плохоньких перелатанных одежках, почти все — безотцовщина из-за войны. Чуть подальше армия детей летала по большому катку на пустыре, где в конце пятидесятых вырастет здание атомного ведомства. Увидев из окна копошение, мелькание, кружение множества человечков среди развалин и снегов поэт Кирсанов воскликнул: "Это же Брейгель!"

9 мая в День Победы улицы Замоскворечья заполнил народ, незнакомые обнимались и целовались, устремляясь в сторону Кремля. Смех, слезы, солнце. Аня в теплой пыли собирала яркие фантики с изображением разноцветного салюта. А вечером дали небывалый салют — из тысячи орудий. В гаснущем темно-синем небе прожекторные лучи гнались друг за другом ослепительной каруселью. Затем на небо, как на сцену, выплыли и заколыхались освещенные отовсюду небывалых размеров пурпурное знамя и портрет генералиссимуса — они словно парили сами по себе… Поднявшие их аэростаты скрывала тьма, и представление выглядело как нечто сверхъестественное.

Однажды вечером Аня с подругой Олей Голодной (одной шесть, другой четыре) из ее комнаты увидели: по балкону прошла группа мужчин в старинных темных одеждах и цилиндрах. Они растаяли в воздухе… Девочки побежали на балкон, но пешеходов будто и не было. Увиденное ничуть не удивило.

В той послевоенной Москве хватало бандитов, которые наверняка мечтали бы приручить таких призраков — можно влезть на любой этаж.

На рассвете в конце сороковых Валерия проснулась, и непонятная сила железной рукой подняла ее из алькова и направила к входной двери, которая была уже приоткрыта: чья-то большая рука умело возилась с цепочкой. Писательница закричала и захлопнула дверь.

Брейгеля, а то и Босха можно было вспомнить, проходя мимо нищих, чей строй тянулся от метро "Новокузнецкая" (видимо, по памяти — на этом месте раньше находился храм святой Параскевы) через Пятницкую и Климентовский переулок до паперти желтого толстого с круглым серым куполом Скорбященского храма на Большой Ордынке. Разутые, раздетые, с культями, обглоданные войной, они радовались и куску хлеба. Впечатленная их горем, Аня разбила копилку и раздала всё, что у нее было.

Одну из монет она, подскочив, жалостливо бросила старушке в карман ветхого жакета, но та неожиданно страстно принялась скандалить:

— Я не бедная! У меня зять милиционер! Я бублики ем!

Еще во дворах и переулках сидели бабушки в платочках, торговавшие яблоками и семечками.

А больше всех на свете Аня любила свою бабушку — Анну Сергеевну. С ней они ходили по набережной, смотрели на громко трещавшие льдины, и она мягко, голосом таким же неспешным, как и ее ход, рассказывала небылицу про одного мальчика, который залез на льдину и его по рекам унесло в открытое море, а затем — быль про своего любимого брата мореплавателя Владимира Русанова, сгинувшего во льдах в 1913 году вместе с возлюбленной француженкой, его именем названы бухта, полуостров и гора, а в честь нее в зоне полярной ночи появилось озеро Жюльетты Жан.

В 1947-м домработница попросила пустить в квартиру переночевать сестру из деревни, простуженную. Оказалось, больную брюшным тифом, которым она заразила бабушку. Аню обрили и на всякий случай увезли в больницу. Когда она вернулась, мать сказала ей, что бабушка в санатории, и даже прочитала будто бы ее письмо оттуда, но девочка поняла, что бабушки больше нет.

Аня с удовольствием прогуливала школу в Третьяковской галерее, бесплатной для детей. У входа высился огромный красно-гранитный Сталин, заложивший руку за пазуху. Тогда картин было выставлено гораздо больше, чем теперь. Зал Левитана. Зал Поленова. Зал Врубеля. Зал Серова.

В Старомонетном переулке, где когда-то действовал Монетный двор, ковыряя в пыли палкой, можно было наткнуться на медную деньгу с двуглавым орлом.

На Ордынке у Ардовых Аня познакомилась с Ахматовой, величественной, как римский патриций.

Дворами, крича нараспев, ходили люди со станочками: "Ножи, ножницы точу!" и с тележками: "Старье! Старье берем!" Аня вынесла ворох тряпок, который ей дала мама, и крепыш-старьевщик, похожий на Челубея со знаменитой картины одарил ее жестяной брошкой и надувным резиновым шариком на деревянной трубочке, пищавшим: "Уйди-уйди!".

По весне в округе развешивали скворечники. Все тонуло в зелени берез, каштанов, лип, оживал старый дуб возле подъезда, обшитого черным мрамором. Вокруг цвели огороды с черемухой, сиренью, жасмином, яблонями, вишней. Во дворы ставили столы и скамейки, вечерами играли в карты и домино, по праздникам пили и закусывали под гармошку. Небо чертили белые голуби — в Кадашах, Толмачах, на Полянке были голубятни.

По утрам на этажах писательского дома звенели бидоны и бодрые голоса. Это деревенские женщины разносили парное молоко Пастернаку, Луговскому, Катаеву...

— Девочка, почему вы меня не любите? — спросил Олеша у маленькой Ани, с которой ехал в лифте.

Да, его не любили многие, считали пьяницей и неудачником, но не она.

Однажды он позвонил в дверь и почтительно спросил:

— Девочка, не у тебя ли наша кошка?

У Ани была только морская свинка, которую она вынесла и показала.

— Может, это наша кошка превратилась в морскую свинку? — сокрушенно произнес Юрий Карлович.

Он сказал, что у них с женой часто совсем нет денег, но кошке они всегда покупали котлеты.

— Кошка — самое дорогое, что у нас есть. Пожалей нас, девочка.

Было страшно читать недоверие в его глазах.

— Все-таки отдай, не будь жестокой... — останавливал он ее у подъезда. — Я же знаю, ты подбираешь животных.

Кошка не нашлась, а Олеша с женой Ольгой Суок теперь смотрели на соседку скорбно-подозрительно.

Бородатый Пришвин, одним из первых обзаведшийся авто, в шляпе, высоких сапогах и с ружьем за спиной уезжал на охоту. Он позвал к себе Аню и Олю Голодную, и они целый час завороженно следили за тем, как его охотничья собака Жулька кормит новорожденных щенков.

Возле алькова у Валерии висел маленький портрет Сталина с трубкой, а в шкафчике хранились таблетки Веронала, чтобы отравиться, если за ней придут. Аню тогда забрал бы дядя режиссер Герасимов.

Иногда в ночи приезжал с бутылками мадеры в карманах пальто первый муж Фадеев. Сидел по несколько суток и не уходил. Пил полными чашками. Много и быстро говорил о своей жизни, жаловался: в партии ему не дают жениться на возлюбленной Клаве Стрельченко, то заливался пронзительным смехом, то давил рыдания. Он верно любил вождя, но вспоминал обед с ним с глазу на глаз, когда тот стал упрекать, что мало бдительности, а кругом враги, назвал фамилии известных писателей. Фадеев сбежал в лес, бродил несколько дней — оборвался, обезумел, сбил ноги в кровь…

На судьбах жителей дома лежала печать беды…

Прямоспинный усач Константин Шильдкрет, автор исторических романов — его единственная юная дочь вышла за сотрудника НКВД, который ночью перегрыз ей горло, как Локис Проспера Мериме, и был заперт в сумасшедший дом.

Поэт и переводчик Евгений Ланн годами не показывался на улицу и пугал детей своим видом, когда выходил за дверь брать почту, худой, восковой, с волосами до плеч. Врачи сообщили, что его жена, с которой они вместе переводили романы Диккенса, больна раком. Ланны отравились морфием. Его откачали и завели про-

тив него уголовное дело. Вскрытие показало, что рака
у женщины не было. Он умер через несколько дней.

Агния Барто, которую узнавали окрестные жители,
а их ребятишки подбегали отбарабанить стихотворение
наизусть. Поблизости от дома ее сына-юношу Гарика,
ехавшего на велосипеде, сбила машина.

Детская писательница и критик Вера Смирнова. Ее
шестнадцатилетний сын по прозвищу Котик утонул в ледяной Даугаве.

Джоя и Саша Афиногеновы с древней бабушкой.
Их отец, драматург Александр Афиногенов, во время войны возглавил литотдел Совинформбюро. Вместе с женой
американкой Дженни Мерлинг должен был ехать в США
агитировать за второй фронт. Накануне в здании ЦК
на Старой площади во время бомбежки его убил случай-
ный осколок. Дженни отправилась с дочками в Америку.
Во время возвращения в СССР на пароходе случился пожар, она погибла, а их успели спасти…

Неподалеку от дома выстраивалась очередь в баню.
Женщины с белыми котомками. Когда взрослые отсутствовали, Аня позвала девочек из своего первого класса
в гости. Они впервые увидели ванну и немедленно
залезли туда. Горячей воды не было, только холодная,
и тогда для тепла пописали…

В школе Аня подружилась с голубоглазой Валей Си-
доровой. Сальные русые волосы с пробором посередине.
Старше всех в классе, она не раз оставалась на второй год,

хотя была очень неглупа. У нее всегда был свой ответ на любой вопрос. Однажды после уроков она сказала: "Пойдем, я тебе что-то покажу". Поднялись по скрипучей лестнице двухэтажного деревянного дома. Валя достала сложенную репродукцию и протянула. Аня вздрогнула от впервые увиденного лица — это был лик Христа, картина Доре.

— Кто он был? — потрясенно спросила она.

— Чисто русский! — горячо ответила подруга.

Аня стала приходить в Скорбященский храм, сама не зная почему — с цветами. Здесь она купила крестик и несколько иконок. На Пасху, когда святили куличи и яйца, во дворе было столпотворение.

В храме имелся классический дьякон-громовержец, во время возглашения ектеньи его раскаты делались всё мощнее и мощнее.

— Даже дух захватывает. Так можно и уверовать, — сказала Валерия Анатольевна, заглянувшая на службу.

Как-то вечером Аня стояла в полумгле с букетом белых подснежников, а черный, смоляной настоятель возглашал с амвона:

— На колени! Сталин болен!

Я познакомился с ним спустя тридцать один год, когда он, уже седой архиерей Киприан, в алтаре этого храма властно и доверчиво дал мне, четырехлетнему, держать окованное бронзой Евангелие. С той поры я стал алтарничать.

За два года до моего рождения, вскоре после рукоположения, папу направили священником именно в этот храм. Первые иконы, которые он увидел, войдя в алтарь, — Александр Иерусалимский и Анна Кашинская — покровители его и мамы.

Тайна территории. Большая Ордынка — место сложения судеб моих родителей…

Невероятное пересечение в одной точке!

Владыка Киприан, из купеческого рода, в двадцатые сочетал прислуживание в церкви и игру в театре. Вскоре после войны был переведен в столицу Германии, стал архиепископом Берлинским и Среднеевропейским. Но пожизненно сохранял за собой Скорбященский храм, куда в старости вернулся настоятелем.

"У меня очень левые политические убеждения, а в области церковной я — консерватор", — говаривал Владыка. Он искренне с юных лет верил в близость христианства и "красной идеи" и в этой связи вспоминал евангельскую притчу "о двух сынах".

Помню его пылкие проповеди.

— Что такое золотой телец? — он поднимал руки. — Американцы изобрели нейтронную бомбу! Все живое погибает, а остается лишь материальное!

— Прости нас, Господи, — крестились бабушки.

Ежегодно легендарный Николай Васильевич Матвеев, с 1948-го регент сильнейшего правого хора, всегда в строгом костюме, при галстуке, устраивал литургию Чайковского и всенощную Рахманинова. Храм заполняла интеллигенция из консерватории. Владыка выходил с проповедями, по поводу которых его друг отец Михаил Ардов шутил: "Рече архиерей ко пришедшим к нему иудеям".

5 апреля 1987-го перед литургией Владыка умер у себя в покоях под колокольней. Помню слезные вздохи, волнами заполонившие храм…

В детстве, слушая рассказы родителей об их детстве, мы воображаем, что мы — это они. Вот и мой сын с разбойным восторгом записал в айпад от первого лица истории, рассказанные мной: "Как я устроил потоп", "Как я устроил пожар", "Как я тонул в море".

Все, что мама говорила о детстве в Лаврушинском, "в Лаврухе" казалось пережитым самим, превратилось в густой золотистый суп с терпким ароматом лаврового листа.

Однажды, уже молодым мужиком оказавшись на Вятке, я облапал темные шоколадные бревна родового дома, спокойно выдержавшего сто лет — возле него на фотографии сидел мой отец-малыш, — и ощутил отраду, как будто какая-то важная и потаенная часть меня скучала по этим стенам. Я прижался к бревну скулой, вдыхая староиконный запах и средь бела дня сквозь тонкую глубокую расщелину на миг узрел черную бесконечность космоса и мерцание бесчисленных звезд.

Чистое счастье накрывало в Лаврушинском — там я бывал по несколько раз в год: на праздниках и просто в гостях у голубоглазой, в льняных кудряшках Юли, дочери той самой Оли Голодной в квартире с окнами на Кремль.

Помню, как мама первый раз вела в Лаврушинский, рука за руку, трение и тепло ее обручального кольца. Мы резко остановились — тротуар пересекала изумрудная

Алёна Дергилёва. Рюмочная "Второе дыхание"
(фрагмент). Акварель. 2016

шикарная дородная гусеница. Она тоже замерла, словно чего-то ожидая. Тугая от счастья, от какой-то тайны лета — ворсистая, шерстяная — тайна была так близка, что я, весь напрягшись, не удивился, когда мама выдохнула: "Не дави!", и понял это как призыв к действию, а может, слабость, которую надо преодолеть, и торжественно топнул. Не жестокость, а восклицательный знак, утверждение смелости. Следующий взрыв накрыл мое лицо — удар плашмя ладонью, кольцо садануло — я рыдал, перемещаясь рывками и мутно-мокрым взглядом навек запечатлевая Замоскворечье: стены, сирень, большой красный дом и еще ели, какие-то серебристые и синие ели. Откуда там ели? Недавно я их нашел — вдоль старинного приюта для вдов и сирот художников, превращенного ныне в офисный центр…

Когда Советский Союз рухнул, папу перевели в другой храм, в пяти минутах ходьбы от прежнего. "Никола в Пыжах". Сделали настоятелем. Помню бумагу о назначении с красивой подписью Патриарха и как мы в тот же день поехали смотреть на этот храм, ловко перелезли через ограду, и восхищенно по сугробам бродили вокруг него, обшарпанного, с торчащими кирпичами, и снег набивался нам в сапоги.

Помню, как шел впереди ночных пасхальных крестных ходов: с фонарем, огонек бессмертно трепыхался за разноцветными стеклами, а в другой раз — с длинной и сухой веткой Палестины, бросавшей тени. Или — вор сорвал икону в храме, а я погнался за ним по вечереющей Ордынке, и возле Марфо-Мариинской обители он, затормозив и обернувшись, процедил: "Спокойной ночи, малыши"…

Помню, вечером после службы Рождественского сочельника крепкий дед, багровый индюк, принялся щелкать зубами с удивительным железным звуком и азартно раздавать во все стороны пощечины. Закудахтали бабуси, и вот гада, заломив руки, потащили вон молодцы-алтарники, в белых стихарях похожие на гневных ангелов, и окунули в пышный сугроб, откуда донесся довольный хохот, как из преисподней. "Бесноватый!" — выскочили мы с Даниилом, алтарники поменьше, и, слепив здоровенные снежки, держали их наготове…

Мимо этой увлекательной сцены безразлично проплыла бледная девочка Машенька, с которой я еще летом резво играл, под голубом платочком безволосая от облучения, похожая на сиротку, хотя всё наоборот — это ее родители совсем скоро лишатся дочери.

Помню, Патриарх Алексий вступает в храм, с посохом, в белоснежном куколе, с невозмутимым лицом викинга. Вперед других ему навстречу выставлены дети — протягиваю букет белых роз, и он, нагнувшись, твердыми губами лобзает меня в макушку.

Величественная служба. Он, главный гость, посредине храма на возвышении. Разоблачился, оставшись в одном темно-зеленом хвойном подряснике. Но вот на блюдах иподьяконы с поклонами подносят новые одеяния, которыми он обрастает: белый тонкий подризник, епитрахиль и пояс, поручи, саккос, омофор… Подают гребень, и он неспешно зачесывает свои седины слева и справа. Корона-митра опускается на голову…

Он стоит, поджав губы, большой, зелено-золотой, как нарядная елка.

После службы возле трапезной он обратил внимание на орехи.

— Это как это такое тут произрастает?

— Чудо! — выпалил я недостающее слово, заскочив вперед и желая удивить Патриарха.

Это крепкое ветвистое чудо произрастало благодаря проложенной под землей теплотрассе. Я любил орехи молодыми, только народившимися, очищал от зеленых шкурок-пачкунов и совал в рот нежно-молочные горчащие дольки пальцами, мгновенно коричневевшими, как от йода, и пахнувшими йодом.

Помню, на занятии в воскресной школе с помощью сверла, напильника, рубанка и молотка сам смастерил скворечник, а потом, забравшись по приставленной лестнице, долго привязывал его проволокой. Сначала заселились воробьи. Но их выгнали прилетевшие скворцы. Орехи они не трогали, а так — пожирали все, что ни предложишь…

Помню осеннее отпевание Анастасии Ивановны Цветаевой, в гробу похожей на изящную веточку, с которой облетели листья. Я стоял в стихаре со свечой и жарко косился на хорошенькую правнучку покойной, румяно-смуглую, с наливными щечками в милой шерстяной бежевой шляпке, и хотел выглядеть загадочным. Иногда я бросал романтически-скорбный взор на покойницу и думал, что ее воркующий голос навсегда со мной — я даже могу в любой момент воспроизвести ее обаятельное, умильное, скрипучее "Сереженька", надо только правильно натянуть шейные жилы, — этим голосом она рассказывала, как из-за нее застрелился гимназист или как она сочиняла стихи на английском, пока стирала завшивленное белье в лагерном бараке… После отпевания, переодевшись в алтаре, я поспешил во двор, но девочки в шляпке уже не было — уехала с гробом; я побрел по району и через десять минут обнаружил себя в Кадашах возле кирпичной стены на пустыре: мертвая листва, пожилая трава, высокомерные лопухи, доходившие до колен, но насквозь напитанные пропащей желтизной…

По лопуху продвигалась гусеница. Темно-коричневая, поздняя, голая. Приставив руку к листу и преодолев брезгливость, я позволил ей перебраться мне на кожу. Она помедлила и согласилась. Она замерла, зависла, закисла, она, казалось, тяжелела, росла, врастала в меня всей сыростью. Тварь Заречья. Двинулась снова. Покрывая меня гадкими запятыми лапок, как заевшая клавиатура, она достигла конца строки — следующего лопухового листа, к которому я прислонился ребром ладони, переползла на него, и тотчас мне стало неудержимо легко, как после исповеди.

Вспоминаю ту же осень 93-го: по Большой Ордынке, вращая гусеницами, угрюмо прогромыхало несколько танков, оставив вонючий сизый дым и смутную тень сомнения: "Чьи?"...

Вечером — близится комендантский час — стою с блюдом, полным хлеба, пропитанного вином, раздаю — весь приход проходит: кто-то выпрашивает несколько кусочков, кому-то по блату даю побольше или покраснее. А рядом отец, макая кисточку в сосуд с елеем, проводит крестообразно по лбам, которые начинают лосниться.

— Ой, а помажьте мне глаз...

— А у меня щека болит!

На Большой Ордынке было церковное детство.

А юность строптиво протекала параллельно — по Пятницкой.

Огромный Дом радио, где я семнадцатилетний работал наглым диджеем с голосом-скорострелом.

Рядом в подвале-рюмочной, куда меня по липким щербатым ступенькам вело юношеское "народничество", толпились в непрестанной качке реликтовые забулдыги, рыгали, ругались, дрались, сказывали истории о страшных странствиях, загубленной любви и потерянной славе. Сюда, прежде чем утонуть в забытьи, ныряли за последним глотком. Сюда я устремлялся, чтобы дешевым пойлом прополоскать горло, отравленное модным речитативом.

Однажды при мне мужичок со множеством прожилок, составлявших целое сиреневое деревце с ветвями и листьями по его носу и щекам, зачем-то коверкая слово "спи", напевал своей бабенке диковатую, больше похожую на заклинание колыбельную:

Ты иди по Пятницкой,
Спы, спы, спы,
Ты иди за пьяницей,
Тока не храпи!

"Вот поставить бы такую песню в эфир!"

Всякий раз здесь — на Пятницкой — возникало навязчивое желание не покидать этих мест. Мне хотелось иметь комнату на этой улице, просто комнату, можно совсем тесную, в старом доме, невысоко от земли, с одиноким окном, выходящим в синьку. Почему-то самое уютное, милое, примагничивающее меня Замоскворечье — всегда в сумерках, рассветных ли, вечерних, но так, чтобы подходить к окну, прислушиваясь к заздравным перезвонам трамвая.

Для меня тот вечер стал прощанием с девяностыми. Был теплый сентябрь (Москва праздновала свой очередной день рождения), я, девятнадцатилетний, стоял на Пятницкой вместе с шелудивым молодняком — огоньки, бутылки — возле дверей клуба "Третий путь" в ожидании группы из Минска "Красные звезды", поедаемый тоской, потому что певец крутил с поэтессой, в которую я тогда был влюблен. Это она ему пробила концерт. Я хотел увидеть ее — о, вот и увидел — лукаво усмехается, кожанка, красный рот, какой-то коктейль в жестянке, оглядывает мелкую блондинку, ту, что я прижал, и вкрадчиво спрашивает:

— Что это вы такой грустный?

Вообще-то мне нравились песни минчанина, они отвечали моему тогдашнему — прямо в рифму — веселому отчаянью:

Мы стоим у пропасти,
Трогаем горизонт руками,
Люди с чистой совестью
И голубыми глазами.

Вечер московских гуляний. Вспоминаю, что движение машин было перекрыто. Накатил треск и гул. По проезжей части шумная компания человек в пятьдесят сопровождала телегу с деревянной клеткой, в которой извивалась фигура в пестрых тряпках. Стилизация под старинного скомороха.

Молодняк на тротуаре с интересом смотрел, как эта потешная процессия удаляется в сторону Кремля… И вдруг какой-то пацанчик — пробудилась тайная родовая ярость, вскрылся замоскворецкий дух вражды — заорал во всю глотку:

— Они человека в клетку посадили!

Он бросился догонять бродячее представление. За ним — половина тех, кто только что, беззаботно гыкая, цедил пивко и дымок.

Мгновения спустя Пятницкая превратилась в поле побоища — отряд на отряд — мат, вскрики, взвизги, удары кулаками и ногами, мелькнула цепь, кто-то упал, схватившись за разбитую голову. А в центре раскачивалась клетка, возле которой звучал рев то ли освобождения, то ли расправы:

— А ну вылазь, сука!

— Осень, — сказал я блондиночке, прижимая крепче.

— Я в курсе, — отрезала она.

"Третий путь" был первым московским ночным клубом и располагался в бывшей коммуналке. Поэты и художники пили тут почти без закуси, спорили, читали книги, играли в шахматы, дремали…

Среди посетителей этого богемного притона особо выделялась некто Инфернальная в строгой юбке, синей блестящей кофте, с блестящими черными смородинами глаз и сухим румянцем, то и дело ронявшая пугливый икотный смешок. Она пила с охотой, в танце брыкалась, как кобыла, и жаловалась на безответную любовь к музыканту по фамилии Пророков, подарившему ей перстень, который она всем демонстрировала, черный и блестящий, как будто ее третий глаз. Часто ее собутыльниками становились Митя (глухой на одно ухо вечный юноша, тощий, с каре и волнистым голосом, напившись, говоривший по-французски или протяжно выпевавший одно и то же бессмысленное "Омела!") и его товарищ Иван (нервно-ироничный блондин-хулиган, писавший стихи и сжигавший их на сковороде, а в конце концов найденный в петле в парке). Иногда они привозили на такси и поднимали в клуб верную участницу их декаданса девушку по кличке Русалка, с парализованными ногами, в квартире у которой часто отлеживались, приходя на рассвете. Она сидела возле бара, костыли под столом, цепко озиралась и гортанно командовала. О костыли, как бы ее задабривая, терлись кошки, жившие прямо в клубе. Борис Раскольников, хозяин клуба, похожий на скелет рыбы, хлопал рюмаху за рюмахой и поутру после закрытия оставлял некоторых продолжать с ним пьянку. Он умер в 2011-м, и в тот же час в клубе обвалился потолок. А Инфернальная познакомилась в "Третьем" с богатым кавказцем, круто поменяла нрав под напором его горячей страсти, стала шелковой, как платочек, тесно обнявший ее голову, родила сына и, кажется, двух дочерей...

В Москве семь холмов, как в Риме. У Рима — Трастевере за Тибром с храмами и невысокими домами на узких улицах, а у Москвы — Замоскворечье.

Каждый раз тут чувствую себя безропотной запятой внутри чуть размытой акварельной картины, охристой, зеленовато-голубоватой.

Тут есть что-то от града Китежа, иду по улицам и переулкам, ощущая таинственный второй и третий пласт, как будто сейчас проступят, проявятся, возвратятся отсутствующие здания, сады, люди.

Да и моя жизнь здесь — это наложение маршрутов, времен года, разных лет...

Она, с рыжим отливом волос и крупными серебряными кольцами в ушах, в черном синтетическом плаще ступает со мной навстречу мартовскому ветру, и я, частя, как пономарь, от влюбленной застенчивости превратился в экскурсовода, чья речь бездумна и автоматична. Якиманка — Яким и Анна... Осторожно, лужа. Давай переплывем. Шутка. Держись за меня, обойдем. А ты заметила, как назывался переулок, где нас чуть сосулька не убила? Спасоналивковский... Милое название, а? На Доме правительства, пасмурно-казенном, как предчувствие неминуемого, висят доски с именами живших и сгинувших и рядом — табличка с популярными буквами: "Обмен СКВ". А ты знаешь, что это шифровка? Обмен скворечников. Старые и гнилые на новые и крепкие. Не смейся, я никогда не шучу!

Она лукаво хихикает в пейджер (еще в ходу пейджеры), который что-то громко пиликает, а я, пытаясь подглядеть, щедро зачерпываю "гриндерсом" талого льда. Мы стоим перед красным светофором-леденцом, чтобы перейти по Каменному мосту к Болотному скверу, и фабрика "Красный октябрь" перебивает сладкие духи, ветер гонит прямо через нас невидимые облака с запахом шоколада и карамели, приторная вонь огромного животного, и вот, перешли по долгой зебре, прошли годы, июнь в пуху, и я с ленцой хозяина выгуливаю ее, свою беременную жену в джинсовом комбинезоне, по зеленому скверу. А ты знаешь, здесь зимой 41-го накрыло батарею зенитчиц. Они сбивали самолеты немцев, а на них упала бомба. Но теперь на этом месте только пух тополиный.

Ой, лучше тебе не слушать про такое. Тебе не жарко? Давай в тенек, Ань. А помнишь, как мы с тобой шли и от ветра пахло? Забыла, что ли? У тебя еще пейджер был... А ты знаешь, когда "Красный октябрь" закрыли, забили и думали забыть, он какое-то время напоминал о себе. Он исчез, но вокруг все равно витал его дух. Запах, в смысле. Сорок дней пахло конфетами.

Представляешь, сынок, мы с твоей мамой тут ходили, когда ты жил у нее в животе. Видишь, какие льдины. Скоро растают. Один мальчик не слушал маму и папу, прыгнул на льдину, и его унесло в море. Не веришь? Почему? Тебе пять, надо верить. Я бы поверил в пять лет. В снежки? Давай! Снег-то теплый, ага. Эй! Ты куда кидаешь? Ваня, в лицо не надо! Послушай лучше. Здесь жил удалой купец Калашников... "Песня про царя Ивана Васильевича, молодого опричника..." Не кидайся! Хочешь, почитаю? Я знаю наизусть. Мы в школе учили. Пойдешь в школу — может, тоже выучишь... Ну послушай! Ваня, знаешь, кто тут жил? Это можно услышать из снега. Если быстро идти по этому теплому снегу, можно услышать. Стрельцы, казаки, купцы... Стрельцы, казаки, купцы... Стрельцы, казаки, купцы... Быстрее иди! Слышно, правда?

Он рядом, ему уже десять, июнь, выходной, снова пух в Москве, смешанный с горошинами жвачки и разметкой для велодорожек, ну да, я не живу с вами, ну, милый, не начинай, мы и так видимся часто, мы давно расстались с мамой, но у нас хорошие отношения, очень хорошие.

— Закачаешься, — парирует он (развязностью маскируя боль?).

Мы никогда не ругались при тебе, нам направо, вырастешь и всё поймешь, лучше смотри сюда! Это дом, где у твоей прабабушки родилась твоя бабушка, в четвертом подъезде. Когда мы останавливаемся, он сразу утыкается в планшет, чтобы вернуться в любимый ад. Его занимают бои без правил, интернет-каналы одноклассников и прочая муть. Айпад не запретишь, когда весь мир — айпад. Офисы, рестораны, банки с темными и зеркальными стеклами — окрест лакированные предметы, начиненные механикой. И вездесущий щекотный этот пух скользит, лишь подчеркивая тошную гладь. Мы слоняемся уже полчаса, за которые я стараюсь впихнуть в него какие-то познания, например, о том, что "балчуг" значит топи, и тут самое теплое место в Москве, зимой температура выше, чем по городу... А сейчас не 23, а 25. Не веришь? Хочешь проверим? Было бы прикольно, разве нет? И про то говорю, что есть смысл любого имени этих пространств. Кадаши — делали кадки, бочки... Толмачи — жили переводчики, сначала татары, говорившие по-русски, потом русские, переводившие с татарского. Понятно, нет?

— Угу, — не без иронии.

Там, где был пустырь с лопухами и я держал на себе простившую гусеницу — парковка с машинами, которые, блестя на солнце, перемигиваются этим блеском, а ровный и жаркий асфальт блестит, как фольга. Вместо толстух-лип — "элитка", дорогой, в кофейных тонах дом с жестоким шпилем.

Столько сломано, срыто, стерто! Это и так ясно. Но особой тонкой издевкой стоят особняки, переделанные под офисы. Новенькие и чистенькие, деловито и наспех приукрашенные, почти всегда с какой-то удаленной или прибавленной деталью. Как ложные опята вместо настоящих.

Или во мне говорит банальный брюзга, как в грибнике, которому лес зрелости всегда не тот, что лес детства?

Из подъезда выходит женщина в красной панамке, крикливо узнает и радуется.

Это Ольга Голодная. (Та самая девочка, внучка которой уже студентка.) Она говорит юмористично простодушно, так что могла бы озвучивать мультик.

— Сирень совсем убрали! Дом другой! Из писательских никого не осталось! Только Оля! Никулина, дочка Льва! Иностранцы! Богачи! Какие-то фирмы арендуют! Эти интернеты и мобильники всех таракашек извели! Раньше тараканы не уходили! Чем их только не морили! А теперь ни одного!

— И гусениц, — говорю я.

— Пап, каких еще гусениц? — требует сын, почуяв историю.

Молчу и щурюсь. Секрет.

— Правда, что вы с моей мамой видели призраков? — спрашиваю не для себя — для него, и чувствую: он немедленно весь обращается в слух. — На балконе…

— Как вас, так их! Старинные господа! Важные! Котелки, трости!

Из Лаврушинского на Большую Ордынку, быстрей, быстрей. Погоди, это начало большой дороги. По ней везли дань в Золотую Орду… На ней селились люди хана, ордынцы… Заходим во двор дедушкиного храма. Пусто,

до службы еще часы. Настоящий сад: тюльпаны, нарциссы, розы — но Ваня предпочитает айпад. Седая остролицая женщина-сторож, ничуть не изменившаяся с давней
поры, бежит к нам через двор в поношенном сером платье, окруженная пышными, как на кладбище, цветами.

Мимо белого храма и вделанной в него плиты
"1733 году ноября 8…" спешим за ней в "дом причта", где
мальчику дадут пить и, когда утолит жажду, сладости.

Ореховое дерево могуче и просторно, у корней с дер-
зостью самозванца разлегся пух тополей.

Запрокидываю голову и получаю солнечную пулю.

— А где скворечник?

Лидия Михайловна смотрит на меня подозрительно.
Я всматриваюсь с подозрением в нее.

— Какой скворечник? Давно уже нет, лет семь, наверно.
Надо чаще в наш храм…

— А я и не замечал! Я был тебя чуть старше, Ваня, сам
сделал скворечник и сам привязал. И потом каждый год
вешали новый. Эти места вообще славились скворечни-
ками… Замоскворечье. Замолк скворечник. О, рифма
какая! Куда же он делся?

— Скворцы улетели, — говорит женщина-сторож.

— А воробьи могли бы…

— Не до скворечников… — ее голос кроток. — Жизнь
такая суетная. Нету времени на скворечник. Пока сдела-
ешь, пока повесишь, и кормить их надо… Не ешь! — она
опоздала, ребенок вскрыл орех и насмешливо вгрызает-
ся в творожистую начинку.

— Фу! — он возмущенно сплевывает.

— Их нельзя же, нельзя, еще незрелые, батюшка не велел, они как украшение, мы их не едим, они все пробками пропитаны...

— Один орех еще не грех, — широко крещу его рожицу с губами и зубами йодистой улыбочки.

Окрасившись этим соком, он мгновенно стал похож на маленького юродивого.

— Размахнулся тогда Кирибеевич и ударил впервой купца Калашникова...

— Что, Ваня?

— Двоечник, а еще поэт! В школе не учился!

— А дальше?

— И ударил его посередь груди, затрещала грудь молодецкая... — он стоит под ореховым деревом, дирижируя айпадом, и читает Лермонтова.

# Магда Алексеева
## Трубниковский, Знаменка, Ольховка — мои Атлантиды

Теперь, когда приезжаю из Петербурга в Москву, стараюсь непременно подойти к этим домам — Трубниковский, 19, Ольховка, 25, Знаменка, 13…

На Знаменке еще можно войти во двор, а в Трубниковском и на Ольховке — нельзя. Но — обо всем по порядку.

Я родилась на Арбате, в Денежном переулке. Почему не в родильном доме Грауэрмана — не знаю. Хоть именно в этом знаменитом доме родились в то время почти все арбатские мальчишки и девчонки. В том числе и моя старшая сестра.

А я — в Денежном (спустя годы этот роддом стал принадлежать четвертому управлению ЦК КПСС, но это так, к слову).

Из Денежного меня принесли в Трубниковский переулок, дом 19, квартира 19. Здесь находился наркомат национальностей и его нарком Сталин, а многим сотрудникам наркомата предоставляли здесь комнаты, превратив некогда роскошные квартиры в обычные советские коммуналки. Комнату в квартире девятнадцать получила и моя мама, работавшая в наркомате благодаря знанию немецкого языка. Эстонцы, немцы, латыши — кто только не жил в том доме! И можно лишь вообразить себе, сколько "воронков" понадобилось в 1937-м, чтобы вывезти куда следует его обитателей.

Лифт, лакированный внутри, с диванчиком, обитым красным бархатом, и какой-то особый запах в этом лифте (может быть, духов?) помню до сих пор. В квартире 18 жила эстонская коммунистка Эрна Даниловна Мюльман, работавшая в Коминтерне. На ее сестре Аделле женился брат моего отца Шандор, приехавший из Венгрии вместе с матерью вслед за моим отцом — политэмигрантом. Бабушка, в отличие от своих сыновей, так и не научилась говорить по-русски.

Кроме Эрны в 18 квартире жили Костерины. С их дочкой Ниной дружила моя сестра.

"Дневник Нины Костериной" — так называлась нашумевшая в годы хрущевской оттепели публикация в "Новом мире". Нина погибла на войне, а дневник нашел и принес в журнал ее отец, вернувшийся из сталинских лагерей.

Примечательным был не только дом, на котором теперь висит табличка "Охраняется государством", но и двор, где всегда пахло вином из знаменитых голицынских винных подвалов. Как мне хочется войти сюда, ощутить запах детства, подняться в лифте на четвертый этаж… Но ворота наглухо закрыты каким-то очередным министерством, и охранники на все мольбы отвечают "нет". Увидеть этот квадратный двор с фонтаном я могу только в фильме "Романс о влюбленных", его иногда повторяют по телевизору. Андрон Кончаловский снимал свой "Романс…" в этом дворе.

Из дома на Трубниковском мы уехали в город Покровск, переименованный в город Энгельс. Сюда отца направили главным редактором газеты республики немцев Поволжья *Nachrichten* ("Известия"). Ответственным секретарем этой газеты был отец Альфреда Шнитке. После Поволжья мы уже не вернулись в Трубниковский. Там оставалась жить бабушка, мы же переехали в дом двадцать пять по улице Ольховской, возле Нижнекрасносельской. На неприметной Ольховке наш дом (особняк Гучкова) выделялся не только ярким розовым цветом, но и громадными полукруглыми окнами.

На пересечении Ольховки и Красносельской до сих пор сохраняется крышка водопроводного люка, возле которой нас — меня, отца и мою сестру Илону — запечатлел какой-то фотограф. Во двор своего бывшего дома я тоже не могу войти. Теперь там какое-то военное учреждение. А ведь именно двор для нас, довоенных, да и послевоенных детей, был понятием абсолютно сакральным.

Именно в нем проходила главная жизнь — игры, дружбы, ссоры, секреты и вообще познание мира. Здесь мою сестру Илону дразнили Елоховкой, потому что недалеко Елоховский собор, где, как известно, крестили Пушкина. Собор этот был патриаршим, пока Лужков не выстроил храм Христа Спасителя.

Понятие "двор" нынче совсем утрачено. Из окна своей петербургской квартиры, что на Петроградской стороне, я смотрю во двор и не вижу никаких признаков особой ребячьей жизни. Гуляют матери с младенцами, прохаживаются собачники. А где же детвора? У компьютеров, что ли?

В первых числах июня сорок первого года мы уехали на дачу в Мякинино.

"Я родился под Москвой в Мякинино, — сказал недавно Гарик Сукачев в телепрограмме «Линия жизни», — теперь это Москва". Да, теперь это Москва, и даже станция метро называется "Мякинино". Все хотела съездить туда, но потом подумала — зачем? От живописной деревни с ее полями и высоким песчаным берегом над Москвой-рекой, конечно же, ничего не осталось. А как мы играли на том песчаном косогоре!

Ощущение поспешного отъезда в город и прерванной игры еще долго мучало в затемненной, словно притихшей Москве, откуда в сентябре мы уехали в эвакуацию — в далекую Киргизию. Нас отвез туда отец, назначенный начальником эвакэшелона, которым отправлялись из Москвы семьи сотрудников газеты "Гудок", где отец заведовал международным отделом.

Мы остались в Пржевальске, на Иссык-Куле, а он вернулся, и его почти сразу арестовали как раз возле дома на Ольховке, когда он поздним вечером возвращался из редакции. Об этих подробностях мы узнали от своих бывших соседей. "Десять лет без права переписки" — стандартный приговор, означавший расстрел, но тогда мы об этом ничего не знали. Только в сорок седьмом мы вернулись в Москву вдвоем с сестрой без мамы. Ее арестовали сразу после войны. А нас вызвали к себе и приютили родственники. Как мы, две девчонки, добирались до Москвы, страшно вспомнить. Семь дней в поезде "500-веселый". Вся страна знала эти поезда, ходившие вне расписаний. У нас было два места, сидячее и лежачее, на котором мы спали по очереди. На Казанском вокзале сестра мамы и брат отца дежурили по очереди несколько дней, встречая эти самые "500-веселые". Тетка заглядывала в вагоны, звала: "Илона! Магда!" И наконец нашла нас.

Помню свое ошеломление Москвой. Из затерянного в тянь-шаньских горах Пржевальска (сейчас Каракол) с его тополями и ишаками — в суету и грохот огромного города. И в свой последний московский адрес — Знаменка, тогда улица Фрунзе, дом тринадцать, квартира пятьдесят шесть.

Не сразу узнаём, что тетка уже здесь не живет, у нее, отсидевшей свое и актированной, то есть освобожденной по акту, как умирающая, нет права жить в столице, а только на сто первом километре, на станции Завидово. Здесь на Знаменке ее муж — наш дядя Петя. Бывшая барская квартира, ныне коммуналка, принадлежала когда-то главному художнику Императорского малого театра; его дочь, тоже художница, ютится теперь в крохотной комнате этой самой квартиры.

А нам здесь весело! Сюда приходят наши приятели и подруги. Дядя Петя не только всех терпит, но еще и кормит всех. А мы, молодые идиоты, занятые своей молодой чепухой, не любим, когда он дома. И беззаботно смеемся надо всем, что нас окружает, и даже над постоянными облавами — проверками, которые устраивают "органы" в квартирах дома, стоящего на правительственной трассе.

Трасса эта, то есть улица Фрунзе, упирается одним концом в Арбатскую площадь, а другим — в Боровицкие ворота Кремля, из которых "бог" выезжает в Кунцево на свою ближнюю дачу.

У Слуцкого: "Бог ехал в пяти машинах. Вокруг в пальтишках мышиных дрожала стража…" (Цитирую по памяти, но точную эту деталь — "мышиные пальтишки" — помню отлично.) Они стояли днем и ночью у всех ворот и подъездов — безмолвные тени в серых пальто. В одинаковых серых, как опознавательные знаки, пальто. И шляпах. Мы даже здоровались с ними, входя в дом. И они кивали нам в ответ. А один из них проводил однажды мою сестру по обледенелой Знаменке вниз к Моховой.

Проверки в квартирах устраивались регулярно. Когда милиционер со штатскими появлялся в прихожей, непрописанные, как я, кончавшая школу у тетки в Завидове, прятались на черной лестнице, дверь на которую выходила из кухни.

Зато от дома до университета, где я потом училась на факультете журналистики, всего минут семь, если бегом, бегом мимо Дома Пашкова (Ленинки), мимо аптеки на другом углу Моховой, мимо Манежа… Аптеку и близстоящие старинные одноэтажные дома снесли после покушения на Брежнева. Стрелявший попал в машину с космонавтами, которых встречал генсек. Никто серьезно не пострадал, а дома снесли, чтобы пространство до Боровицких ворот просматривалось насквозь. Снесли и дома на углу Знаменки, построив там галерею Шилова. "Все меньше в Москве моей Москвы", — написала я в одном из своих сочинений.

Но вот дом на Знаменке, 13, сохранился. Может быть, потому что рядом — монументальное здание Министерства обороны. До революции — юнкерское училище.

Настоящей же Атлантидой, поглощенной водами времени, стал дом в Бауманском переулке, тесно связанный с моей жизнью — с детством и юностью. Здесь жила моя подруга Наташа Вернандер. Еще до школы мы ходили вместе в немецкую группу. Были такие группы, заменявшие некоторым довоенным детям детский сад. Потом мы пошли в школу, в 349-ю школу в 1-м Басманном переулке. Школа эта была знаменита тем, что в ней был класс с белыми партами. Об этом писала в 1939 году "Комсомольская правда". В классе этом училась моя сестра Илона. Все остальные, и мы в том числе, сидели за обыкновенными черными партами.

Вернувшись из Киргизии в Москву, я пришла в Бауманский переулок, теперь Бауманскую улицу, и дом 7 "А" стал для нас с сестрой настоящим родным домом. Здесь нас, детей врага народа, поили-кормили и оставляли ночевать, когда на Знаменку к дяде Пете приезжали гости.

Позже в этом доме — их было три в одном дворе, высокие в два этажа бревенчатые дома, — собирался "Клуб Вернандер" — так мы именовали свою компанию, невзирая, по молодому легкомыслию, на опасность существования таких "клубов". Среди его завсегдатаев были недавние студенты литинститута — Максим Калиновский и Платон Набоков, только что вместе с Наумом Коржавиным вернувшийся из лагеря. Коржавин читал здесь свои знаменитые стихи:

Мы не будем увенчаны,
И в кибитках снегами
Настоящие женщины
Не поедут за нами.

Сюда приходил Володя Соколов со своей женой — болгарской красавицей Бубой, через несколько лет покончившей с собой. Здесь, а не в университете, мы узнавали имена и стихи великих поэтов — Мандельштама: "Я вернулся в мой город, знакомый до слез…", Цветаевой: "Никто ничего не отнял, мне сладостно, что мы врозь…". В одном из трех домов жили тетки Володи Зельдина. "Моя Одесса", — говорил он про них и появлялся во дворе — красивый, изящный, стремительный.

Напротив, на другой стороне переулка, в зеленом, тоже деревянном особняке с мезонином жил митрополит Крутицкий и Коломенский Николай. По вечерам окна светились дрожащим пламенем лампадок. После смерти митрополита особняк сломали, срыли. Пришел через и "Клубу Вернандер". Теперь на месте тех домов гаражи, пахнет выхлопными газами, соляркой и стоит одинокое дерево посреди "новой жизни". А их — деревьев — было когда-то так много в этом зеленом летом и заснеженном зимой дворе.

Ничего не осталось, и все меньше на земле людей, которым можно сказать: "А помнишь?.."

# Майя Кучерская
## Станция "Арбатская"

В етер на "Ждановской" дул такой, что добивал до Арбата.

Мчался сквозь сумрачный зимний город, по Калининскому, нырял в улицу, вспыхивал серебром в троллейбусных рожках, летел мимо "Самоцветов" и "Охотника", обрушивался в проулок с серо-желтым зданием театра на углу и темнолицым дядькой в тулупе, стоявшим напротив. Обтекал грубые красные руки. Не замечая: на дощатом грязном ящике перед дядькой лежали, испуская северное сияние, освещая весь этот меркнущий зимний день... не замечая, чтó там.

Просвистывал сквозь высокую арку, влеплял шлепок гладенькому каменному ведру вверх дном, растущему здесь, чтоб повозка не билась о стену, с стародавних времен. Взлетал по вдавленным низким ступенькам подъезда, ударял в деревянную дверь со всей молодецкой дури. Не тут-то было. Обиженный щенячий взвыв, подхваченный стенами парадного, бессильно таял в бесконечной высоте под потолками.

Арбат стоял крепко, Арбат и был дом, крепость, с обжигающими наваристыми щами, шипящими на чугунной сковороде котлетами — растущими в миске горой, ешь скорей, остынет! Студнем, холодцом, капустой, пирогами, блинами (бабушка), рогаликами, сухариками, тортиком, блинчиками (Верочка), ледяной водой, бьющей из начищенного медного крана — только потом появилась колонка. С бесконечной добротой слов, рук — дед. Он единственный разговаривал со мной подолгу, возвращался с работы светлым апрельским вечером, доставал из кармана черепаховый очешник — ну-ка, где мои очки? Щелкает упругая кнопка, а там — цветочки желтенькие вместо очков! В бархатной красной подкладке улегся набранный букетик. Тебе нарвал. Мать-и-мачеха. "Снег вон еще лежит", — строго вступает бабушка. А я нашел. На солнышке уже выросли. Для тебя. Меня? Я не могу поверить. Но все, что он делал, было для меня. Кораблик, складный, газетный, поплыл по Москве-реке, куда же он доплывет? До моря. Стишки — неведомые, детские, выкопанные невесть откуда, шуточки бережные. Шоколадки с неизменной девочкой в платочке. На тебя похожа, смотри.

Русский сероглазый крестьянин с мягким лицом потомственного интеллигента. Он приехал в Москву из деревни — однако знал всё, что нужно для жизни; например, что с ребенком важно разговаривать. Рассказывать ему не по книжкам про звезды на небе, что они вовсе не маленькие точки — громадные планеты, и свет их струится на землю много лет, и про воздух, почему он такой вкусный весной, и про наш город, как сначала он был весь в деревянных домиках по краям, каменный только в середке, а в одном таком, деревянном, жил раньше он, мой дедушка.

Однажды на дне бабушкиного чудесного ящика с пуговицами — всех оттенков и мастей, с тряпочной шляпкой и металлической, простушками и королевами, сверкающими драгоценными гранями, — обнаруживаются две медали, явно давным-давно здесь забытые, окутанные нитками, — с черно-оранжевым полосатым верхом. Что это? "Это дедовы, с войны". Так я узнаю, что дедушка воевал. Медали бабушка забирает и прячет — не место им все же среди пуговиц.

Но стоп-стоп. Кому первому воздать мне? С чего начать? Дедушка сам, помимо авторской воли, уже вырос на пороге, с цветочками, а дальше — кому? Надо бы бабушке, но сначала все же глазированным сыркам.

Дядька появлялся и исчезал на нашей улице напротив театра Вахтангова по своему таинственному графику, чаще его не было, но изредка он все-таки стоял. Нет, он нарочно ждал нас, пока мы с бабушкой вернемся. После "кружка" зайдем в "Диету" за хлебом, я ("тымояпомощница") встану в очереди к прилавку, пока бабушка — в очереди в кассу, деловито двинемся дальше — картошка кончается, зайдем и за картошкой в пахнущий сухой землей овощной.

По дороге домой он подстережет нас — и выпрыгнет. В ушанке, с сырками в синей серебристой обертке, выложенными на деревянном не слишком чистом занозистом ребре ящика. Прибережет для нас ровно два. Отрежет на бабушкин вздох: "Последние!"

В магазинах глазированные сырки не продавались. Они прятались в прохладном тайном подвале огромной сырковой семьей. Никто не знал, где они живут. Только дядька. Взять сырки днем было невозможно, зато ближе к вечеру, едва первый сумрак касался земли, сырки — ничего не могли с собой поделать — засыпали, укладывались ровными рядами в коробке, дядька беззвучно прокрадывался к ним, похищал два-три и являлся.

"Кружком" называлась прогулка с Надеждой Сергевной, седенькой старушкой в бежевом пальто с желтым меховым воротником. Надежда Сергевна гуляла в овальном сквере (отсюда и "кружок"), окаймленном низкой узорчатой оградой, возле высокого строения — дедушка говорил, там делают мультики; много лет спустя, после ремонта и постановки креста, обнаружилось: это церковь! С другой стороны красовался особняк с неизменным милиционером в будочке (позже выяснилось: резиденция американского посла).

Надежда Сергевна совсем не похожа на воспитательниц. Во-первых, она старенькая, во-вторых, никогда не ругается, всегда называет меня по имени и разрешает делать всё. Только она немного глупая. Вот вам пример.

Как-то раз Ленка, моя подружка, приходит от врача и приносит на кружок ровную деревянную палочку с закругленьями на концах! Этой палочкой Ленке смотрели горло. Ленка говорит: только это не простая палочка, волшебная, знаешь? Но мне не дает. Даже подержать не дает! Я плачу. Дай, дай мне волшебную палочку! Надежда Сергевна уже торопится к нам. "Что ты, не плачь!" — и протягивает мне подобранную с земли веточку дерева: вот тебе волшебная палочка. Глупая Надежда Сергевна, какая ж это волшебная?

Но ссоры случаются редко; обычно мы живем мирно, играем в "колдунчики", море-волнуется, просто салки. Рисуем мелками лимонно-розовые домики и принцесс. Вырастим большие, будем играть в классики, как взрослые девочки-первоклассницы, которые иногда забегают на наш кружок и прыгают по квадратам.

На "Ждановской" вместо кружка — "садик".

Садик начинался с молока. Чашку теплого, противного молока вливала в меня мама еще дома — без этого было нельзя. В полусне я входила на кухню — возле высокого деревянного стульчика на столе уже высилась чашка. За молоком следовала новая неотвратимость — срочное укутывание. Носки скорее натягивай. Натягиваю шерстяные толстые носки (бабушка). Застегивайся быстрей! Я опаздываю на работу. Я сейчас опоздаю на работу. Если ты еще немного… я опоздаю на работу. Страшней этого ничего нет.

Верхняя, мам! Тугая, — подхныкиваю я. Мама торопливо запихивает пуговицу в петельку.

Мы спускаемся на лифте и выбегаем из дома. Ветер едва не сбивает с ног.

"Ждановская" — место вечной мерзлоты. Бесконечные пустыри, многоэтажки, вьюга. Всегда темно. Синеватые фонари только нагоняют холод. Идти невозможно.

Мама хватает меня под мышку, прижимает покрепче и несет — по пустырям между высоченных домов — в садик! За мамой прыгают санки.

В садике еще темно, даже воспитательница только пришла.

Мы соревнуемся с Димкой Гусевым. Кто первый сегодня? Кого первого родители донесут, дотащат, доволокут и убегут на работу? Обычно Димку — но иногда выигрываем и мы с мамой. Как я тогда ликую! Как торжествую, посрамленный Димка пытается быстрее перевести разговор на другое — да подумаешь, раз в жизни обогнала, зато завтра… И еще долго-долго никто не приходит. А мы идем в группу. Играть почему-то совсем не хочется.

Санки я оставляю на улице. Они с алюминиевой спинкой и аккуратным голубым матрасиком, сшитым бабушкой, присланным на наш Северный полюс с другого конца вселенной. Санки вечно кто-нибудь выпрашивает покататься; так и быть, приходится давать. Санки такой же красно-зеленой раскраски, но заметно старше, с планочками повытертей, еще у одного мальчика, Миши, не перепутать. У него нет матрасика, но и мой матрасик иногда интересно отвязать (предусмотрены

Алёна Дергилёва. Малая Никитская, 33 (фрагмент). Акварель. 2014 веревочки), разложить в деревянном домике на садовской площадке. Кроватка. Нам со Светкой нравится. У меня тут другая подружка, настоящая, Светка Михалева, я ее очень люблю.

Садик — всегда. В нем Марина Викторовна, любимая, с голубыми веками, но часто болеет, и Галина Михайловна — злая. Бьет по попе непослушных детей. Громко кричит. В садике меня зовут только по фамилии, даже Марина Викторовна, и надо есть суп. Меня тошнит этим супом. Четыре дня подряд. Но суп побеждает. На пятый уже не рвет. Здесь я не золотце, не ласточка, не Маечка, не Маюша, здесь я нелепая, неловкая, самая длинная, выше всех... Кучерска́я. С вечно неправильным ударением. Кучерска́я, ешь быстрей, не болтай! Да нет же, нет, но я молчу, не поправляю никогда. Потому что если шумишь, Галина Михайловна берет вафельное полотенце, завязывает рот и ставит у шкафчика. Меня еще ни разу не ставила, но что я думаю, глядя на чей-то завязанный рот? "Какая дурацкая игра! Всё равно не поможет. Галина Михайловна — дура".

Полярная ночь длится вечно.

Главное, не забыть адрес: Самаркандский бульвар, дом номер. Квартира номер.

Здесь нет ни арки, ни каменного ведра вверх дном, ни черного хода, тем более нет сырков. Зато есть "универсам". По субботам мы ходим туда с мамой. Папа по субботам играет в хоккей с друзьями. Вернется вечером усталый, замороженный, ему очень захочется поужинать.

В универсаме не надо стоять в очереди, нужно взять железную корзинку и самому находить себе продукты.

Из продуктов, правда, интересный только один — "Буратино". Сладкий, прозрачный, с пузыриками — мама почему-то не любит его покупать, говорит: я тебе компотик сварю. Как можно даже сравнивать! И одну бутылку я все же уговариваю ее купить. Из универсама мама с сумками идет домой, а я остаюсь гулять.

Во дворе высятся железные качели, карусель и разные лесенки, самая сложная — ракета с круглой дыркой посередине. Мальчишки забираются на самый верх и — о страх! — пролезают сквозь дырку внутрь, а потом еще как-то спускаются вниз, на землю! Непостижимо.

Но однажды папа — в тот выходной он, видно, не пошел на хоккей — спустился во двор и, видя, как я гляжу на быстро снующих по ракете мальчишек, спросил: "Хочешь тоже так?" "Папа, ты что?! Я так никогда не смогу". Папе многое приходится объяснять, он не все понимает про жизнь. Обычно он соглашается или шутит. Но тут папа меня не слушает: "Я тебе объясню, и *ты* сможешь".

Шаг за шагом папа проводит меня по этому пути, ступень за ступенькой, мы вместе забираемся на самый верх ракеты. Папа стоит снаружи, а мне говорит, как оказаться внутри. Мы стоим здесь одни, мальчишки, конечно, разбежались.

Так, переносишь ногу, тут держишься рукой, тут перехватываешь — и вот я уже внизу, прошла и спустилась! Папа меня провел. Второй раз он меня уже не держит, но если делать все правильно — вообще не страшно. Даже на самой высоте. Главное — крепко держаться руками.

Смотрите, как я могу! Но никто не смотрит. Только папа одобрительно кивает. И уходит. Я бегу к другой лесенке, взлетаю вверх, прыгаю с визгом в сугроб — мне уже ничего не страшно. Валенки забиваются снегом, ноги леденеют, пора домой.

Лед, снег, зима кончались нежданно, каждый раз без предупреждения — и как отдергивали плотный морозный полог, а там... вместо холода, вьюги, тьмы... Огромная квартира, в ней всегда жарко.

Громадная кухня, на плите что-то бурлит, шипит, пахнет. В великанской кастрюле кипятится белье, его тыкают деревянной палкой. Вскипятят как следуют, повесят сюда же, на веревки, и сушится белье.

Все не так, как на "Ждановской", безалаберней, шире... вкусней. Здесь только две заповеди: накормить и согреть. Согреть и накормить. Замерзла? Руки — ледышки! Дай потру пяточки. Это, конечно, бабушка. Дедушка был добро, бабушка — тепло.

Глазки что-то блестят, ты не заболела? Спать пора, подушку тебе взбила! Грелку налила, положила под одеяло, из окон дует! Спи сколько влезет. Каждое движение хмурой девочки, а я мало улыбалась в детстве, каждое движение подхватывается и расшифровывается легко — я живу в жару, меня обнимают, ласкают, холят и спрашивают, чего я хочу еще.

Но я ничего не хочу, мне хорошо, потому что интересно. Здесь совсем не так, в этой арбатской квартире, даже дверей не одна, а две. Первая — входная, потом еще следующая, со стеклянным прямоугольным окош-

227

ком. Между ними в простенке слева высятся полки, оби-
тые клеенкой. На полках — банки, баночки, бутылочки
и бутыли. В них плещется темное, густое. Есть у арбатской квартиры и второй выход, "черный ход" — но как
ни искала, ничего черного я там не нашла — крашеные
зеленые стены, легкая вонь. Бабушка через черный ход
выносит мусорное ведро на помойку. С этой стороны тоже две двери. И простенок, но шире, он тоже забит, не вареньем, а инструментами, тазиком, ведрами. Это место
зовут "кладовка". Первое просто — "между дверьми".

И подоконники на Арбате не ждановские — простор-
ные, крепкие — хоть лежи, хоть сиди, упершись ногами
в откосы. Один, в бабушкиной комнате, — мой домик.
На нем расстелено одеяло и живет со мной кукла, вместе
с одежкой — платьями, курточкой, сапогами, сшитыми,
конечно, бабушкой. "Зингер" стоит тут же, как раз под
окном, но сейчас швейная машинка висит вниз головой,
снаружи она просто столик, накрытый серо-бирюзовым
вязаным покрывальцем. С куклой по имени Таня я иг-
раю только на Арбате, она Верочкина "свадебная", объясняют мне, но я не понимаю, что это значит. Понимаю
только, что однажды Верочка была невестой. Сейчас уже
нет, и мужа у Верочки нет, но зачем ей муж, если она такая молодая? Почти подружка моя, хотя и считается "те-
тей". Она мамина сестра, но на маму, серьезную, всегда
с заботой на лице, совсем не похожа.

Верочка — мое дерево, по ней можно карабкаться
и лазить, висеть, и снова взбираться, обожаю лазить
по Верочке!

Верочка водит меня в кафе-мороженое — там кладут в железную чашку на ножке не только шарики, но и печеньица — так чу́дно! И в парк культуры меня первый раз в жизни ведет Верочка — катается со мной на колесе обозрения, каруселях и лодочке. Еще Верочка любит собак, собирает открытки с разными собаченциями и в конце концов исполняет мою давнюю мечту — покупает собаку. Точнее, получает в подарок. Белого шелковистого песика, с болонкой и пуделем в предках. Мы с ним еще поиграем в салки в длинном здешнем коридоре.

Коридор на Арбате и в самом деле бесконечный. Садись на привезенный папой из ГДР четырехколесный велосипед и катись. Из прихожей с соломкой, закрывавшей одежду, мимо внутренних коридорных дверей, пузатого шкафа и медной ванной с душем-крючком. Мама рассказывала мне: когда было голодно после войны, дедушка ездил на машине за едой в деревню, привез мешок картошки и живого петуха. Ярко-рыжего с черным хвостом. Петух сидел вот на этом крючке для душа, а по утрам кукарекал!

Когда-то мимо этой ванной ходил и сам Сергей Есенин. Поэт. Это когда говорят складно, как в песне. Бабушка читает на ночь его стихи про корову, очень грустные, у коровы выпали зубы, она совсем больная, а потом про няню, еще грустней, но там хотя бы есть избушка и "вечерний несказанный свет". Слова про свет бабушка произносит медленно, задумчивым голосом, и мне кажется, я чувствую его несказанность и тихий уют. Есенин приходил в гости к поэту Александровскому, который тоже жил когда-то в этой квартире — тогда здесь была коммуналка. Она и при мне еще немножко была, говорят, но я этого уже не помню. Для Александровского, в отличие от Есенина ("в черном пальто, красивый"), у бабушки не находится доброго слова, только одно — "пьяница". Как напьется, давай чудить. Подушку ножом проткнет, пух по всей комнате, дверь распахивает, летит по всему коридору, кричит мне: "Нюрка, гляди, снег пошел!" Бабушка хмурилась, шуток поэта Александровского не одобряя и годы спустя.

Двор на Арбате тоже другой. Прямоугольник за низеньким каменным забором, по этому забору очень удобно ходить! Стиснутый со всех сторон домами, нашим, Андрюшки-Генкиным, неизвестным, без выхода во двор, и высоченным небоскребом со стеклами в облаках. На улицу Вахтангова нам выходить нельзя, в другие дворы тоже лучше не надо.

Мои главные арбатские товарищи — Андрюшка и Генка, дети алкоголиков дяди Толи и тети Тамары. Тамара ходит в болотном болоньевом пальто, волосы в пучке или хвостике. Она не очень красивая, конечно, и все же непонятно, почему она "алкоголик"? Почему бабушка говорит про нее с досадой "опять пьяная"? Тетя как тетя. Вот дядя Толя понятно — он вчера так и не дошел до дома, сел прямо на землю у подъезда. Сидел-сидел, а потом тетя Тамара вышла, подняла его и повела домой. Он изо всех сил на нее опирался и говорил что-то непонятное. А один раз дядя Толя даже лежал в нашем дворе, прямо на земле! — отвернувшись ото всех, лицом к небоскребу, может, разглядывал в нем облака? Мне хотелось смотреть и смотреть: как же так? Взрослый человек лежит на земле и не уходит? Но бабушка гнала меня от окна: что там смотреть? Напился. И морщилась так, что ясно было — все это только ужас и стыд.

Генка был старше меня на год, высокий, резкий и вредный, я пыталась играть с ним поменьше, больше играла с Андрюшей — он был и младше, и намного ниже меня, и просто добрей.

Чем-то напоминавшего бледного мальчика с картинки "Дети подземелья" в моей книжке, его звали к нам есть овсяную кашу. Эту склизкую серую гадость невозможно было проглотить ни ложки. Ну хорошо, за дедушку. За бабушку. *Всё.* Тогда-то и звали Андрюшу. Кричали прямо в окно, перегнувшись.

Он заходил. Скидывал свои разбойничьи избитые вдрызг ботинки, куртку непонятного цвета, послушно мыл мылом руки, садился за стол.

Перед ним ставили полную тарелку каши.

Господи! Как он ел. И ведь не то чтобы он торопился, захлебывался — нет. Он просто брал ложку, чуть нагибался — раз! И тарелка стояла точно вымытая. Хочешь добавки? Он хотел. Но после второй заглоченной порции без предупреждения поднимался, чуть набычась бормотал "спасибо", торопливо шел в коридор, кое-как завязывал шнурки, беззвучно, с явным облегчением уходил.

Меня поддразнивали — и я съедала еще несколько ложек. Как-то раз, впрочем, я даже попыталась Андрюху догнать, есть с ним наравне, забрасывать в рот кашу с такой же скоростью — это оказалось невозможно!

Однажды бабушка наконец не выдержала "смотреть, как Андрюша ходит", и откуда-то из запасов выдала ему "почти новые" ботинки — мои, которые я и правда толком не поносила, выросла. "Почти новые" вещи тогда, как известно, не выбрасывали, берегли. И ярко-голубые веселые ботиночки выпрыгнули из бабушкиного сундука в арбатский коридор. Андрюша смущенно улыбнулся, ботинки пришлись ему в самую пору, аккуратно завязал бантики и ушел счастливый. Хотя выглядело это немного странно: мальчишка в старенькой бесцветной курточке, таких же изношенных, утративших вид и цвет штанах — и сияющих голубых ботинках! Целый день Андрюха проходил в них и не отзывался на Генкины дразнилки. Но на следующее утро снова оказался в прежних, разбойничьих. Голубеньких ботиночек мы так больше и не увидели. На мой вопрос Андрюша только махнул рукой и ничего не ответил.

Играл с нами и Васька. Белокурый, кудрявый мальчик-ангел. Как страшно он кончит свои дни (путь профессионального вора, тюрьмы, ранняя смерть), тогда никому не могло привидеться и в самом жутком кошмаре.

Васька был младше меня на три года — малявка! я его едва замечала. Но наши бабушки дружили, и несколько раз я бывала у Васьки дома. Это была тоже расселенная коммуналка, в которой среди множества родных и близких Васьки — многоголосого женского царства — жил в светлой комнате в клетке зеленый говорящий попугай. Он действительно произносил хрипло и раскатисто "хороший мальчик", "привет", а если очень попросишь, то и "здравствуйте, товарищи".

Очень, очень большая в ширину, но при том коротенькая Васькина бабушка и моя знали друг друга "всю жизнь", обе жили в этом доме с юности.

Бабушка, хлопоча на кухне по хозяйству, зорко посматривала в окошко нашего первого этажа и, когда видела идущих через двор любимых соседей, кивала и махала им — заходите! И они заходили. "Я на минутку", говорила Васькина бабушка — и стояла в коридоре целую бесконечность, не раздеваясь и не соглашаясь попить чай. Моя бабушка закончила семь классов, Васькина работала профессором в институте, но говорить они могли часами. Про родных, про соседей, что "выкинули" там, а что там. На последнем этаже, четвертом, жила "спекулянтка" с ярко накрашенными вишневыми губами и фиолетовыми веками — Марина, она резко звонила в звонок и вынимала из блестящей сумки ценные вещи — финские сапоги, колготки, "кофточки". Ее главным клиентом была Верочка, которая Марине всегда радовалась, оживленно мерила принесенные сокровища и иногда даже что-то "брала".

А потом дедушка умер.

От третьего инфаркта, внезапно, лежа в больнице и уже собираясь выписываться, жарким июльским днем.

И изменился Арбат.

Все вроде бы шло по-прежнему — варенья, рогалики, холодец. Но без деда словно бы не осталось уже ничего кроме. Ласковой доброты, невидимо разлитой в воздухе, стало отчетливо меньше. И в самой квартире сделалось вдруг темней, или это просто деревья выросли во дворе?

Вскоре и мы переехали с "Ждановской" на Ленинский проспект, родителям очень нравилась наша новая квартира, а я — неожиданно — заскучала по старой. Там было три маленьких комнатки, здесь только две. О чем только родители думали?

Я сто раз потом бывала на Арбате, как и все, переживала его перерождение из живой улицы в глянцевую, ходила дивиться на хиппи, сидевших прямо на асфальте и что-то наигрывавших на гитаре, а потом привыкла и к такому Арбату. Без троллейбусов и "Зоомагазина", без "Охотника" и кафе-мороженого. Вскоре после смерти бабушки Верочка с Арбата переехала, продала квартиру давно подстерегавшему лакомый кусок предпринимателю, скупавшему в этом доме все квартиры, одну за одной, и переселилась поближе к нам, на Ленинский.

...Недавно с младшей дочкой мы побывали в театре Вахтангова. На мой вкус, спектакль был шумноват и аляповат, но дочке понравилось. Мы вышли из театра. Стоял пронзительно холодный солнечный ноябрьский день, дул ледяной ветер. Хотелось поскорее спрятаться в тепло, и мы побежали к машине. Но запаркована она была далеко от театра, совсем рядом с тем самым арбатским домом, возле "кружка". И я не выдержала, позвала дочку заглянуть на минутку во "двор, где прошло мое детство". Мы зашли.

Арка осталась прежней, но камень, которой берег стены от повозок, исчез.

Теплые окошки квартиры на первом этаже смотрели холодно, поблескивая стеклопакетами; прежнюю деревянную дверь сменила роскошная с безвкусной медной ручкой. Мне захотелось вдохнуть знакомого затхлого подъездного запаха, дочка дернула ручку — конечно, закрыто. Домофон. Набрать "17"?

Вдоль почужевших окон стояли машины — в нашем детстве они сюда никогда не заезжали. Да и не было их ни у кого. Двор тоже перестал быть двором, превратился в обнесенный высоким железным забором огородик — с пустующей сейчас овальной клумбой, газоном и ярко-розовой лавочкой для сотрудников компании, которая заселилась в бывший Генкин-Андрюшкин дом. Когда-то сверкавшие стекла небоскреба заметно потускнели.

— Где же вы играли? — удивляется дочка.

"Здесь", — показываю я и очень хочу рассказать ей всё, что знаю и помню про это место, — про ящик с перламутровыми пуговицами и двумя запутавшимися в нитках медалями, белокурого поэта в черном пальто и другого поэта, любившего играть в снег, про дедушку, бабушку, белого пушистого песика, петуха над ванной, про щедрые вкусные праздники и полки с вареньем, но почему-то не могу. Потом, потом как-нибудь, пусть подрастет немного или просто прочтет однажды этот рассказ.

# Глеб Шульпяков

## Дом книги.
## Новый Арбат

Э то место я вижу почти каждый день, мы ходим здесь по дороге из школы, когда я забираю сына. Самый обычный треугольник асфальта; пустое, продувное пространство. Никто не задерживается здесь, а бежит в переход или на остановку. Никто больше не назначает свидание, не прячется от дождя. Не ждет очереди позвонить. Мира, где все это было, больше нет, он исчез вместе с телефонными будками. Только сквозняк прежний и яростно крутит мусор.

Первый книжный развал появился на этом месте в начале девяностых, лавка букиниста, от которой он ра-

ботал, находилась рядом в Калашном. Мой университетский товарищ устроился сюда по случаю, а потом зама-
нил и меня. Я согласился, ведь всё прекрасно сходилось:
когда-то, когда империя рухнула, имажинисты вышли
торговать книгами на Никитскую, а философы открыли
лавку в Леонтьевском, и вот теперь вышли мы, студенты
и читатели этих философов и поэтов, — когда рухнула
империя следующая. Книги в эпоху перемен, повторяю-
щийся сюжет. Ну и заработок, конечно.

Место под навесом почтамта на углу Калининского
(а теперь Нового Арбата) среди лоточников считалось самым прибыльным. Тут было главное — людской поток,
трафик. Боровицкая, где торговали мы, хоть и под каш-
танами, и под Ленинкой, и с видом на Кремль, не шла
с Калининским ни в какое сравнение. Мы мечтали взять
в аренду этот угол. Торговать в очередь с другими лоточ-
никами. Дело было за малым — за суммой, и вскоре мы
ее собрали.

Книги на развале продавались разные, букинисти-
ческие и новые, переиздания философии, психологии,
истории, поэзии. Альбомы по искусству, словари. Собрания сочинений. Все то, что до этого было дефицитом или
запрещалось. Как я уже сказал, мы работали от лавки.
В ней заправляли двое; одного "букиниста", длинного
и тощего, звали Карл Карлыч, он был молчун и куриль-
щик со впалыми серыми щеками. А второй, пухлый
и невысокий, заросший по губы кучерявой черной бородой, представился Мишей. В отличие от насупленного
Карлыча, Миша любил балагурить, со своей бородой он

смахивал на Маркса, имя "Карл" ему подходило больше. А Карл пил за конторкой коньяк и молчал, наблюдая сквозь дымок своей трубки, как мы поднимаем из подвала коробки.

Это были коробки из-под бананов, все наши книги пахли бананами. Сорок-пятьдесят коробок. Из подвала — в машину, из машины — на асфальт. Утром. Разгрузить и разложить. Люди начинали подходить, когда книги еще лежали в коробках. На развалах подобного рода вообще образовывался свой круг общения, многих мы знали по именам, не говоря об известных личностях, актерах или политиках, которые наведывались за книгами. Люди не только покупали, они предлагали сами, особенно пожилые, интеллигентного вида, в старых светлых плащах. Они привозили книги в тележках, тогда лавка в схеме не участвовала, мы выкупали книги с рук на руки. Книга цинично выставлялась на продажу вдвое дороже, но тех, кому не хватало на хлеб сегодня, это устраивало: не надо было ждать комиссии. Сколько денег уходило в лавку? Сколько оседало в карманах? Никакой отчетности не существовало, все делалось "на глаз", тогдашние деньги-фантики измерялись "горстями", то есть сколько пальцы могли ухватить из ящика. А другая часть шла на милицию и чеченский рэкет.

Его звали Руслан, он влезал на своем белом "мерседесе" прямо на тротуар, где стояли столы с книгами, и угрюмо скалился из машины. Мой напарник относил ему деньги. Когда он поцапался с дагестанцами и его застрелили — тут же неподалеку в "жигулях", — к нам повадились два других вертлявых кавказца. И тот, и эти приходили раз в неделю, а менты обдирали без расписания. А еще часть денег пропивалась без всякого учета. Вермут, пиво, мадера, кубинский ром — нас устраивало всё, что продавали у "Художественного". После "сухих" времен алкогольное море никак не хотело входить в берега.

Наш книжный развал был частью системы, существовавшей у Дома книги. Нелегальной, разумеется. Среди "жучков", отирающихся вокруг него, — бомжеватого вида, без возраста и с одинаково плохими зубами — имелась своя иерархия. Верховодил среди них Коля из Королева, бородатый детина с лицом каэспэшника. Раньше он работал в КБ, а когда наука рухнула, перешел на книги. Специализировался Коля на редких словарях. Англо-русский по химии или арабско-русский по нефтедобыче, испанский математический не переиздавались с семидесятых, а в девяностых, когда мир открылся, вдруг многим понадобились. "Жучки" сплетничали, что словари казенные и Коля на пару с королёвским библиотекарем просто распродает фонды. Скорее всего, так оно и было, хотя никаких библиотечных отметин на книгах не было.

Шурик из Отрадного работал с томами из собраний сочинений, которые добывал по окраинным букинистам — филиалам центральных, куда не забредали скупщики. Книги он возил в клетчатой пенсионерской тележке. Ухоженный и откормленный малый, он отличался от большинства книжных скупщиков, больше похожих на бродяг или нищих. Раньше он играл в оркестре на флейте, его жена работла в кооперативном кафе.

Поскольку из собраний пропадали, как правило, одни и те же томики — с "Грозой", или "Анной Карениной", или чеховскими пьесами, — работа у Шурика была довольно однообразной.

Третий тип по кличке Крысёныш занимался "Литпамятниками". Он мог достать самую редкую книгу из этой серии, "Тараса Бульбу", например. Этот мифический "Бульба" фигурировал в разговорах довольно часто, те, кто хоть раз держал эту книгу в руках, считались счастливчиками, что объяснялось просто, ведь этот "Бульба", выпущенный в пятидесятых к юбилею писателя, остался нераспродан и пошел под нож. А Крысёныш брался найти даже суперобложку (все "Литпамятники" первоначально имели суперобложку). Не все суперобложки ценились одинаково; например, "памятник" Фолкнера почти всегда шел "одетым", а достать "супер" под Пополь Вуха считалось невозможным, поскольку к нему "супер" печатался подарочным тиражом только для членов Академии.

Альбомами по искусству заведовал Мордатый — книжник, работавший на ступеньках у Дома книги. Мордатого недолюбливали — курируя мелких альбомщиков, он нещадно обдирал их. Как ни странно, альбомы по искусству в то время оставались востребованными и стоили денег. Бывшие дефицитом при совке, они и тогда уходили быстро. Покупали такие альбомы, как правило, люди из интеллигенции, сумевшие сохранить достаток. Или "новые русские", по советской инерции считавшие издание по искусству хорошим подарком.

Особенный спрос был у фотоальбомов "Москва". Их скупали туристы, повалившие в страну, чтобы своими глазами увидеть, как "зарождается свобода на обломках империи Зла". Самыми щедрыми слыли немцы — эти покупали, не торгуясь, а самыми сквалыжными — французы. При том что в пересчете на европейские цены альбомы обходились им даром. А еще Мордатый мог достать каталоги выставок, приезжавших в Москву в те годы чуть ли не каждые полгода. Кандинского, Миро, Малевича, Шагала, Пикассо, Дали.

Еще один тип специализировался на советской периодике. Книжники почему-то звали его полным именем "Володя Григорьев". В любое время года этот высокий и лысоватый, с редкими усиками на губе господин носил длинное черное пальто и был увешан авоськами. Пальто под мышками давно прорвалось, оттуда торчал ватин. На голове Володя носил красную бейсбольную кепку из гуманитарной помощи. Он мог под заказ отыскать "Известия", вышедшие в день смерти Сталина, или "Огонек" с Гагариным, "Ленинградскую правду", где напечатали ждановское постановление о журналах "Звезда" и "Ленинград", или "Вечерку" со статьей "Окололитературный трутень".

Поскольку мобильные телефоны еще не появились, все эти люди, чтобы не пропустить клиента, отирались поблизости от лотка — ведь тот, кто искал книгу, сначала приходил к нам. Тут-то его и цеплял "жучок". Цены на подобные книги были астрономические, но поскольку в магазинах ничего подобного отыскать было невозможно, покупатель рано или поздно соглашался. О самих "жучках" говорили, что они скряги и подпольные миллионеры. Глядя на немытых и нечесаных, не совсем психически здоровых людей, можно было поверить в первое. Но миллионеры?

За то короткое время на книжном развале (которое мне почему-то хочется назвать эпохой) я собрал маленькую, но довольно неплохую библиотеку советских изданий. Она потом сгорела на складе при очередном моем переезде. Вместе со складом и книгами сгорели мои видеокассеты с записями любимых спектаклей, виниловые пластинки, альбомы с марками, записные книжки и магнитофоннные бобины. Доцифровой период, как шутили друзья. Тогда я не слишком печалился по этому поводу, а теперь отыскиваю в букинистах то, чем когда-то торговал на развале и что не смог сохранить; такая вот рифма. Чем дальше уходит это время, тем отчетливее я вижу, как мало от него остается. Как далеко и безвозвратно все разлетелось, распалось, расплавилось. Мой университетский друг спился и кочует по клиникам. Полное собрание "Литпамятников", составленное за время на развале, он пропил еще тогда, когда книги чего-то стоили. Карлыча и Миши нет на свете, теперь в книжной лавке открыли дорогой антикварный. Из жучков один тип еще трется в предбаннике Дома книги. Внешне он совсем не изменился, но чем торгует сегодня, когда книги превратились в йогурты? Боюсь даже представить. И остался этот вот угол. Пустой, продуваемый ветром кусок асфальта под навесом почтамта, где никто не назначает свидания, никто никого не ждет больше. А наоборот, пробегает, зябко поднимая плечи, чтобы успеть на троллейбус. Я рассказываю, что когда-то здесь импровизировали поэты и раздавали автографы артисты. Спорили о Бердяеве коммунисты и демократы, а послы иностранных держав скупали альбомы по русским иконам. Даже бандиты размахивали здесь своими пушками, но куда все это делось, куда улетучилось? Куда исчезло вместе с воздухом — из которого и состояло, наверное?

# Ольга Вельчинская
## Между Пречистенкой и Остоженкой

**Н**а дворе апрель 1918 года. И без того не самое спокойное и далеко не комфортное для жизни время, а бабушка моя Ольга еще и на сносях. Старшей дочери четвертый год, и ожидается рождение будущего моего отца. В один из тех весенних дней бабушка отсылает записку давнему своему другу, искусствоведу и собирателю искусства Павлу Давыдовичу Эттингеру: "Большая просьба к Вам, Павел Давыдович! Может быть, поможете нам? Нас выселяют из нашей квартиры. В четыре-пять дней мы должны освободить квартиру. Будь я здорова — еще не так жутко было бы. Может быть, Вы сегодня порасспросите или разузнаете у кого-либо — хоть полквартиры, 3 комнаты, но без мебели. Нам и мебель некуда девать".

Увы, Павел Давыдович помочь не смог, но, видно, взывала бабушка не к нему одному, и квартира нашлась. Темноватая, сырая, не слишком удобная в трехэтажном доме, выстроенном в стиле скромного модерна, якобы в бельэтаже со стороны переулка, но едва ли не полуподвальная со двора. Однако в хорошем месте, между Пречистенкой и Остоженкой, в доме № 5 по Мансуровскому переулку. Прежде жил здесь брат бабушкиной подруги Наташи Давыдовой, в девичестве Заяицкой. Бабушка дружила с Наташей с детства, некогда они учились вместе в I Московской гимназии, а став взрослыми, каждую весну встречались в Риме. Расставшись с мужем, Наташа переехала с сыном и дочерью в Вечный город на ПМЖ, и дружили они с бабушкой до тех самых пор, пока их не разлучили известные исторические обстоятельства.

Наташин брат, журналист и писатель Сергей Сергеевич Заяицкий, был человеком во всех отношениях замечательным. Его рассказы и повести "Жизнеописание Лососинова" и "Баклажаны" открылись читателю только в конце восьмидесятых и оказались изумительными. Родившись горбуном, физическим своим недостатком Сергей Сергеевич ничуть не тяготился и даже отчасти им бравировал. Веселый мистификатор и щеголь, он обряжался во фраки, цилиндры, перчатки и кружевные жабо, поражал воображение и эпатировал окружающих. Будучи жителем Мансуровского переулка и шествуя по Пречистенке в сторону Пречистенских ворот, нередко встречал кого-то, чересчур откровенно изумлявшегося его экзотическому облику. В этом случае Сергей Сергеевич немедленно садился в трамвай, шедший в обратном направлении, проезжал одну остановку и снова направлялся к Пречистенским воротам. Бестактный прохожий вновь встречал престранного горбуна и изумлялся вдвойне. Неленивый, азартный и артистичный Сергей Сергеевич снова садился в трамвай и проделывал фокус с самого начала, вводя встречных в транс. Неутомимому Сергею Сергеевичу шутка неизменно удавалась, тем более что до октябрьского переворота трамваи по Пречистенке ходили регулярно и не были так переполнены, как в последующие времена.

Видно, Сергей Сергеевич подыскал себе жилье получше, и прежняя его квартира досталась бабушке с дедушкой. Предполагалось задержаться здесь ненадолго, максимум до следующей весны, только бы пережить зиму и переждать тяжелые времена, которые должны же наконец закончиться… Однако общеизвестно, что временное — это и есть самое постоянное, что подтвердило своим примером наше семейство, пережившее в Мансуровском переулке восемьдесят зим, столько же весен, лет и осеней и окончательно покинувшее родное гнездо за два года до наступления нового тысячелетия. В сентябре 1918 года прибыл в Мансуровский переулок будущий мой отец младенец Алексей, через тридцать лет сюда же привезли меня, а еще через двадцать шесть — дочь нашу Наталью.

А по соседству с нами ровно через два года после папиного рождения в доме № 3 по Мансуровскому переулку родилась III студия МХАТ, шесть лет спустя обернувшаяся театром имени своего основателя Евгения Багратионовича Вахтангова. По причине мансуровского происхождения театра первая из первых принцесс Турандот блистательная Цецилия Воллерштейн и взяла себе псевдоним "Мансурова", породнившись таким манером с бригадиршей (то бишь вдовой бригадного генерала) и домовладелицей Аграфеной Мансуровой, именем которой назвали когда-то переулок. А в еще более незапамятные времена переулочек наш носил имена предыдущих домовладельцев и назывался сначала Талызиным, а потом Мосальским.

Представляю, какая жизнь кипела в соседнем с нами дворе, какие блистательные, молодые и ослепительно талантливые люди сновали по нашему переулку, как они увлекались друг другом и своим театральным делом, как фонтанировали, невзирая на тяжелейшие, бесприютные, голодные времена. Из дневниковых записей девочки Али Эфрон, едва ли не каждый вечер бывавшей с мамой своей Мариной в "мансуровской" студии, выяснилось, что в крошечном с виду двухэтажном особнячке чудесным образом умещался всамделишный зрительный зал с настоящей театральной сценой. Одно из пространственных московских чудес в булгаковском вкусе.

На моей памяти в домике обитала колоритная пара, может даже, происходившая из тех самых вахтанговских времен: высокий сухощавый старик чрезвычайно породистого облика в чем-то сером и полотняном со старенькой серебристой левреткой, тоже очень породистой и горделивой. А на латунной табличке, привинченной к двери, ведущей с улицы в квартиру старика и левретки, возле кнопки старорежимного звонка изящным курсивом выгравирована была фамилия "Морской" (инициалов, увы, не помню).

Во времена вахтанговской студии костюмер для первой постановки "Принцессы Турандот" нашелся по соседству, в том же самом дворе. Не абы кто, а сама Надежда Петровна Ламанова, до переворота имевшая статус поставщика двора Ея Императорского Величества и одевавшая дам артистического и аристократического бомонда. Премьера спектакля, навеки ставшего символом театра, состоялась в 1922 году, в предельно скудные времена, и по эскизам Игнатия Нивинского Надежда Ламанова сшила костюмы из бельевой бязи, магически преобразив простецкую ткань в шелка, парчу и бархат.

В 1911 году муж Ламановой, председатель страхового общества "Россия" Андрей Каютов купил для жены квартиру на пятом этаже нового доходного дома, черный ход которого выходил во двор между Мансуровским и Еропкинским переулками, и обставил на широкую ногу золоченой мебелью в стиле рококо. Но вскоре, так же, как и для всех прочих российских граждан, для Надежды Петровны настала иная пора. Муж канул в лубянских подвалах, а Ламанову "уплотнили", кроме непременных чекистов вселили в просторную квартиру множество разношерстного люда, но милостиво оставили во владении бывшей хозяйки большую гостиную, а в нагрузку к ней должность ответственного квартиросъемщика.

Живо представляю себе, как великая Ламанова, взгромоздившись на золоченый стул из рокайльного гарнитура, снимает показания электросчетчика, делит эту цифру на души квартирного населения, перемножает (в столбик) полученный результат на количество членов каждого из соседских семейств, составляет на разграфленном тетрадном листке ежемесячную сводку, прикнопливает ее к стене коммунальной кухни и собирает деньги, деликатно или, напротив, требовательно стуча в соседские двери и напоминая о долге неплательщикам. Надеюсь все же, что для этой черной работы имелись помощники. Уж чего-чего, а дефицита домработниц (в отличие от всего прочего) в двадцатые и тридцатые годы в Москве не наблюдалось. И в широких квартирных коридорах до поры до времени находилось место для огромных сундуков — традиционных спальных мест прислуги.

В советскую эпоху Ламанова обслуживала большевистскую знать, желавшую одеваться не хуже императорской фамилии, и по-прежнему обшивала актрис. Одной из ее заказчиц и была Цецилия Мансурова, являвшаяся на примерки в дом № 4 по Еропкинскому переулку, но входившая в него через подворотню со стороны переулка Мансуровского. Утверждаю это с уверенностью, потому что отец мой, безмерно почитавший актрису, не раз был тому свидетелем.

Ламанова прожила здесь тридцать лет, до тех самых пор, пока в октябре 1941 года не скончалась скоропостижно в скверике возле Большого театра. В те времена давно уже служила она во МХАТе и собиралась с театром в эвакуацию. В назначенный день, нагруженные скарбом, вместе с младшей сестрой добрели они до театра, но никого не застали. То ли опоздали к назначенному часу, то ли в панике и ужасе тех дней о Ламановой забыли. Как бы то ни было, но на дверях театра сестры увидели объявление: "Театр уехал в эвакуацию". На обратном пути, в растерянности и смятении, сестры присели передохнуть. Но начался авианалет, и потрясенная всем этим совокупным ужасом, здесь же, на скамейке, во время бомбежки, семидесятидевятилетняя Ламанова скончалась. Эти печальные сведения сообщил мне историк моды Александр Васильев. От него же я узнала, что дальние родственники и наследники Ламановой дожили в доме до начала семидесятых, а когда уезжали, ненужное им тряпье — ворох расшитых бисером шифоновых лоскутов (те самые ламановские шедевры) — связали попросту в узел и отнесли на помойку.

А визави с нашим домом № 5 громоздилось (и громоздится ныне) удивительное сооружение, выстроенное по заказу богатого крестьянина Лоськова. До поры до времени трудолюбивый крестьянин жил себе поживал в простеньком деревянном домишке, но в 1901 году случился пожар и дом сгорел. То ли не справились пожарные, прибывшие из расположенной по соседству Пречистенской пожарной части, то ли туда ему была и дорога, ветхому этому домику. К счастью, крестьянин успел поднакопить денег и осуществил давнюю свою мечту — выстроил каменные палаты и в 1906 году отпраздновал новоселье. Но на излете старого лоськовского домика в нем успела пожить Мария Александровна Ульянова, и ее средний сын Владимир, тогдашний нелегал, доставивший в Москву груз марксистской литературы, несколько дней погостил у матери. В чем сам же чистосердечно признался на одном из допросов:

— По возвращении из-за границы я прямо поехал к матери в Москву: Пречистенка, Мансуровский переулок, дом Лоськова.

Неизвестно, как сложилась дальнейшая судьба крестьянина, ясно одно — на свою голову приютил он в своем доме будущего лидера мирового пролетариата.

Так вот, в основе архитектурного замысла нового каменного дома Лоськова — средневековый замок с круглой угловой башней, острой готической кровлей и винтовой лестницей. К фасаду готического замка прилепили мавританский балкон, а стены щедро орнаментировали. И в результате этой эклектики вышло нечто фантастическое. Воплощенные в жизнь архитектором Зеленко грезы Лоськова, "нового русского" начала прошедшего столетия, схожи с архитектурными фантазиями нынешних "новых". Вот только, на мой вкус, дом Лоськова камернее и теплее сегодняшних новорусских сооружений, а архитектурно гораздо убедительнее.

В конце июля 1917 года, освобожденный Временным правительством от должности Верховного главнокомандующего, в фантастическом Лоськовском гнезде (дом 4, квартира 7) поселился генерал Алексей Алексеевич Брусилов. Из очерка военного историка Голикова я узнала, что "во время революционных боев в Москве при обстреле артиллерией восставших здания штаба военного округа мортирный снаряд попал в квартиру Брусиловых. Алексей Алексеевич получил тяжелое ранение в ногу и до июля 1918 года находился на излечении в клинике". И это притом, что за всю свою боевую жизнь генерал не был ранен ни разу!

А дело-то в том, что между Мансуровским и Еропкинским переулками, ровно по тем проходным дворам, где годы спустя прошло детство отца моего и тетушки, мое и моей дочери, проходила линия фронта между "красными" и "белыми". Жилец дома № 3 Евгений Вахтангов так описывал те жутковатые дни: "У нас на Остоженке, в Мансуровском переулке, пальба идет весь день почти непрерывно. Выстрелы ружейные, револьверные и пушечные. Два дня уже не выходим на улицу. Хлеб сегодня не доставили. Кормимся тем, что есть. На ночь забиваем окна, чтоб не проникал свет. Газеты не выходят, в чем дело и кто в кого стреляет — не знаем".

За пару месяцев до рождения моего отца Алексей Алексеевич Брусилов вернулся из клиники домой, а еще через восемь лет 21 марта 1926 года инспектор красной кавалерии скончался от паралича сердца, и папа мой, большой уже мальчик, на всю жизнь запомнил торжественные похороны по высшему советскому разряду с тьмой запрудивших переулок кавалеристов и оркестров. Запомнил и долго еще с увлечением рисовал всадников в островерхих буденновках со звездами. Почет, которым пользовался генерал в советской республике, не защитил Брусиловых от уплотнения. Генеральской семье оставили три комнаты из восьми, в остальные, само собой, подселили чекистов.

А еще через шестьдесят лет, в середине восьмидесятых, в квартире нашей раздался звонок. Я открыла дверь и обнаружила за нею приятнейшего господина — военного историка Александра Георгиевича Кавтарадзе, интересовавшегося, не осталось ли в нашем доме долгожителей, помнящих, где именно проживал генерал Брусилов. Я радостно сообщила военному историку, что такие долгожители имеются — это отец мой и тетушка. И я могу предоставить военной науке фотографию дома Лоськова-Брусилова, сделанную то ли в 13-м, то ли в 14-м году. Впрочем, не исключено, что я ввела военного историка в заблуждение, потому что жительница дома № 11 по Мансуровскому переулку искусствовед Ирина Александровна Кузнецова полагала, что на самом деле генерал жил не в большом доме, а в его флигеле, тоже весьма забавном домишке с двумя симметричными башенками и треугольными эркерами. На наших глазах в том флигеле случился пожар, жителей в мгновение ока переселили и скоропалительно выстроили на освободившемся пространстве многоэтажное кооперативное жилье. А еще Ирина Александровна рассказывала, как в один из октябрьских дней 1917 года Алексей Алексеевич по-соседски зашел к ее отцу-архитектору обсудить происходящее, посоветоваться, как быть, как жить и что делать.

В те же дни московского восстания, едва ли не накануне ранения генерала, с письмом-просьбой взять на себя командование силами сопротивления к Брусилову пришла группа офицеров, одним из которых был Сергей Яковлевич Эфрон, папа девочки Али. Переговоры, длившиеся не менее часа, успехом не увенчались: сославшись на болезнь, Брусилов отказался принять командование. Этот эпизод, а также напряженная атмосфера тех дней лаконично, но чрезвычайно выразительно описаны в "Записках добровольца" Сергея Эфрона.

Что же касается дома Кузнецовых, то эта крошечная городская усадьба, пережившая пожар 1812 года и сменившая на протяжении XIX столетия нескольких владельцев, была и, надеюсь, останется жемчужиной Мансуровского переулка. В 1913 году архитектор Александр Васильевич Кузнецов купил ампирный особнячок у старушки-купчихи Воскобоевой и перестроил его так талантливо и толково, с таким тонким и точным пониманием стиля, что сохранилось, а может, и преумножилось обаяние века предыдущего. Чудесным образом усадьбу под сенью древнего тополя не экспроприировали, и она осталась в собственности семьи. Изюминка усадьбы — крошечная калитка в каменной ограде, и, сколько себя помню, из Мансуровского переулка проникнуть внутрь можно было только через нее. Самый низенький лилипут или мелкий ребенок не старше четырех лет могут войти в калитку, не сгибаясь в три погибели. Все остальные в нее ныряют. Отсюда возникла легенда о человеке-карлике, некогда выстроившем дом с учетом собственных параметров.

И еще одно переулочное чудо — густо, до самой крыши завитый девичьим виноградом брандмауэр соседнего с кузнецовским доходного трехэтажного дома № 13. Поколения мансуровских жителей сменяют друг друга, а виноград, посаженный архитектором, вьется и вьется, завивает и завивает стену, матереет, осенью багровеет и облетает, весной возрождается. А поколения Кузнецовых героически отстаивают виноградные кущи от местного домоуправления, посягающего на него во время изредка случающихся покрасочных работ.

Висит на стене пейзаж: лето 1946 года, кузнецовский дворик в густой июньской тени, разбавленной солнечными бликами. На крылечке моя юная мама листает конспект, готовится к госэкзамену. Видно, Ирочка, Ирина Александровна Кузнецова, разрешила отцу моему написать будущую мою маму в своем саду. Что неудивительно, ведь с тетушкой моей они познакомились в раннем детстве. Обе родились в 1914 году, только Ирочка прибыла в Мансуровский переулок годовалым ребенком, а тетушку мою Татьяну привезли сюда четырехлетней. Вместе они занимались в кружке юных искусствоведов при Музее изящных искусств, одновременно учились в ИФЛИ. И всю свою последующую жизнь Ирина Александровна работала в музее Александра III, то есть в ГМИИ им. Пушкина. Тетушка моя прожила в Мансуровском переулке семьдесят четыре года из отпущенных ей семидесяти восьми, Ирочка задержалась на десятилетие.

В одном из Таниных писем обнаружилось описание дивного июньского вечера 1939 года: "Вчера провела необыкновенно поэтический вечер… В саду, в тени дерев, полулежа в гамаке, распивала чай из кузнецовского

Алёна Дергилёва. Сокольники (фрагмент). Акварель. 2011

сервиза, а прелестная бледная девушка в пышном платье тем временем по какой-то удивительной книге (арабский кабалистик!!!) гадала для меня, поступать ли мне в аспирантуру. Получилось: жестокая лютость рока противится тому, чего надеешься!"

Увы, арабское гадание в точности предсказало мучительную и оскорбительно тщетную эпопею Таниного поступления в аспирантуру, но это отдельный сюжет, органично вписавшийся в эпоху и выразительно ее иллюстрирующий. Что же касается сервиза, из которого семья Кузнецовых распивала чаи под сенью собственных дерев в самом центре Москвы, то остается только гадать, изготовило ли его Товарищество фарфорового и фаянсового производства Матвея Сидоровича Кузнецова, однофамильца архитектора, назвала ли Таня сервиз кузнецовским по имени его владельцев или же это шутливый парадокс?

В войну Кузнецовы не покинули своего домика. Из семейных бумажных залежей возникло письмо, отосланное на Урал тетушке моей Татьяне 3 июля 1942 года. Вот строки, сохранившие подробности жизни домика в военные дни:

Мы живем по-старому в нашем маленьком домике, который в свое время храбро выдержал три зажигалки, свалившиеся ему на крышу. В саду же у нас Верушка навела всякие эстетические усовершенствования и даже щель (которую мы выкопали в углу сада у ворот) всю засадила мавританским газоном. Сейчас у нее вид безобидной клумбы, а помню, как, бывало, мы бегали туда в чудные

лунные ночи (я теперь всю жизнь не смогу глядеть на лу-
ну, не вспоминая бомбежек) или в ноябрьские дни, когда тревоги бывали по шесть, по семь раз в сутки и надо
было урывками ловить время, чтобы сбегать за хлебом
и что-нибудь сварить на обед. Меня эти дневные тревоги, по правде говоря, даже забавляли. Мне нравилось
спешно закрывать ставни, проверять воду и лопаты, бегать туда и обратно. Торопиться перехватить чего-нибудь
поесть и т. д. В реальную опасность днем как-то не ве-
рилось, а в то же время необычность обстановки дейст-
вовала как-то возбуждающе и интересно. Ночью — это
было, конечно, другое дело. Но и тут должна сказать, что
бояться мы все очень скоро перестали. Сидя в щели, читали французские романы, рукодельничали (у нас туда
проведено электричество), я связала себе целых 2 пары
нарядных летних перчаток, в которых щеголяю сейчас
и которые были сделаны только за часы тревог. Как
только стрельба немного утихала, мы с папой вылезали
и разгуливали по саду, болтали с соседом Топленино-
вым, потом опять прятались.

В очерке Ирины Александровны "Между Остоженкой
и Пречистенкой", напечатанном в журнале "Наше насле-
дие" (№ 29–30 от 1994 года) и проиллюстрированном пре-
красными фотографиями Александра Викторова, есть
трогательные строки:

Когда в темный осенний вечер я спешу с работы домой,
то, едва войдя в свой переулок, начинаю всматривать-

ся вперед, и какое-то радостное успокоение проникает в сердце, как завижу под деревьями очертания знакомого ампирного особнячка и засветившиеся в нем окошки. "Здравствуй, милый домик, здравствуй, мой родной, я пришла", — шепчу я ему и знаю, что он слышит мои слова.

Бывало, идешь мимо кузнецовского домика, а из крошечной калитки (едва ли не из-под ног твоих) выпархивает, словно птичка из гнезда, Ирина Александровна, Ирочка, худенькая, как девочка, гладко причесанная, в очках с толстыми линзами. Выпархивает, улыбается близоруко и мечтательно чему-то своему и летит, летит по переулку, торопится в музей.

Кстати говоря, в начале двадцатых коммунальная напасть не обошла и Кузнецовых: в их аристократической усадьбе поселилась (к счастью, ненадолго, пока не подыскали жилья попросторнее) огромная громогласная семья удалого Гаи Дмитриевича Гая — личного друга Семена Буденного и командира легендарной Железной дивизии.

А упомянутый в Ирочкином письме сосед Топленинов, с которым Кузнецовы болтали в промежутках между ночными тревогами, — это один из братьев Топлениновых, хозяев дома № 9, театральных людей и друзей Булгакова. В уютном подвальчике их деревянного дома на белокаменном фундаменте Михаил Афанасьевич и поселил своего Мастера с его Маргаритой. Дом Топлениновых, выстроенный в тридцатых годах XIX столетия, переходил из рук в руки до тех пор, пока его не купил купец первой гильдии Сергей Топленинов, и по наследству дом перешел к двум его сыновьям, Владимиру и Сергею. А в подвальчике, описанном Булгаковым с документальной точностью, театральный художник, гитарист, любитель романсов и компанейский человек Сергей Топленинов устроил свою мастерскую. Другую половину топлениновского дома в те же времена снимал другой друг Булгакова драматург Сергей Ермолинский. В детстве моем окрестная публика (в том числе дворники, самые осведомленные люди) звали топлениновский домишко "домом Власовой", и действительно некая старая дама в нем проживала. Видимо, это и была Евгения Владимировна Власова, жена Сергея Сергеевича Топленинова. В советские времена, как это ни удивительно, дом Топлениновых оставался в частной собственности, так же как и кузнецовская усадьба. А окошки прославившегося на весь свет "булгаковского" подвальчика и сейчас можно разглядеть сквозь щели в заборе. Разумеется, все булгаковские адреса и реалии давным-давно досконально изучены мириадами фанатов, но до чего же забавно, что до "сирени, липы и клена", тех самых, что росли "в четырех шагах" от подвального окошка Мастера, от нашего окна, возле которого я запоем читала первую, журнальную публикацию "Мастера и Маргариты", было шагов двадцать, не более. Но в те времена я об этом обстоятельстве и не подозревала, глядела себе на "дом Мастера" как ни в чем не бывало, даже рисовала его время от времени за неимением другой натуры и в ус не дула...

А еще раньше между нашим домом № 5 и топлениновским № 9 существовал, что логично, дом № 7. Свидетельствую, что в конце пятидесятых его не разрушили, а аккуратно разобрали по бревнышку, каждое тщательно пронумеровали, погрузили на грузовики и увезли куда-то туда, где ему предстояло возродиться для следующей жизни наподобие птицы Феникс. А ведь в деревянном том доме, упорхнувшем на наших глазах в неизвестном направлении, в семье архитектора Георгия Гольца и балерины Галины Щегловой родилась в 1925 году художница Ника Георгиевна Гольц и прожила в нем детство свое и отрочество. Ника Гольц и подруга ее Таня Лившиц (дружбе этих художниц, познакомившихся пятилетними девочками, жизнь щедро отпустила целых восемьдесят лет!) посещали одну из рисовальных групп, которые бабушка моя вела для детей московской интеллигенции, продолжавшей, невзирая ни на какие житейские и исторические катаклизмы, учить детей своих не только насущному.

Что же касается доходного дома № 13, вплотную примыкавшего к кузнецовской усадьбе (это его брандмауэр вот уже сотню лет обвивает реликтовый девичий виноград) то из всех его жителей я знала одну лишь Надежду Николаевну Победоносцеву, машинистку. Эта суровая светлоглазая дама, сиделица, лагерница пострадала за родного своего дядюшку Константина Петровича Победоносцева. Того самого Победоносцева, который в блоковской интерпретации "над Россией простер совиные крыла" и в этой не слишком удобной позе четверть века пребывал в должности обер-прокурора Святейшего синода.

Я несколько раз бывала в аскетической безбытной комнате Надежды Николаевны, относила чьи-то рукописи, то ли тетушки моей, то ли отца, забирала выполненную работу и отчего-то неуютно и зябко ощущала себя под колючим взглядом хозяйки, то ли испытующим, то ли чего-то ожидающим.

Обо всех домах, составляющих наш переулок, и об их жителях не расскажешь в недлинном тексте, но завершает коротенькую московскую трассу дом № 12/21. Скромным торцом это здание выходит в наш переулочек, а нарядным фасадом обращено к аристократической Пречистенке. Нынче это Российская академия художеств, но судьба породистого здания не так уж и проста. Выстроили его на рубеже XVIII и XIX веков для семейства Потемкиных, неоднократно перестраивали, а в конце XIX века усадьбу приобрел Иван Морозов, тот самый, из когорты просвещенных российских предпринимателей, меценатов и благотворителей, которые пытались и гипотетически (при ином ментальном и историческом раскладе) могли бы сделать Россию процветающей европейской страной. Увы-увы… Так вот, после череды катаклизмов в 1928 году здесь открыли чудо-музей, объединивший в единое целое два великолепных собрания нового западного искусства: Ивана Абрамовича Морозова и Сергея Ивановича Щукина. Ничего не скажешь, знали образованные российские купцы толк в изобразительном искусстве!

И многие годы бабушка с дедушкой и отец мой с тетушкой запросто приходили в музей, счастливо расположенный в двух минутах ходьбы от нашего дома, наслаждались живописью любимых художников, при этом старшие вспоминали, какой свободной, яркой и радостной может быть обычная человеческая жизнь, а младшие об этом только догадывались. Увы, Государственный музей нового западного искусства в славные годы "борьбы с космополитизмом" ликвидировали как особо злостный рассадник низкопоклонства перед упадочной буржуазной культурой. Спасибо, экспонаты не уничтожили, а поделили между ГМИИ им. Пушкина и Эрмитажем, в чьих запасниках они и пребывали до поры до времени.

Но настал момент, когда в тех же залах Музея изящных искусств, которые долго-долго оккупировала выставка подарков, поднесенных населением городов и весей товарищу Сталину к его 70-летнему юбилею (я была на этой выставке, но запомнила почему-то одни только высоченные стопки простыней), в самом конце ужасного и прекрасного 1953 года чудесным образом появились любимые французы. Но не все, далеко не все любители западной живописи дождались этой радостной встречи…

Так вот, во дворе дома № 12/21 в одном из его флигелей жила Наталья Михайловна Вавилова, гениальный без преувеличения врач-гомеопат. Наталья Михайловна лечила и бабушку мою, и маму, и даже меня, подростка. К удивлению многих, знавших эту "нравную", более того, грубоватую даму, и побаивавшихся ее, мама моя подружилась с Натальей Михайловной, и вдвоем они принялись переводить знаменитый "Фармацевтический лексикон" отца гомеопатии Самуила Ганемана, более чем за 200 лет с момента его создания не потерявший актуальность.

А когда Наталья Михайловна, большая любительница путешествий, уезжала куда-нибудь (а путешествовала она на собственной "Волге" с личным шофером и по совместительству племянницей кудрявой разбитной Ириной), она просила нас с мамой присматривать за ее квартирой и при возможности ночевать, что мы и делали не без удовольствия. Квартира-то была не обычная, а спланированная по-старинному, полная антикварных чудес, с восхитительной библиотекой, но, главное, с собственным, окруженным высокой каменной стеной внутренним садиком, неважно, что крохотным. Круглый год, в любое время суток, хоть днем, хоть ночью, распахивай высокие застекленные двери, выходи в сад, смотри на небо, вроде бы и на московское-то не очень похожее. Этакая игрушечная, но и всамделишная модель городской усадебной жизни. Однако пришла пора, и совсем уже старенькую Наталью Михайловну изгнали из уютнейшего и укромного ее жилища, переселили в тесную квартирку на Комсомольском проспекте, но недолго, совсем недолго она там прожила, всего-то несколько месяцев.

Но не одной только Вавиловой представлена была наша "мансуровская" медицина. И если требовалась срочная, экстренная помощь, на гомеопатию не полагались, а призывали доктора Дилигенского, аллопата•. Дилигенскому звонили по телефону, и он немедленно являлся. Худой и сутуловатый неулыбчивый человек с классическим докторским чемоданчиком, доктор Дилигенский жил напротив нас в доме № 6, пользовался абсолютным доверием, и любое его указание выполнялось незамедлительно и беспрекословно. Очень жаль, но я не помню имени доктора, не раз спасавшего членов нашей семьи в чрезвычайных обстоятельствах, вот и отец мой обязан был ему жизнью. Отчего-то в записных книжках, сохранившихся с давних времен, имя его отсутствует. Но чудится мне, будто звали его Германом…

Нынче облик переулка изменился, хотя главные достопримечательности пока на месте. Это затянутый зеленоватой сеткой и без особой надежды ожидающий реставрации домик бывшей вахтанговской студии, деревянный дом Топлениновых и прелестная кузнецовская усадьба. Дом Лоськова, пусть и не в первоначальном своем обличье, существует по-прежнему. Фантастическое сооружение необратимо опростилось еще в середине шестидесятых, когда после пожара, длительного ремонта, повторного пожара и нового ремонта в нем разместился военный атташе Сирии (всего на протяжении двадцатого века на долю дома Лоськова выпало не менее четырех пожаров).

• *Аллопат* — врач, лечащий методами аллопатии, т. е. традиционной медицины.

Но главное тени, все тени на месте и несть им числа. Всякий раз, когда я сворачиваю в свой переулок и иду недлинным его маршрутом, что в одну сторону, что в другую, и о чем бы я ни думала за минуту до этого, непременно случается непредсказуемая встреча (а то и несколько встреч) с когда-то знакомыми или вовсе незнакомыми бывшими мансуровскими жителями, привычными некогда лицами. Являются они неожиданно, самопроизвольно, вперемешку, без всякой системы и из разных времен. Вдруг будто из-под земли явится рыжая Лиза, поднимавшая петли на капроновых чулках всего окрестного женского населения. Вдвоем с сыном, бледненьким веснушчатым Женькой, озорным моим одноклассником, они обитали-выживали в глубочайшем, лишенном даже признаков дневного света и давно уж закатанном асфальтом подвале возле нынешнего грузинского ресторана.

Ни с того ни с сего, будто бы и не умер вечность назад, повстречается горбатенький Эмик, человек без возраста в старомодном громоздком пальто кофейного цвета, повстречается и смущенно улыбнется виноватой улыбкой — вот уж, казалось бы, навсегда позабытая фигура из далекого-предалекого детства. А то ловко вынырнет из крошечных воротец Ирина Александровна Кузнецова, застучит каблучками по переулку, а за окном бельэтажа бледным пятном замаячит трагическое лицо Надежды Николаевны Победоносцевой.

Изредка мелькнут молодые мои родители. Улыбающиеся, но не слишком-то веселые, они обыкновенно стоят в устье двора напротив нашего дома, в точности такие, как на снимке, сделанном солнечным майским днем 48-го года папиным товарищем художником Петей Шебашовым. И в любую, даже пасмурную погоду отбрасывают тени. Что неудивительно, потому что это остановившееся мгновение, вставленное в овальную мозаичную рамочку, привезенную бабушкой из Равенны (кто же уезжает из Равенны без рамочки?), всегда перед моими глазами. Снимок бледненький, выцветший, а мозаика как новая, ничего ей не сделалось за сто с лишним лет.

Или увижу себя, тринадцатилетнюю, в апрельских сумерках 1961 года. В лучезарнейшем настроении на душевном подъеме такого накала, какого впредь в жизни моей не случалось ни разу, возвращаюсь я со встречи Гагарина. В тот незабываемый и беспрецедентный по силе всеобщего ликования и единения день мы, отпущенные с уроков одноклассницы, внедрились в колонну ткацкой фабрики "Красная Роза" и в едином порыве с ткачихами и ткачами устремились на Красную площадь. Несколько часов то двигались черепашьим шагом, то топтались на месте, но, в конце концов, восклицая нечто ликующее, трепеща и чем-то даже размахивая, промаршировали мимо мавзолея.

Но маме-то моей в те радостные часы виделась иная картина, жуткая и совсем еще свежая. Вождь-то всех времен и народов помер всего-навсего восемью годами ранее. А чем всенародная российская скорбь отличается от всенародного российского ликования? Мама ни минуты не сомневалась, что опять случится трагедия, и ее, с раннего детства заряженную тревожностью, за-

шкаливающей за разумные пределы (что неудивительно
для сироты 37-го года), обуял смертный ужас. Мама уже
не чаяла увидеть меня живой, а сидеть в бездействии
дома, ничего не предпринимать и ждать у моря пого-
ды — это было не по ее силам и не в ее характере, и она
абсолютно иррационально и немотивированно металась
несколько часов по окрестностям. Металась не в одиночестве, а вместе с соседкой Анной Васильевной, не так
давно поселившейся в нашей квартире вместе с мужем-
инвалидом и старенькой слепой свекровью. Двумя убо-
гими, практически нежилыми комнатенками награди-
ли этих людей, вернувшихся с северов, где провели они
долгие годы вовсе не по собственной воле и не в погоне
за длинным рублем.

И стоило мне в тот ранний апрельский вечер свернуть в родной переулок, как я мгновенно увидела Анну
Васильевну, мчавшуюся навстречу с развевающимися
по ветру серо-седыми космами и обезумевшим взором
актрисы немого кинематографа. Простирая костлявые
руки, выпрастывающиеся из растянутых рукавов нищенской одежонки, Анна Васильевна возглашала на весь переулок нечто ликующее и одновременно яростное. А на-
стигнув меня, мертвой хваткой вцепилась в предплечье
(да так, что синяки остались) и доставила к изнемогшей
и вконец обессилевшей маме, ожидавшей неминуемой
трагедии. Так это и осталось навечно в маминой благо-
дарной памяти — Анна Васильевна, возвратившая целым и невредимым ее единственное дитя. И этот сюжет
обрел статус остановившегося мгновения.

Но вот что интересно — границы переулка тени не пересекают, не покидают мансуровского пространства, растворяются и тают бесследно, едва выйдешь из переулочного коридора на просторы Остоженки или Пречистенки. Непросто, ох как непросто сконструирован этот мир… таинственно…

И еще одно умозаключение: видно, жизнь на первом этаже (пусть даже и в бельэтаже) существенно отличается от жизни на втором, третьем, а тем более на шестнадцатом, где мы обитаем вот уже много лет, и по-своему формирует мироощущение. Жизнь Мансуровского переулка текла не мимо нашей угловой комнаты, а сквозь нее, весь световой день мы находились в ее потоке и только на ночь задергивали шторы. Поэтому при свете дня наша жизнь была абсолютно прозрачна. На глазах у жителей переулка и случайных прохожих мы завтракали и обедали, отец мой работал за своим мольбертом, мама давала уроки, я читала и рисовала, а знакомые, проходившие мимо нашего окна, приветственно постукивали по стеклу костяшками пальцев. И нас это ничуть не смущало, напротив, вносило в жизнь некий уютный компонент и связывало с мансуровской местностью и ее социумом почти родственными узами. Да ведь и мы из года в год увлеченно следили из своего окна, вроде как из ложи бенуара, за жизнью земляков, взрослением их, старением и развитием судеб, комментировали возникавшие сюжеты, обсуждали ситуации и делились наблюдениями. Не скрою, до сих пор люблю заглядывать в чужие окна. Знаю, что некой любопытной

Варваре на базаре нос оторвали, но не могу отделаться от дурной привычки.

Да уж, давненько я покинула эти края, полжизни прожила по другим адресам, редко, очень редко бываю здесь, но ведь никуда не денешься, недлинный переулок между Остоженкой и Пречистенкой — это и есть моя малая родина. Милая малая историческая родина, полагающаяся каждому человеку.

# Виталий Вольф
## Военная Москва.
## Мясницкая улица

Трудно найти в Москве более странный и унылый двор, чем двор дома № 15 по Мясницкой улице. Узкий каменный колодец глубиной в семь этажей, куда даже летом редко заглядывает солнце. В свое время это был доходный дом, принадлежавший семье фарфорозаводчика Кузнецова. В советское время дом был популярен из-за двух магазинов: слева — "Инструменты", справа — магазин под названием "Динамо", у его входа стоял на задних лапах громадный и пыльный бурый медведь с синей буквой "Д" на груди.

В этом доме до 1917 года снимали квартиры многие состоятельные москвичи того времени: врачи, инженеры, профессора, чиновники. На лестницах лежали ковры, в огромных лифтах были зеркала, карельская береза, дуб, красное дерево. Вся техника, ванны, туалеты — от компании "Мюр и Мерилиз". Всё это великолепие венчал помпезный фасад в духе русского модерна: стильные кариатиды, скульптура геральдического льва со щитом в каменных лапах. В этом доме моя бабушка жила с 1919 года.

Однажды, холодной зимней ночью, на четвертом этаже в одной из коммунальных квартир этого мрачного дома (от былого величия которого оставался только фасад), мне суждено было родиться 1 февраля 1933 года и прожить всё свое детство и юность, до тридцати почти лет!

## Мои прекрасные няни

Комнату, где я родился, я смог рассмотреть отчетливо только тогда, когда она стала уже чужой, а мне было, скорее всего, лет пять. Комната была большая, но длинная и узкая, с окном, занимающим всю "торцевую" стену. Поэтому в комнате было всегда очень светло. Под окном находился какой-то хозяйственный двор, весь заставленный штабелями разноцветных ящиков и бочек. Во двор постоянно въезжали грузовики, с шумом и грохотом разгружались и уезжали обратно с другим грузом. Громко ругались и смеялись рабочие, кто-то командовал, крича в рупор. Всё это я помню как бы сквозь сон, в тумане, видя себя при этом в коляске посреди комнаты, в жару, с температурой, и над собой — белокурую головку (няня?), смотрящую на меня со словами: "Корь? Корь?" "Корь" — это первое слово, которое я помню из ранних лет жизни. Потом кто-то говорил, что я почти умирал. Но, как видите, обошлось. Еще какие-то ощущения в подсознании сохранили мне путешествия в коляске по каким-то зеленым бульварам. Очевидно, это была Сретенка или Чистые пруды. Все время над собой вижу белокурые головки в светлых "венчиках". Видимо, это были разные няни, которые мной занимались в разное время. Как мне впоследствии рассказывали соседи по квартире, мама день и ночь пропадала в своих редакциях, работала "на пятилетку", куда-то уезжала. А бабушка в те годы еще жила отдельно и тоже работала (кажется, в музыкальной школе). Так что все детство до четырех лет прошло с нянечками, оставив во мне любовь ко всему "деревенскому" и стойкое сознание, что я "ничей", что меня эти девочки берут "напрокат", поиграть, как куклу.

## Первый обыск

Первое четко сохранившееся воспоминание детства — обыск у нас в комнате и арест матери 17 ноября 1937 года. Проснувшись среди ночи и выглянув из-за огромного "славянского" шкафа, которым была отгорожена моя "детская" от остальной комнаты, я увидел нечто настолько странное, что буквально оцепенел на некоторое время. Я отчетливо помню, как довольно долго внимательно и молча разглядывал происходящее, не испытывая поначалу ни страха, ни испуга, только удивляясь несообразности происходящего. Посреди комнаты, под светом большого оранжевого абажура, на полу валялась огромная гора сваленных в кучу книг, журналов, газет, которые всегда лежали на полках, теперь совсем пустых. Слева на стуле сидел какой-то незнакомый человек в фуражке и очках, из-за горы бумаг виделся еще один, склоненный над этой горой и что-то внимательно читавший. Лицо было в тени, и мне хотелось, помню, получше его разглядеть, но не получалось. Сзади стоял наш дворник, которого я узнал сразу, — "дядя Левон", в белом фартуке и с большой знакомой мне бородой.

Мама сидела справа от меня на диване, на том же самом месте, где перед тем, как лечь спать, она читала мне большую зеленую книгу "Доктор Айболит", где была буря на море и собака Авва кричала всем: "Спасайся кто может!"

Мама сидела согнувшись, застыв, обхватив себя руками, глядя как бы в одну точку мокрыми глазами, из которых сами по себе текли слезы. Мне, помню, показалось, что она ничего не видит.

Вдруг человек в фуражке, который сидел напротив меня, поднял голову и стал смотреть прямо на меня. Я еще не понимал, что происходит, и не испугался. Я тоже его рассматривал: худое лицо, почерневшее какое-то, болезненное, старое — мне стало даже жалко этого человека. Но все-таки не так, конечно, как маму. Этот человек сказал что-то дворнику, и тот боком, осторожно прошел вдоль стены ко мне, завернул меня в одеяло и понес в маленькую "комнату бабушки", которая была рядом в коридоре. Бабушка лежала, закрыв глаза, рядом сидела соседка, тетя Катя, чем-то противно пахло.

Меня куда-то уложили и я, видимо, снова заснул, так как очнулся в темноте. Мама держала меня на руках, а в светлом пространстве двери стояли два темных силуэта в фуражках. Только тут я ощутил, что происходит что-то очень, очень плохое. Стало страшно, нахлынул какой-то ужас. И, конечно, слезы, слезы. Помню, мама стала меня весело и громко спрашивать: "Скажи, что тебе привезти — велосипед, мишку, паровоз?" Я видел, что она из всех сил старается "держаться" и казаться спокойной, хотя на самом деле ей, видимо, очень плохо и ее трясет. Чтобы поддержать ее "игру", я тоже стал просить маму: "Привези велосипед, велосипед!" И тут раздался голос: "Все, хватит! Идите!", и она пошла по коридору, а за ней, как-то тяжело и понуро, — эти двое в фуражках и дворник с огромным мешком на спине. Несмотря на охвативший меня ужас, я помню свое впечатление, что всем участникам этой сцены было тяжело и неприятно. И две темные фигуры в фуражках сами были подневольные, усталые дяди.

Что было дальше — не знаю. Опять провал памяти надолго. Кажется, жил с бабушкой в ее каморке. Все это время наша комната была опечатана, а потом приехали и заняли ее муж и жена с девочкой. И соседи говорили шепотом про них: "НКВД, НКВД".

# Матрос Петр Кошка

Письма от мамы приходили очень редко. Я часто разду-
мывал, что такое лагерь, и не мог его себе представить.
Бабушка твердила, что это просто далекая "команди-
ровка". Но я помнил, как мы стояли у окошка на Кузнецком Мосту в огромной очереди, чтобы передать
ей "посылку", и там шептались о лагерях, об арестах.
Во дворе у нас тоже были дети "врагов народа", у которых кто-то "сидел в лагерях". Но об этом вслух никто
не говорил, тем более со мной.

Почему у одних были мамы и папы, а у других нет —
никто не хотел объяснить. Говорили просто — "тебе,
Петр Кошка, не повезло". (Я забыл сказать, что во дворе перед войной у меня было во дворе прозвище "Петр
Кошка", из-за того, что я когда-то носил морскую беско-
зырку.) От того, что "не повезло", я страдал только ночью,
а днем весело носился, как все. В сентябре 1940 года я пошел в первый класс 286-й школы на улице Мархлевского.
Эта улица шла параллельно улице Кирова к Сретенским
воротам. На ней находились два польских костела. В одном из них, имени Святого Людовика, когда-то бабушка
меня тайно крестила. А возле второго, ближе к бульвару,
я чуть не погиб, когда в июле 1941 года собирали металл-
лом в составе "тимуровской команды" Дворца пионеров.
Прямо в этот костел, пробив крышу, угодила фугасная
бомба и внутри взорвалась. Это было днем, даже тревогу
не объявляли. Впоследствии на обломках костела построили дворец "Трудовые резервы".

Короче говоря, начал я учиться в первом классе. Очень об этом мечтал, но оказалось скучно: я все уже знал, и чтение, и арифметику, и потому часто спал на уроках. Одно событие в первом классе запомнилось. Мне за "итоги года" вручили книжку "Первый удар" в красивом переплете (из серии "Библиотека приключений"). Автор — "Ник. Шпанов". Там увлекательно рассказывалось о будущей войне, как советские летчики и танкисты быстро, за две недели, побеждают Германию. Я прочел и очень удивился: ведь по радио я каждый день слышал, что Германия — наш друг и союзник.

Совсем незадолго до этого я принес из школы новые тетради, которые нам выдали уже на лето, т. е. на летние каникулы 1941 года. На задней обложке тетрадей была карта Польши. Но слова "Польша" там не было, вместо него было написано: слева — "зона государственных интересов Германии", а справа — "зона государственных интересов СССР", а посередине — условная, из точек и тире, линия раздела. Когда бабушка увидела эти карты, она плакала весь день, ничего не готовила, на кухню не выходила. Я ругал себя, что опять какая-то глупость получилась, не надо было ей показывать. Но вечером, когда мы пошли гулять на Сретенский бульвар, бабушка как-то загадочно сказала: "Они о себе много возомнили. Вот посмотришь — они сожрут друг друга, и тогда Польша опять возродится". Я даже не стал спрашивать, кто эти "они". Я чувствовал, что мы с бабушкой попали под какие-то огромные железные колеса, что нас неминуемо должны *они* раздавить, и ничего с этим не поделать.

Не было страшно, но было очень грустно, что кончается наша тихая жизнь. Была весна 1941 года, я окончил первый класс, до войны оставалось полтора месяца.

## Из истории Остоженки

Почти всю войну я провел в детском доме № 16/64 по адресу Крымская площадь, 5. Двухэтажный особнячок во дворе, с надписью на фасаде: "Дом купца Сабашникова".

Однажды, где-то в 1942 году, глубокой заснеженной зимой, когда вся наша Крымская площадь утопала в сугробах, меня из детдома послали в какую-то поликлинику или диспансер "сдать кровь". Поскольку я был еще мал, отправили вместе с мальчиком постарше, по фамилии Байбеков. Он мне сказал, что "туда" обычно идут втроем-вчетвером, для безопасности, потому что надо пройти целую улицу, а диспансер только в конце, у метро "Дворец Советов". Я удивился, чего бояться-то? Я в 41-м ходил по Москве один, до Сокола, до Арбата, даже до Трех вокзалов — и ничего не случилось! Байбеков объяснил: опасность в том, что на этой улице живут "огольцы" и запросто могут побить, или раздеть, или бритвой "пописать". Чтобы ничего не случилось, чтобы пройти эту улицу, надо знать "правила", а улица — Метростроевская, так ее зовут. Правда, наша воспитательница Евгения Васильевна говорит по-своему: "Остоженка". Я подумал — вроде я все "правила" всех улиц давно знаю, чего бояться? Меня очень угнетало то, что мне как бы дают "старшего".

Ну ладно, оделись теплее, идем, вышли на Садовую, по тропиночке среди сугробов. Во всю ширину — как и в 41-м — ряды противотанковых "ежей". Перешли, входим на узкую незнакомую улочку. Слева — мощные белые дома без окон. Байбеков говорит: "Арсенал". Байбеков этот был молчаливый, хмурый парень из старшей группы. Справа, как он сказал, "мутро". Идем. По правой стороне. По левой — нельзя, там не ходят. Слева — ряд низких серых домов в два-три этажа. В каждом доме — подворотня. И в каждой подворотне — кучка мрачных блатных "пацанов", плюющих семечки. Все они одеты в какое-то темное тряпье. Мы-то детдомовские — аккуратные, чистенькие, гордые. Мы — тоже считаемся шпана, но "безобидная". А здесь сразу видно — "щипачи". Среди них обязательно один "оголец": он постарше, он стоит позади. Я вижу сразу их "схему". Вот сейчас подойдет пацан-"малолетка", станет чего-нибудь просить, приставать. А не дашь — заорет: "Чего ты тянешь на малолеток?" И тут из тени выйдет "оголец" и скажет: "Папа-мама есть? Папу-маму хочешь видеть? Давай деньги сколько есть, а то больше не увидишь!" И лезвие в двух пальцах будет быстро крутить перед глазами! Такие сценки происходили не раз возле школы. Короче, мы молча идем, а эта Метростроевская все не кончается. И почти из каждой подворотни глядят "блатные" и плюются. Людей — никого. Только сугробы. Они-то нас и спасают, за них прячемся от этой шпаны.

Дошли до Обыденской церкви, напротив — наш диспансер, на спуске. И тут сзади нас возникает какой-то парень в черном тулупе: "Пацаны, деньги есть?" И хватает сразу за шкирку! Тут Байбеков набычился, покраснел, глазки засверкали — и на этого парня: "Какой тебе деньги! Кто тебе маза держит! Ты Карим знаешь? Я ему скажу — ты сам деньги давать будешь!" Тот оторопел: "Это кто такой Карим?" — "Карим, который всю Шаболовку держал!" — "Новый, что ли? Так и говори, тока откинулся, всех не волоку, гуляй пока! Спрошу за Карима!" И он исчез так же быстро, как появился. Байбеков повернул ко мне свое широкое, плоское лицо и заулыбался: "Как я его!" — "Высший класс, Байбеков! Приду — всем расскажу!"

## Нехорошая квартира

Первые послевоенные годы — годы "расцвета" нашей коммунальной кухни. Несмотря на ее большие, "дореволюционные" размеры, все-таки шесть–восемь человек, толкущихся одновременно возле газовой плиты, — тяжкое испытание для нервов любой женщины. От скандалов спасало только то, что "иерархия" очередности давно установилась, причем как-то сама собой. Безусловным преимуществом пользовались две дамы: Прасковья "НКВД", у которой муж погиб на фронте, и Юлия Михайловна, желчная и циничная старая интеллектуалка, не боящаяся ни НКВД, ни кого бы то ни было. У нее на фронте погиб единственный сын, красавец и умница

Эдик, математик, доброволец. Когда они с полуграмотной Прасковьей оставались вдвоем у плиты — они вдруг как-то "теплели" друг к другу, осознавая, что они здесь единственные настоящие "жертвы войны". И вдвоем незаметно терроризировали тещу нашего бравого смершевца, безропотную добрейшую "Халю с Полтавы". Она никак не могла взять в толк, за что эти "москвички" ее теснят, за что "невзначай" занимают ее маленький столик, зажатый между их владениями. "Не отсиживайся в тылу, за спинами наших" — был ясный подтекст этих "тычков".

Действительно, этот смершевец, майор, сын милейшей пары зубных врачей, вернулся из Германии с целым грузовиком трофейного добра. В ожидании отдельной квартиры он половину своей большой комнаты отвел под склад тюков, чемоданов и ящиков в тщательной немецкой упаковке. Его десятилетний сын Вовик, родившийся в Берлине, а затем за корзину яиц получивший "справку" роддома в Полтаве, хвалился во дворе, что у них "целый магазин в ящиках". Но квартиру они получали так долго, что ковры сгнили, а фарфор под другой тяжестью потрескался. В семидесятые годы я встретил этого майора, уже совсем седого, на каком-то концерте. Он работал в Вене торгпредом и вдруг прослезился, стал вспоминать нашу "юность", родителей. Сын его погиб, а жена лежала в больнице.

Самые благополучные в нашей квартире были сестры Кессины, которые за все годы ни от кого не пострадали, а все тридцать лет, сколько я их помню, бегали на лыжах и преподавали где-то английский. Чем они жили — не знаю. Они были вежливы, сдержанны и замкнуты.

Но когда мою мать реабилитировали (после XX съезда) и она получила прописку в этой квартире на бывших "бабушкиных" десяти метрах, она оказалась, как сама рассказывала, в некой изоляции. Причем, как ни странно, ее стали сторониться как раз наши "интеллигентные дамы", которые раньше ей сочувствовали. В результате ее новой подругой оказалась полтавская теща нашего смершевца, которой были глубоко чужды всякие исторические катаклизмы. Грустно было смотреть, как мать металась между вдруг обретенной возможностью "мещанского быта" — всех этих салфеточек, вазочек, тарелочек — и своей идеологической непримиримостью времен первых пятилеток, когда она работала в газете "Правда". Она очень стеснялась, что так позорно "врастает в быт", но всеобщая оттепельная волна "вещизма" не давала ей пути к отступлению: так много красивых мелочей было вокруг. Она как бы заново полюбила жизнь — и в результате дожила до восьмидесяти шести лет.

## Парад Победы

В конце июня за мной на машине заехал дядя Лешек и "выпросил" меня у директора на один день, чтобы посмотреть Парад Победы. Он стал очень важный, в польской красивой военной форме и конфедератке, ездил с водителем на "виллисе". И пока мы с ним ехали в Москву, всё подсаживал девушек. Он жил тогда в гостинице "Москва", и я, конечно, был очарован великолепием и простором ее интерьеров. Мрамор, ковры, картины — все это я видел впервые в жизни, тем более в таком изобилии, на всех этажах, в огромных холлах.

Парад Победы мы смотрели, к сожалению, всего лишь с площадки ресторана на седьмом этаже гостиницы "Москва", стояли в большой толпе под зонтиком, так как шел довольно сильный дождь.

Перед нами была вся Манежная площадь с войсками для парада, а Красную площадь мы видели только частично, без Мавзолея. Все присутствующие были этим очень расстроены, но в полевые бинокли мы видели и Жукова, и Рокоссовского на конях. После парада мы поехали на Пушечную улицу, где помещался Союз польских патриотов. Тетушка Зося была там ответственным секретарем. Был большой прием, играла музыка, и я впервые попробовал "Советское" шампанское. Было много красивых женщин, много польских военных и наших военных, целовали руки, улыбались, кланялись, танцевали. А я совершенно потерялся, не знал, что делать, как себя держать. К тому же я не знал польского языка, а здесь все объяснялись по-польски. Но надо было привыкать к новой жизни. В конце вечера тетя Зося повела меня на склад американских "подарков", которых была целая гора, и предложила выбрать себе одежду, чтобы, как она сказала, "с тобой можно было куда-нибудь пойти". Я набрал что-то, но самым удачным приобретением была черная широкая куртка с большими "футбольными" пуговицами. Я носил ее после того еще лет десять, уже после детдома, откуда меня все-таки взяли в конце лета.

# МАРИЯ ГОЛОВАНИВСКАЯ
## Фрунза.
## Набережная теней

Т ретья Фрунзенская, дом один? С тенью деда своего часто встречаешься?

Галина Долматовская — дочь того самого Евгения Долматовского, написавшего о любви, которая никогда не бывает без грусти, — охнула:

— Это же наш дом, и жили мы там много лет! Дед твой очень часто останавливался у нас.

Ну да. Детское назойливое воспоминание: мой дед Савва собирается в Москву из Киева и кричит в телефон (он всегда кричал, когда плохо слышал сам): "Женя, я завтра выезжаю, да-да, остановлюсь у вас, у Чуковских не хочу, там громко, к вам приеду на Фрунзу". Бабушка понять его не могла: снова на Фрунзу? Чуки на Старом Арбате, там же рядом, через Калининский, ЦДЛ, столько друзей вокруг, зачем опять к Долматовским? "Там как в сейфе, — парировал дед, — останешься цел и невредим. Без пьянок, гулянок и прочего столичного ажиотажа".

Этот особенный, наполненный густой и нескончаемой тенью покой пленил меня при первом же просмотре новой квартиры, в которой я так и не стала жить. Стоит пустая, наполняется пылью да тенями прошлого. Но на расстоянии я эту квартиру люблю, восхищаюсь: какая инфраструктура, какие парки — рай, сущий рай! "Тот еще рай, — оппонирует мне внутренний голос, — кущи номенклатурщиков, пущенных под нож истории. Застенок в виде простенка, крепость заточения, цемент, замешанный на страхе. И тех, кто внутри, и тех, кто снаружи".

— Это странное место, — с нажимом сказала риелтор Лена, — но я знала, вы эту квартиру купите. Тут сам черт ногу сломит, — почему-то добавила она.

Ну да, лабиринт, коридоры и подсобки, от входной двери до двери квартирной пять замков и пять разных ключей, связка рвет подкладку. Про деда я, когда покупала, не вспомнила. Это был своеобразный фрунзенский бонус — подтекст, который тут мощнее и значимее того, что видят глаза.

Говорят, здесь жил Каганович, многие совминовские, но на домах мемориальных досок почти нет. Говорят, что соседи здесь по привычке всё знают друг о друге — откуда, неизвестно. Видно, что не обитатели этого района определяют здесь скромное бытие, а сама Фрунза фарширует их, загоняя своей квадратной пятóй в те рамки, что и составляли мучительный для многих блеск прошедшей сталинской эпохи. Блеск развернутого вовнутрь мира, любующегося и одновременно ужасающегося своими потрохами.

Фрунзу спроектировал сталинский росчерк пера — как жилищный рай для коммунистически незаменимых, но в быту скромных и непубличных людей. Здесь жили выслужившиеся кагэбэшники, переехавшие из коммуналок великие советские деятели культуры и "закрытые" ученые — две последние категории чаще встречались в Мозжинке и Переделкине, но на Фрунзе проходили их городские зимовки, напичканные комфортом и, что самое важное, возможностью уединения — за толстыми, почти полутораметровыми кирпичными стенами (мобильный телефон в квартирах почти не берет) спалось без снов. Фрунзенские дворы, каждый — своеобразный *Place des Voges,* яблоневые сады и пустая набережная с вылизанным парком на той стороне реки наполняли легкие чистейшим кислородом, а душу — гордостью за страну.

Всего в пятнадцати километрах от Кремля был построен этот "Город верных". Пожитки его обитателей — от маменькиных украшений до папенькиного исподнего — снесены теперь в многочисленные комиссионки-антикварные, которые и есть дымящееся, медленное, остывающее сердце Фрунзы, его угасающая суть.

Антикварки тут жирные, обильные, что называется, с душком. С тем самым старушечьим бельецом, от которого несет былым величием. Еще недавно легендарный фрунзенский антикварщик Василий Данилыч приторговывал старыми полотенцами, семейными фотоальбомами, из которых выглядывают сошедшие в Аид обитатели Фрунзы в расцвете лет с улыбкой счастья и превосходства на сытых лицах, таблетницами с аспирином конца пятидесятых, записными книжками с телефонами, врачебными инструментами (глазной набор с ручками из слоновой кости, гинекологический набор), письмами, детскими игрушками.

Съеденная, проглоченная, переваренная эпоха здесь все еще заунывно урчит в животе. Можно-можно, глотая слюнки, покопаться в еще не просохшем от неопрятной стирки белье тех самых совминовских времен, поприменять те самые кольца на пальцы и картины на стены. Но сделают это тоже свои или почти свои. Случайных людей на Фрунзе мало, тут не проходят никакие вульгарные маршруты, но кому надо, знают — здесь и нигде больше можно купить препотешнейший подарочек к именинам: генеральское галифе, гимнастерку, портсигар с дарственной надписью, совминовскую, с колосящимся гербом, папку для бумаг или пышное, хотя и изрядно поношенное жабо. Дно Леты. Последнее мерцание.

Фрунза в представлении ее жителей простиралась и простирается от моста до моста и от проспекта до набережной. Квадрат между Комсомольским проспектом, Хамовническим валом, набережной, метромостом и мостом Крымским. За Комсомольским проспектом к Пироговке тянутся те же Фрунзенские улицы, их хвосты —

АЛЁНА ДЕРГИЛЁВА. Старая голубятня (фрагмент). Офорт, акварель. 1999 но там уже другая жизнь, обычная, мелкая, понятная, снующая. Там ведь нет реки, нет гранитной набережной, нет парка за рекой, сталинских квадратов, там люди живут плоско и буднично, ходят в магазины, едят мороженое, негромко мрут. На Фрунзе же некогда именитые и одновременно анонимные жили судьбоносно, и с их смертями сменялись эпохи. Избранные здесь скрывали себя от чужих глаз, замыкаясь в квадратах, образованных прямым пересечением улиц, кажется, тоже что-то шифрующих набором цифр: 1-я Фрунзенская, 2-я Фрунзенская и 3-я… Эти улицы, в свою очередь, разрезаются поперек строго параллельными переездами, образуя сетку с причесанными клумбами, вылизанными спортплощадками, вымощенными дорожками и как по часам поющими сытыми птицами. Только изредка благолепие двора рвет отчаянный пьяный вой сановного сынка-забулдыги лет шестидесяти, оскотинившегося до чертей. Откровенничать только в темные ночи и только на тенистой скамейке у отменно смазанных качелей, чтобы не разобрать — то ли скрипят они, то ли плачет кто.

И в каждом дворе так: птицы, кроны, скамейки, воющий по ночам сынок. Все дворы одинаковы. Все дома тоже. Да и имя у этого квадрата, у этих улиц тоже одно на всех: все здесь фрунзенское — и отца, и сына, и совсем не святого духа. Четыре улицы (одна по ту сторону от проспекта, улица Тимура Фрунзе), набережная и станция метро. Пространство одной троллейбусной остановки, знаменитого по кино 32-го маршрута, циркулирующего по Комсомольскому проспекту, тоже в некоторой своей части до 1958 года именовавшемуся Фрунзенским плацем. Там, где до сих пор голооконные казармы и справные солдатики несут вахту. Фрунзиада. Из рая и ада.

Проспект назвали Комсомольским в 1958 году в ознаменование сорокалетия ВЛКСМ и в благодарность за активное участие молодежи в благоустройстве столицы: "Забота у нас простая, забота наша такая, жила бы страна родная, и нету других забот". Этот молодежный дух вспучился шишкой десятилетия спустя — Дворцом молодежи, но сам Комсомольский, как и другая его сторона, — это уже никакая, на мой вкус, не Фрунза, а лихое и пассионарное царство масскульта, пассионарное, как и любая — по Гумилеву — окраина, пускай даже и окраина Фрунзы. Дворец молодежи, некогда, по слухам, принадлежавший олигарху-комсомольцу Невзлину, "Му-му", переход, забитый сбродом и киосками с китайской мишурой — комсомольцы-добровольцы взяли свое у номенклатурщиков с рыбьими глазами, дали жизни забить радужным ключом; были тут на Комсомольском некогда и "Дары природы" с кедровыми орешками, сушеными грибами и вяленой олениной, красовался и магазин "Русский лен" со скатертями и шторами землистого цвета, которые от стирки превращались в носовой платок. Словом, весь этот проспект, одним концом упирающийся в метромост, а другим (через Остоженку) — в храм Христа Спасителя, живет и клокочет, в отличие от тяжелой, застывшей Фрунзы с ее сонными улицами и вечно пустыми окнами.

Поднималась Фрунза не на обломках самовластья, выросла не на костлявых фундаментах дворянских особняков и снесенных церквей. При ее зачатии здесь и не пахло роскошью и номенклатурной непубличностью, а пахло откровенной мерзостью дна, человеческим разложением и изнанкой даже и не штопаных подштанников.

Комсомольский был проведен сквозь не благоустроенную тогда окраину города, тянувшуюся вдоль Хамовнической набережной Москва-реки. На низинный берег сваливали мусор, во время разливов вода заливала всю округу, образуя непролазные, зловонные, долго не просыхающие болота. В бараках по кромке болот жили рабочие, на которых как следует наседали владельцы окрестных фабрик. Краеведы говорят, что на нынешнем Хамовническом жили хамы, то есть золотых дел мастера, по другой версии, хамы — это ткачи, а Хамовники выросли на месте Хамовной (ткаческой) слободы, но в советские времена тут не было ни тех, ни других, а была именно что мерзость запустения.

Когда было решено в пятидесятые годы возводить здесь "Город верных" и тянуть ветку метро к университету, достроенному в 53-м, количество бараков удесятерилось. Находились они за высоким забором, куда не заглядывала ни молодцеватая милиция, ни "скорая помощь". Там, по воспоминаниям старожилов, творилось страшное — мокрушничество, мордобой, повальный сифилис, детская анемия, кровохарканье, экзотические формы рахита. Осмеливались за этот забор наведываться только пассионарные медички с Пироговки — они сбивались для безопасности в стаи, набирали нехитрую снедь и отправлялись на полевую практику изучать невероятные разновидности патологий и уродств. Обо всем этом мне поведала Ирина Владимировна Воеводская — известный московский невропатолог, врач Рихтера, проработавшая на Пироговке лет тридцать. Она как раз и была среди этих отчаянных пятикурсниц, шастовших сюда за бесценными примерами для будущих научных работ.

Доктора, дипломированные, с осанкой и положением, из Первой градской, ежась проскальзывали мимо зловещего забора к лодочным причалам, до Крымского моста, а потом и по нему на ту сторону: идти было долго, и они вскладчину прикармливали лодочников.

Снос лачуг и исчезновение кунц-экспонатов произошло по-волшебному, в мгновение ока. Лихие солдатики с метлами или за рулем сверкающих поливальных машин зачистили будущий "Город верных" от всякой нечисти в трехдневный срок. На смену поливальным машинам заступили могутные водилы, известные по кинематографу тех лет, из грузовичков с шифоньерами, горками и трюмо. Смеющиеся молодые женщины в крупных бусах — ныне громоздкие лысые старухи с булькающими голосами — бодро руководили разгрузкой-погрузкой. За стремительным переездом наступала жаркая летняя пустота, и район выхолащивался. На Фрунзе оставались только гэкающие домработницы, проветривавшие на балконах от нафталина неподъемные шубы в пол — собольи или — у тех, кто попроще и мужья в замах, — норковые.

Но многие обитатели Фрунзы — дипломаты и разведчики — не появлялись на своих постоялых дворах и зимой. Исключительно их насморочные отпрыски, погоняемые крестьянского вида бабками, плелись в школу или из школы, с зачехленными скрипочками или свернутыми ватманскими листами.

Иногда подобно взрыву бомбы случалось ужасное: чья-то мать перереза́ла вены от безысходной неверности мужа или выбрасывался с балкона безжалостно уволенный функционер. Обсуждать это во дворах было не принято. Услышав новость, пожимали плечами, спешили прочь. Говорили о ерунде. О парижах. Сдержанно, с привычно усталой интонацией. Вот Юлка Хрущева, Долматовский и дипломат Трояновский зацепились языками во дворе, говорят о мини, о новых моделях пежошек, о новых наследниках художника Леже.

Но времена прошли, и новая волна фрунзенских избранных накатила с новой силой: были Кагановичи — стали Абрамовичи, были писатели — стали актеры и танцовщики. Нынешний градоначальник, как и его предшественник, драит эти кварталы с особым рвением, холит и лелеет яблоневые сады, устанавливает космического совершенства туалетные кабины. А вдруг дама, вышедшая с крошечной шелковистой собачкой, захочет по нужде? Фрунза — один из самых дорогих районов Москвы, где живут по преимуществу самые московские сливки — за исключением случайно затесавшихся, типа меня, самозванцев. Формула сливок проста и воспроизведена много где, к примеру, в Переделкине: берете четверть интеллигенции, четверть воров в законе, четверть богачей и четверть "остатков былой роскоши", то есть наследничков, смешиваете, но не взбалтываете. Здесь именно так. В моем подъезде живут и солисты Большого театра, и вдова бывшего замминистра радиоэлектронной промышленности — весельчака, изобретателя, коллекционера джаза, в новые времена даже присевшего на пару лет, — этаж надо мной занимает азербайджанский князь с задушевной золотозубой мамашей, соседка дверь в дверь когда-то работала на местном телефонном узле, читай "в органах", а на последнем этаже, на всем целиком, огромным апартаментом владеет известный олигарх, благодаря которому в подъезде — мрамор и дубовая входная дверь ценой с маленький домик на Златых песках.

Но на руинах "Города верных" новые живут, как в старые времена. Узнавая, не узнают, чтобы не обеспокоить, не обнаружить человека перед не случающимися здесь случайными прохожими. Зачем пялиться на Наталью Фатееву, ежевечернее кормящую дворовых кошек, или аккуратно паркующихся Губенко с Болотовой с нескончаемыми дачными баулами в руках? Цискаридзе, Буре, Ананиашвили проскальзывают здесь незамеченными, потому что узнавать — вульгарно и не пристало человеку с достоинством и положением.

Новые богатые, мой сосед с последнего этажа, да и другие знают свое место. Двигаются бесшумно, уважительно, почти на цыпочках, за любую оплошность извиняясь перед соседями, какого бы вида эти соседи ни были. А кто его знает доподлинно, кто он будет и с кем дружен? Новые фрунзенцы чувствуют генным чутьем, что пришли на территорию, где еще живут тени тех, для кого "господин" не обращение, а формула приговора. Они раскланиваются с каждой швалью, с тем самым спившимся генеральским сынком, живущим с бомжами в своих хоромах на сданные бутылки, потому что черт их всех тут знает. Но участь сынков этих все-таки печальна. Быстренько хомутают их с печатью в паспорте и заселением профессиональные молодухи, через месяц-другой — глядишь, сынок-то уже обитатель отдаленного от Москвы сумасшедшего дома, и риэлторша, подружка молодухи, энергично презентует вычищенное элитное жилье новым владельцам. Излагает фрунзенский миф. Но только шепотом, шепотом.

С магазинами тут не густо. Да и владеют ими свои. Нередко увидишь милую кассиршу, жену владельца, выгуливающую своего пуделя. Бизнес тут стабильный, клиенты — жители окрестных домов, здравствуйте — до свидания, хотя в последнее время залезли сюда чужие сети — "Перекресток"-недоросток и "Мясновъ"-будьтаков. Не выживут они, думаю я. Чужакам здесь не место. Сила здесь свою крепость знает. Поэтому на Фрунзе и нет ни одного сетевого кафе, ни одного ночного клуба. Ти-ши-на. Новое сквозь этот гранит не растет. Неча.

Горизонт на Комсомольском не в счет, Комсомольский, как мы условились, пассионарная окраина Фрунзы. Если охота пройтись за дешевым рожном — так это во Дворец молодежи. Даже кинотеатр "Фитиль", некогда знаменитый, почти угас, потому что кинотеатр теперь

не то что раньше, там должен быть попкорн и другой
дивертисмент, а такой попсы Фрунза не стерпит. В мои
школьные годы тут было престижно, многолюдно —
не попасть. Показывали лучшие "Фитили" с советскими
звездами и неподцензурных Микеланджело Антониони
и Феллини. Помню, как в классе третьем меня и моего
одноклассника Антошу провел на "Репетицию оркестра"
по блату его отец — сын видного революционера Антон
Владимирович Антонов-Овсеенко. Кстати, в старших
классах Тонча доучивался в мидовском интернате, как
и многие дети из этих мест.

Но кое-где "отдохнуть по-человечески" все-таки
можно — поесть в отчаянии в пять утра или, напротив,
привести иностранцев, ошарашить колоритом. Нет, конечно, ничего французского или итальянского тут искать
не нужно, да и, как ни странно, русского тоже. Кабак
"Хлестаков" на углу 3-й Фрунзенской с зайцами в смета-
не и чем-то в горшочках медленно отдает концы уже лет
десять. Укореняется на Фрунзе только восточная нечисть:
японский ресторан, один из самых дорогих в Москве,
корейский на набережной и феерический азербайджанский на дебаркадере с грубой едой и варварским антура-
жем прямо напротив "Пентагона" (Генштаба). Начинался
азербайджанский с маленького плотика, а теперь это
трехэтажный фанерный дворец с люстрами из черного
хрусталя и ослепительным танцем живота. Меню ресторана толщиной с Коран, не говорящие по-русски официан-
ты в белых сорочках, взмыленные, снуют с дымящимися
подносами в руках, а за окном дебаркадера — Москва-

река, чайки, зимой вода замерзшая блестит на солнце, слепит, играет оттенками, летом дебаркадер чуть покачивается на волнах, баюкает. Тут же за стеклом — жаровни, дикие мужики с волосатыми руками кидают шматы алого мяса на раскаленную решетку. Это ресторан для своих, для настоящих мужчин и их сыновей, здесь мужчины кормят мальчиков свежим мясом, тут "кюшают" анонимные азербайджанские хозяева города, они разговаривают тихо и смеются в полсмешка. Без жен, без подружек, без суеты. Молча.

Недавно зашла к Данилычу. Хотелось на дачу купить настенную вешалку с коваными академическими крючками и строгой резьбой по красному дереву — советскую. Прошла мимо помпезной клумбы из георгин, что он разбил перед входом и заботливо поливал из вполне кинематографической леечки. Здесь же он гутарил с дворничихами, иногда и наливал им: шутка ли — поразузнать, не померла ли еще такая-то гранд-дама и что думают ее дети делать со всем этим барахлом. Но Данилыча, как и его магазинчика, не оказалось: замок, ремонт, гипсокартон. Неужели померли уже все и нет больше облупившихся сокровищ "Города верных"? А может, и он сам сошел вместе с последним своим клиентом? Тревожно. Зато на доме моем появилась-таки единственная мемориальная доска — поэту Евгению Ароновичу Долматовскому. Прошлое начало проступать сквозь стены и выходить на поверхность.

# Ролан Быков
## Вышибленный зуб поставили на место

осква резко вошла в мое сердце с самого детства. Она была и остается моим вечным праздником. День мой начинался с крика — я визжал от радости, что живу. Вставал я очень рано — в пять-полшестого утра, и получал от отца за то, что не даю ему выспаться. И я убегал в Москву! Падал в нее с утра и приходил только ночью. В семье меня звали квартирантом. Моей квартирой был весь этот город — моя дорогая Зацепа, Павелецкий вокзал, Щипок, Балчуг, Воробьевы горы, парк культуры, Сокольники, Нескучный сад. Все это было пространством моего детства с самого раннего возраста — лет с пяти.

Мы тогда жили социально неразделенными. В коммуналке с сорока тремя комнатами и одной кухней — и работник МИДа, и директор зверосовхоза, и уборщица ликеро-водочного завода. Постепенно дом все беднее и беднее становился, более пролетарским, но он не стал Вороньей слободкой. Это был странный дом.

Жили мы напротив Зацепского рынка. Если есть чудо из бетона и стекла, то рынок был чудом из стекла и фанеры. Огромное здание рядом с маленьким невзрачным тогда Павелецким вокзалом. И когда немцы бомбили наш район, то, очевидно, они подумали, что это стеклянное сооружение и есть вокзал, и рынок был разгромлен до основания. Когда мы вышли из бомбоубежища, был страшный ветер, срывались горящие железные листы с крыш и, гремя, как Змеи Горынычи, летали над Зацепой. Страшное зрелище.

Как ни странно, самый праздник был не Новый год, а Первое мая. "Утро красит нежным цветом стены древнего Кремля" — эта песня была в крови московского мальчика, а я московский мальчик. И самое главное во всей довоенной жизни было — Первого мая оказаться ближе к Красной площади. Однажды, мне было тогда лет восемь, я пробрался на крышу ГУМа, но слишком рано — всех нас сняла милиция, и мы не увидели парад... Мы тогда делились на ватаги. Были знаменитые дворы — Ульяновка, Мар廠ировка, наш дом назывался Пекарный, потому что в нем находилась пекарня. Я получил очень жестокое амплуа — малышка. Малышка идет впереди всех, далеко впереди, и задирается. Это было, конечно, хулиганством. Надо было плюнуть, подставить ножку, кинуть чем-то. За это я получал первым, подходила ватага и говорила: чего маленького обижаешь? Знаменитая схема жизни и развлечений московских переулков и улиц довоенного времени. Если честно говорить, было страшно, но когда ты играешь роль, то страшно — не страшно, ты идешь, и ничего нельзя сделать, это наше ролевое участие в жизни. Амплуа это, наверное, и определило где-то мою жизнь — не бояться получить, идти первым.

Не могу вам передать основного чувства Москвы, которое созрело в шесть-восемь лет. Этот город был настолько мой, что для меня лечь где-то и поспать немного — ну так, устал — было естественным. Я знал места, где можно спрятаться, где можно увидеть то, что не положено видеть маленькому. Мы очень свободно ориентировались в Москве. У моего старшего брата была манера: "пошли путешествовать по Москве". И почему-то ему всегда надо было меня с собой таскать зимой. Я замерзал через тридцать минут, и он, проклиная меня, вел меня по музеям, просто по городу и очень многое мне открыл. С ним было потрясающе интересно ходить, он видел то, чего не видел я. Я многому научился у брата, сейчас говорят, что со мной интересно ходить.

Москва в моей любви, в моей крови, в моем естестве, и, может быть, поэтому, когда я первый раз приехал в Нью-Йорк, я сказал: ой, это мой город! Того же ритма.

Мы никогда не обращаем внимание на то, в каком ритме живет человек, а ведь это важно.

У меня есть несколько моих московских тайн — например, Василия Блаженного и памятника Гоголю. Однажды, влюбленным юношей, я возвращался к себе на Зацепу часа в три утра через Красную площадь. Было лето. Шел я от Исторического музея к Балчугу. Василий Блаженный стоит на возвышении, и когда сумрак, вы не видите храм. Но с каждым шагом он, как изображение на фотографии, проявляется и возникает во всей своей безумной красе. В то утро я это впервые заметил. Волшебная тайна этого поразительно русского по архитектуре памятника, объединившего в себе в гармонии разные начала, как и сама Москва.

А если стоять лицом к памятнику Гоголю (только не того, который стоит, а того, который сидит) и начать обходить его слева и потом резко обернуться, то окажется, что Гоголь за вами подглядывает. По моему ощущению, он видел не просто правду жизни, а тайну правды жизни. Он немного подглядывал за тем, что скрыто, о чем не говорят. Но при этом он всегда добр с самыми смешными и даже с нехорошими людьми. Хотя более резко о России, чем писал Гоголь, никто больше не писал, конечно, кроме Салтыкова-Щедрина. При этом он был выездным, а Пушкин — нет. И именно Гоголь одним из первых получил государственную премию того времени — перстень от царя за "Вечера на хуторе близ Диканьки".

Москва — моя дивная школа с потрясающими учителями. Мой Дом пионеров, где я первый раз сыграл, поставил первый спектакль. Сколько знаменитых теперь людей там воспитывалось — Владимир Андреев, Людмила Касаткина, Игорь Кваша, Александр Митта, Владимир Васильев, Екатерина Максимова, Тамара Синявская — да всех не перечислить. Моя мечта — найти, на чьей даче находится черный фонтан, который стоял в нашем Доме пионеров и где плавали золотые рыбки, которых не съели даже в 43-м году. Моя Москва — это и Щукинское училище с замечательными преподавателями, театр Вахтангова, МХАТ, родной, хоть я в нем никогда не работал, "Современник", мой Студенческий театр МГУ, который я организовал и создал без разрешения и по легкомыслию…

Москва легла в основу моих трех фильмов. В "Семи няньках" я сумел сделать любопытную для кинематографа начала шестидесятых вещь — показал, как Москва делает зарядку. "Доброе утро, товарищи, все встали" — и я снимал поднимающиеся дома. "Разведите руки в стороны" — и краны разводили в стороны свои стрелы. "Глубоко вдохните, прогнитесь" — и я показывал прогибающиеся мосты. "Вдохнули — выдохнули" — и заводы у меня выдыхали. Я тогда очень переживал, что не справился с цветовым решением Москвы. Но в других двух картинах, в которых выразилась вся моя любовь к этому городу, я уже тщательно организовывал цвет. Во "Внимание, черепаха!" действие происходит осенью и город весь в золоте. Сценарий фильма "Телеграмма" я специально перевел с лета на празднование Нового года, потому что есть времена года, которые идут городу, а Москве идет осень, зима и весна. Сколько я истратил пожарной пены, заливая ею деревья, и город был в сказочном снегу. Я сейчас снимаю мировое обозрение, где пройдут и столицы мира, и малые города, а центром будет Москва. Хочется, хотя это очень трудно, передать органическое сочетание в Москве большого и малого, ее контрасты.

Каждое изменение в Москве для меня было болью. Я переживал появление Калининского проспекта, Дворца съездов, гостиницы "Россия"– сейчас как-то привык, эти маленькие церквушки у гостиницы, как-то все это органически слилось, во всяком случае, в душе. Никак не могу привыкнуть к тому, что застроили проход, восстановив церкви на Красной площади, — слишком привык, что было два входа. Безумно счастлив, лично счастлив храму Христа Спасителя — как же он на месте, как он организует пространство, как его не хватало! Мне даже показалось, что он был как вышибленный зуб, и его поставили на место. И улыбка Москвы теперь стопроцентная.

# Александр Минкин
## Таганка

И гуляли от рубля!
*Высоцкий*

**И**здатели предложили написать про какой-нибудь район Москвы.

— Можно Таганку?

— Конечно.

Отлично! Поехали. Посмотрите налево: улица Александра Солженицына, а на самом деле Большая Коммунистическая. И если десятки лет ходил по ней, и бегал, и катался на велосипеде, то не смотришь на табличку, ты ж не турист. Ты просто знаешь: это Большая Коммунистическая, а посредине — храм Святого Мартина Исповедника, всегда запертый мрачный склад запрещенной литературы, спецхран. Может, теперь там молятся…

Посмотрите направо: Таганская улица — от Таганской площади до Абельмановской заставы. Таганку мой дядя и его друзья-хулиганы называли "дистанция пять по сто", такая эстафета вроде бы. Потому что на Таганке было пять киосков, где водку продавали в разлив, на закуску сушка. Пробежал дистанцию пять по сто — и начинается прекрасный романтичный вечер с непредсказуемыми незнакомками и вполне предсказуемой дракой…

Теперь Таганка — трезвенница, даже пива не выпьешь. Можно, конечно, купить бутылку или — прогресс! — банку, можно зайти в какое-нибудь заведение, но просто так — стоя на улице, из кружки — нет.

Нет, изображать обычный путеводитель неохота. "Посмотрите направо", "посмотрите налево". Там, конечно, и Театр на Таганке, старое здание и новое. На Таганке была тюрьма, давно снесли, но она осталась в прекрасной песне:

Таганка, все ночи, полные огня,

Таганка, зачем сгубила ты меня.

Таганка, я твой последний арестант.

Погибли юность и талант

В стенах твоих.

И стало понятно, что гораздо интереснее писать путеводитель не в пространстве, а во времени.

Во дворах Таганки появлялись замечательные люди: старьевщик, стекольщик, точильщик.

Этих профессий больше нет. Этих людей нет. А ведь это были уникумы — частники в стране победившего социализма. Он всех победил, кроме старьевщика, стекольщика, точильщика. "Частник" стал ругательным словом.

Точильщик тащил на спине (ремень через плечо) тяжеленный деревянный станок, Кричал нараспев: "Точить ножи-ножницы-бритвы-править!", ногой ритмично жал на педаль, на оси крутились точильные камни, от прижатого к камню лезвия летел сверкающий сноп искр, руку подставить страшно, а подставишь — не горячо.

Старьевщик приезжал во двор, лошадка тянула тележку. На тележке — мешки, баулы. Старьевщик кричал: "Старье берем! Старье берем!" — счастливый призыв!

Надо было немедленно выпросить у бабы Розы (на самом деле это была моя прабабушка; днем остальные все на работе) старое драное пальто или одеяло, или какую-нибудь рвань, а если она не дает, если говорит "нету", — обмануть, украсть, потому что время не ждет, старьевщик уедет! А у него в тележке потрясающие вещи: мячики на резинке, еще какие-то чудеса, а самое прекрасное — пистолет! Металлическая вещь, стреляет пистонами, звук оглушительный, восхитительный запах пороха. Самый дорогой пистолет стрелял пробками — но не бутылочными, не теперешними; это были какие-то глиняные цилиндрики, которые взрывались.

## *Детские болезни*

Споры кончались по нарастающей:
— Честное слово!
— Честное ленинское!!
— Честное сталинское!!!
И всё. Честнее некуда. Хотя и остальное — не вранье. Больше всего на свете я любил болеть. Честное сталинское! В школу не ходить! Помойку не выносить! Уроки не делать!

Лежи — читай. Счастье!

Вечером, конечно, приходят, начинают мучить. Таблетки, горчичники — это полбеды, это простуда. А если воспаление лёгких — тогда уколы. Хуже всего, если живот болит. Тогда — клизма.

— Трусы спусти, ляг на левый бок, коленки к животу, дыши глубже.

— Ой, не надо! Ой, скажи, чтоб уборную не занимали!
— Не займут, не займут. Дыши.

Но это — краткие страдания. Дешевая плата за драгоценное удовольствие — целый день свободы!

В столовой, в стене — книжный шкаф. Там — всё что хочешь: капитан Немо, Морис-мустангер, Пышка, Тимур, Миледи и судьба барабанщика.

В квартире, кроме меня, прабабка и нянька. Но они бесправные. У них надо мной власти нету. Одна молилась по-еврейски, другая — по-русски. Обе (дуры) не знали, что никакого Бога на небе нет. Посему их угрозы (мол, он накажет) были ничтожны.

И было любимое, главное. Освоенное лет с пяти. Как все уйдут (дед, бабка, мать и дядя), найти ключ (его иногда перепрятывали), отпереть маленькую верхнюю дверцу шкафа, а там — коробочки!

А в коробочках — ордена и медали. Красного знамени, Красной звезды, За оборону, За освобождение, За взятие, За Победу, За войну, За доблестный труд — всего штук двадцать. Прикалываешь медаль на пижамную курточку, привинчиваешь ордена, находишь место для цветных наборов орденских планок — и готово: комдив, комкор, маршал бронетанковых.

Потом — у зеркала — для себя:

— Пара-а-ад, смир-на!

Ну как же не спасибо за наше счастливое детство? Если б не доброта, если б не доблесть товарища Сталина — не было б у меня столько орденов!

Потом — на подоконник — для всех.

Квартира на первом этаже, проходной таганский двор. Стоишь на подоконнике, стуком в стекло и криками привлекаешь внимание прохожих. А когда обернутся — тогда гордо молча стоишь, пузо вперед, взгляд в небо, великий и скромный.

Бедные прохожие! 1952 год. За стеклом ребенок в полосатой концлагерной куртке, увешанный орденами. Люди отводили глаза и молча шли дальше.

…Через много лет я понимал Брежнева как никто.

Мы были богатые.

В доме 22/24 по Товарищескому переулку (бывш. Дурной), что идет от Таганской улицы до Андроновки, которую только кондукторы в трамваях называли официально "Площадь Прямикова" (я всю детскую жизнь думал "Пряникова" — в честь пряника)… Весь остальной народ говорил "Андроновка", потому что там, на горе над Яузой стоял Андроньевский монастырь; посмотрите направо: музей Рублева, иконы, еще не все украли и вывезли…

Дом 22/24 по Товарищескому переулку — кирпичный пятиэтажный, пять подъездов по десять трехкомнатных квартир.

Из пятидесяти квартир только две-три были отдельные. Одна из них — наша. А может, и вообще одна, ибо других отдельных я не знал, а только предполагаю. Остальные — коммунальные, по две-три семьи.

Даже кагэбэшник З-н в квартире № 11 (на одной площадке с нами) делил квартиру с Кабашкиными. У З-ных было две комнаты, у Кабашкиных — одна. Фамилия их была Ю-ы, но все звали Кабашкиными (от кабана). И почему-то они действительно были явно Кабашкины.

У высокопоставленной прокурорши Александры Васильевны Сергеевой (чуть не замгенпрокурора СССР) — тоже коммуналка. Мужа расстреляли, ее сослали, а моя бабушка кормила ее дочерей: Майю, которая стала врачом, и Галю, которая стала артисткой, одной из жен народного артиста Якута. Вернувшаяся из ссылки суровая прокурорша была категорически против этого брака и Галю выгнала, поэтому свою очередную свадьбу великий Якут справлял в нашей квартире, было очень много вкусного, а потом Галя развелась и окончательно вышла замуж в Германию…

Из Парижа приехал в СССР Ив Монтан, а у нас — первых на весь дом — телевизор "КВН-49"; экран с пачку "Казбека", а видеть хочется всем. Приставили огромную линзу (внутри глицерин, тоже не просто было достать), сели: Соня, дед, мать, Вовка, баба Роза, я и Александра Васильевна. А Монтан поет с микрофоном в руке и ходит по сцене! А надо стоять неподвижно, приклеив зад к роялю.

МАТЬ. Ах, как это прекрасно! (ни слова по-французски она не знала).

АЛЕКСАНДРА ВАСИЛЬЕВНА (тоже по-французски ни бэ ни мэ). Безобразие! Мерзость! Похабщина! Порнография!

У-у, какой был скандал из-за Ив Монтана.

АЛЕКСАНДРА ВАСИЛЬЕВНА. Ноги моей здесь не будет!

Грохнула дверью, чуть с петель не сорвала.

МАТЬ. Ха-ха-ха!!!

А я узнал и запомнил бессмысленное тогда слово "порнография".

Мостовая в Товарищеском была булыжная, в футбол играть неудобно, но играли. Когда весь двор завешен сохнущим бельем — там не поиграешь.

Веники ценились. Веник, стертый почти до ручки, потерявший все тонкие кончики, все еще работал на кухне и в коридоре. А новый веник, которым мели в комнатах, еще целый год назывался новым — то есть чтобы объяснить, какой надо, говорили: возьми новый веник.

Бутылки ценились. Все бутылки сдавали. Досадно, если открыл бутылку — а там скол на верхнем валике горла. Приемщик проводил пальцем по краю горлышка каждой бутылки, сколы замечал, ставил бутылку обратно на приоконный прилавок. Он там в этом окошке в темноте склада был почти не виден. Только руки появлялись и исчезали, забирали бутылки, сыпали мелочь в протянутую ладонь.

Очередь огромная. Или "Закрыто", или "Обед", или "Нет тары" — то есть пустых ящиков, или "Сдаю товар" — погрузка полных ящиков в грузовик, или "Сдаю кассу", или "Принимаю тару", да еще норовил обсчитать.

Поллитровка — 12 копеек, 0,75 и 0,8 (противотанковая) — 17 копеек, чекушка (0,25 литра) — 9 копеек. Банки: поллитровая — пятак, литровая — гривенник, двухлитровая — 20 копеек, трехлитровая — 40. Пустая трехлитровая банка — две буханки серого.

Надо было "подгадать": знать не только часы работы, указанные на табличке, но и "обыкновение". Дед говорил: "Я побегу, займу очередь", а я через полчаса волок туда сумки с бутылками и банками.

С бутылок надо было соскоблить этикетки и начисто отмыть оставшиеся следы, а иначе: "Грязная посуда!" — не брал. Если же пробка вдавлена внутрь, то засунуть в бутылку шпагат, сложив вдвое, и образовавшейся петлей поймать пробку (перевернув бутылку горлышком вниз) и, накинув, тащить. При этом в бутылке должно быть сухо, иначе бумажный шпагат моментально размокнет и порвется.

Поллитровые молочные бутылки резко отличались от водочных и пивных — широкое горлышко. Закрыты эти бутылки были колпачком из фольги — нажми большим пальцем, середина колпачка вдавится, а края задерутся, и легко снять. На молоке колпачок белый, на кефире — зеленый. Цена содержимого и посуды была одинаковая — 15 копеек, очень удобно. Сдаешь две молочные бутылки — взамен тебе дают одну полную. И сдавать легко: ни разу молочная продавщица не сказала: "Нету тары". Но такое молоко — дорогое. Получается, что литр — 30 копеек. А разливное-то — 22.

Некоторые бутылки использовались для постного масла (его продавали в розлив), почти всегда они были очень грязные — не отмыть.

Продавщица ставила бутылку на весы и совала в горлышко воронку, и все это еще качалось, а она уже зачерпнула жестяным ковшом масло из 40-литрового бидона и льет масло в воронку, и стрелка весов шла для меня влево, для продавщицы вправо, и продавщица с красным лицом и золотыми зубами выхватывала воронку и, не давая стечь маслу в бутылку, воронку кидала к себе в лоток, а бутылку ставила на прилавок: вот, мол, ваши 400 грамм, а там дай бог 380, но это не докажешь, хотя и знаешь точно, что бутылка весила 370, а сейчас на контрольных весах не 770…

Затыкаешь бумажной пробкой (скрученной бумажкой, часто клочок газеты, промасленный), бутылка скользкая, масляная, надо не уронить и в хозяйственную сумку поставить, и чтоб не упала, чем-нибудь подпереть: капустой, сахаром.

Целлофановых полиэтиленовых пакетов в природе не существовало. Еду отвешивали в бумажку. В хороших гастрономах в центре сливочное масло отвешивали в тонкую, так называемую пергаментную бумагу, она почти не промасливалась, если не жара летняя. А везде — толстая, коричнево-серая оберточная — рыхлый крафт; и вес бумаги постоянно обсуждался, ибо за нее мы платили как за масло, сахар, сыр.

Продавщица на другую платформу рычажных весов должна была класть такой же кусок такой же бумаги, но там лежал маленький, размером с тетрадный лист, а еду накладывали в лист с полгазеты, да еще подвернув второй слой "для прочности".

Творог, сливочное и топленое масло, сыр, колбасу, икру, сырковую массу, сахар (песок и кусковой, и пиленый), мясо, рыбу (!!!) — всё в бумагу, а она норовила промокнуть, рвалась и расползалась, и кулек с сахарным песком надо было поставить, чтоб не рассыпался и не рядом с рыбой.

Хлеб — просто руками она (другая, но тоже с красным лицом и золотыми зубами) клала на прилавок и рассчитывалась, требуя мелочь. А ей говорили (храбрецы):

— Девушка, мне поподжаристей.

— Девушка, мне еще полкило баранок.

Раз уж выстоял очередь, жаль было уходить только с хлебом. Там и сахар, и конфеты, и пряники. Берешь всего понемножку, а народ за тобой начинает злиться. Ничего расфасованного не было, все взвешивалось: крупа, соль, всякая бакалея, печенье.

"Винный", "Рыба", "Молоко". Магазин назывался "Молоко", а говорили про него "Молочная" (она): "Пойди в молочную, пойди в рыбный (он), овощной" (а на вывеске "Овощи-фрукты"). "Культтовары", "Парфюмерия", "Ателье". На витрине любого ателье всегда висело объявление: "Из материала заказчика".

На каждой улице — мастерская "Ремонт обуви". На каждой улице — "Плиссе-гофре" (вот куда ни разу в жизни не пришлось обратиться, но нравилось, как звучит красиво).

...Сейчас подумал: вдруг это не случайно? На Большой Коммунистической не было мастерских, не было ни одного магазина. Какая торговля в коммунизме?

И мы все время знали, что мы — Великая Могучая Непобедимая страна. Об этом даже думать не приходилось. Ведь не думаешь же, что у тебя есть руки, ноги. Они всегда есть.

И сахар всегда 90 копеек килограмм, манка — 55, рис — 88, гречки могло не быть, за ней гонялись, ее давали в "заказах", но если есть — 56 копеек всегда. Батон всегда 13 копеек, буханка серого до 1961 года — 1 р. 90 к., белого — 2 р. 90к. А после реформы 20 копеек и 28. Эскимо было 1 р. 10 к., стало 11 копеек, картошка "магазинная" — 10 копеек, ибо была и рыночная, вплоть до 50 копеек там доходила цена за "молодую".

0,75 "Цинандали", "Мукузани", "Твиши", "Саперави" и т.д. — всегда 1 р. 87 к. Пол-литра "Московской особой" — всегда 2,87, поллитра "Столичной" — 3,07, "Старка" — 3,60, коньяк "Армянский" три звездочки — 4,12. А если богатство привалило, то в Столешниковом переулке — французский "Камю Наполеон" за 9 рублей! На Таганке и в окрестностях такими изысками, слава Богу, не торговали никогда.

Какой смысл писать эту ведомость, помесь хроники с прейскурантом (в магазинах висел прейскурант и "нормы отпуска в одни руки")?

А такой, что и в VI, и в XVI, и в XIX веке дети ели еду прапрадедов, из посуды прапрадедов, на столах и лавках, возраст которых был неизвестен — они были всегда.

А теперь дети живут в другом мире, чем деды и даже отцы, и не знают, как было.

Газировка с лотков: цилиндры с сиропом, баллон с газом, моечное устройство. Без сиропа — 1 копейка, с сиропом — 4. За 7 копеек — с двойным сиропом (не пил никогда). 7 копеек — это фруктово-ягодное мороженое в картонном стаканчике и деревянная лопаточка.

В бочках квас. Маленькая кружка — 3 копейки, большая, пол-литровая — 6 копеек. Очень вкусный.

В ларьках пиво разливное. Пол-литра — 22 копейки. В баре пол-литровая кружка стоила 28. А пол-литровая бутылка "Жигулёвского" — 37 копеек. Но если пустую сдать, то получается пиво за 25. То есть чуть дороже, чем разливное, и чуть дешевле, чем в баре.

У некоторых в квартирах, у очень немногих, на шкафу стояла коллекция пустых бутылок из-под иностранных напитков — виски, ликёры… Пустые пачки из-под иностранных сигарет — всё это на полках, на шкафах, а некоторые любовно и аккуратно приклеивали пустые сигаретные коробочки на стены — напоказ гостям и для украшения дома.

В кармане засморканный носовой платок, на ногах дырявые носки, штопка, дырявая обувь, унаследованная.

Компьютерных игр не было, поскольку компьютеров не было. Мы играли в "Чижик" (ударить длинной плоской палкой, похожей на меч, но с тупым концом, по короткой палке длиной с карандаш, заостренной с обоих концов. Ударишь правильно — "чижик", вертясь, взлетает в воздух вертикально вверх. В это время лупишь по нему плоской стороной меча, и он улетает далеко, а тот, кто водит, старается его поймать на лету, а иначе бежит искать и знает, что проиграл, даже если найдет и вернется).

Пристенок, казеночка, рас-ши-ши — это игры на деньги.

Ножички (с маялками). Маялки, маять означает мучить. Проигравший должен скакать на одной ноге так долго, пока выигравшему удается, идя по двору, на каждом шагу бросать ножик так, чтоб воткнулся в землю. А не воткнулся, упал — проигравший отмаялся.

Карбид — ценная вещь. Бросишь в лужу — булькает; подожжешь — пузыри горят. Если положить в бутылку и налить воды — взрыв обеспечен. Одному попало в глаз, все разбежались, я дома залег под одеяло, читаю, кашляю. Пришел милиционер, стал допрашивать. Я врал до тех пор, пока не выяснилось, что все остальные уже сознались и сказали, что это я клал карбид в бутылку и наливал воду. Оформили мне первый привод.

Поджига — пистолет, сделанный из металлической трубки. Один конец сплющивают молотком и загибают, чтобы он не пропускал пороховые газы. Трубка, заглушенная с одного конца, проволокой приматывается к деревянной ручке. Внешне — настоящий пистолет. Треугольным напильником пропиливается в металлической трубке поближе к заглушке крошечная дырочка, чтоб через нее поджечь. Потом берешь коробок спичек и перочинным ножиком над листом бумаги соскребаешь серу с головок и аккуратненько насыпаешь в трубочку, в пистолет. Уминаешь тонкой палочкой. Потом туда закатываешь стальной шарик из разбитого подшипника, и вот она — смерть врагам. Слава богу, обошлось, ни разу никого не убил.

Во дворе — натянутые бельевые веревки. Сохнут простыни, пододеяльники (всегда белые, цветных не было). Играть в футбол надо подальше; мяч, попав в непросохшую простыню... Ну, в общем, понятно.

Зимой ковер вытаскивали во двор, набрасывали снегу, а потом расчищали снег веником, и ковер становился чистым, а снег грязным. А летом ковер вешали на забор и лупили палкой. Пыльная работа.

Когда в квартире делали ремонт, маляров просили покрасить стены "под шёлк" — получалось с цветами (по трафарету), более светлые полосы плавно переходили в более тёмные.

Если кто-то уезжал в отпуск на юг, оттуда приходила посылка: фанерный ящик с фруктами, орехами.

Лет с восьми или с девяти, летом на даче, один (а раньше с дядькой Вовкой) каждый день встречал Соню и деда с электрички.

Вообще-то сперва это был пригородный поезд с паровозом, в дверях вагонов висели люди, спрыгивали на ходу. Отчаянные спрыгивали на быстром ходу и бежали, чтоб не упасть; я знал, что прыгать надо назад, но лицом вперед, чтобы прыжок назад погасил скорость. Потом спрыгнувшие бежали, чтоб сесть на автобусы, потому что через минуту толпа хлынет с поезда, и будет очередь, и простоишь час, а то и больше. Потом протянули ветку на Фрязино и люди бежали на Фрязинскую платформу. А еще спустя долгое время пересаживаться уже стало не нужно — поезда в Болшево просто сворачивали на Фрязино.

На Болшевской платформе (той, что на Москву) у первого вагона был табачный ларек, старик-продавец дарил изредка коробки картонные из-под трубок. А я без конца смотрел, как он торгует пачками и штучными. "Север", "Прибой" — дешевые папиросы, 1 р. 10 к. 20 штук. "Беломорканал" — средний класс 2 р. 20 к., "Казбек", "Герцеговина Флор" — дорогие, сталинские. "Казбек" — то ли 3 рубля, то ли больше.

"Казбек" мужики брали штучный — одна–две папиросы, да и "Беломор" был россыпью. А старику-киоскеру это выгодно, потому что за одну папироску платили не 1/20 цены, а на копейку больше.

Дальние электрички (щёлковские, монинские) приходили к противоположной платформе, и я с московской платформы высматривал среди толпы деда и Соню. Часто они приезжали вместе, и я даже не думал, как это сложно — встретиться в Москве… Место, впрочем, было всегда одно: под табло Ярославского вокзала.

Они шли, нагруженные сумками — у каждого по две. У деда — портфель и авоська, у Сони — сумка и авоська, и еще сумочка, и еще могли быть авоськи, если что-то удалось отхватить, поймать. Покупка продуктов — как охота: без гарантии, что добудешь. У Сони всегда одно-два яйца раздавливались в толкучке и заливали паспорт. Почему ее паспорт всегда попадал в яичницу? Это было предметом постоянных шуток.

Я навешивал все эти сумки и авоськи на руль. Велосипед становился тяжел и неповоротлив, сумки то били по ногам, то норовили попасть в спицы. А Соня с дедом налегке шли на дачу или сперва на Клязьму — купаться. Теперь там гнилой ручей. Куда делась речка?

До того как вскочить на велосипед и поехать встречать деда и Соню, я заливал ведрами бак на крыше душа (встык с гнилым фанерным сортиром). Приехав обратно, отдавал сумки бабе Розе и срочно ставил самовар, чтобы теперь

Алёна Дергилёва. У метро "Алексеевская" (фрагмент). Акварель. 2011 залить в душ почти ведро кипятку. Получалась прекрасная теплая вода, хватало даже на троих, если экономно.

Умывальник был прибит к сосне у кухонного крыльца, там литра два воды, а снизу утолщающийся штырек — подтолкнешь его вверх, и в ладони льется вода, отпустишь — закрывается: экономия и сырости меньше. А баба Роза и в Москве, где воду не считали, не берегли, сохранила азиатские привычки: левой рукой открывала кран, в пригоршню правой набирала столовую ложку воды, закрывала кран, умывалась, и — снова и снова; на умывание вряд ли уходил стакан.

Невероятно: Соня — замначальника ЦПК (Центрально-проектный кабинет) ВГОЛПИ ТЭП (Всесоюзный государственный ордена Ленина проектный институт "Теплоэлектропроект") — там проектировались все тепловые и атомные станции СССР и соцлагеря, большая зарплата. Дед (после понижения) — директор маленького завода порошковой металлургии. Благополучные начальники. Они ехали на дачу в электричке, нагруженные авоськами, стоя, 45 минут, и хорошо, если удавалось повесить сумки на крючки. Ни разу дед не использовал для езды домой директорскую персоналку.

Пятидесятые, начало шестидесятых. Ставились два стула сиденьями друг к другу. На спинки клалась большая чертежная доска, рейсшина, готовальня, рейсфедер, балеринка, циркуль, измеритель, центр (кнопка с ямкой в центре для множества концентрических окружностей), ватман, калька, лезвием бритвы заточка карандашей — круглая заточка для обычных линий, плоская — для волосяных… Потом появилось гениальное устройство: на чертежную доску натягивалась леска, устанавливались ролики и рейсшина двигалась по этим струнным рельсам. Потом — венец цивилизации: кульман с двумя линейками под абсолютно точным прямым углом и поворотная ручка с угловыми градусами. Карандаши “Кохинор” — великая ценность, у нас, школьников — “Сакко” и “Ванцетти” и прочие похуже. И никому тогда не надо было объяснять, что Сакко и Ванцетти — два пролетарских героя, казненных в проклятой Америке за верность идеалам коммунизма.

А еще были чернильные карандаши. Если такой послюнявить, он писал как чернилами, и такую надпись гораздо труднее стереть, если надо подделать бухгалтерскую ведомость.

Квитанции выписывались чернильным карандашом под копирку. Почтальонша приносила на дом (на дом!) пенсию бабе Розе — за погибшего на фронте сына. Моя пенсия — за погибшего отца — 96 рублей, после 1961 года — 9 р. 60 к. Открывалась квитанционная книжка, между двумя листиками вкладывалась истертая копирка, почтальон выписывала, баба Роза расписывалась и один из двух листиков отрывали и оставляли нам. Уж не помню, первый или второй экземпляр.

Почту обычную приносили три раза в день, клали в почтовый ящик: в семь-восемь утра, примерно в час дня и около семи вечера.

Было очень волнующе трижды в день искать в почтовом ящике письмо от любимой девушки. Туда же, в почтовый ящик, совалась "Правда", журналы "Новый мир", "Иностранная литература", "Знамя", "Техника — молодежи", "Наука и жизнь", "Химия и жизнь", "Знание — сила", "Пионерская правда" (недолго). А раньше, помню, дед говорил: "Побегу за газетами" — и бежал в ближайший киоск и приносил газеты. "Правда" — 3 копейки, "Известия" — 2. А что там было читать?

Вывески были понятны и неграмотным. "Продовольственный" — красные буквы. "Парикмахерская" — всегда зеленые. "Культтовары" — синие. Точно так же издали вечером и ночью можно было понять, какой идет трамвай: 20-й или 36-й, каждой цифре соответствовал фонарь своего цвета над кабиной вагоновожатой.

В "Парикмахерской" на Таганской улице мастер, чтоб не сгибаться в три погибели, клал на ручки кресла досочку. Я садился на доску, ноги ставил на сиденье, машинка ужасно щипалась. Под бокс, под полубокс, под полечку. Скобка — это взрослая стрижка. Летом малышей стригли налысо, под ноль или под ноль с чубчиком (от солнца). Деда брили опасной бритвой — ритуал. Мастер шел за кипятком, взбивал в чашке пену, помазком мылил деду щеки, брил, снимая с бритвы на салфетку пену со щетиной, потом еще раз шел за кипятком, намачивал полотенце, отжимал и этой огненной тряпкой накрывал лицо — компресс.

Рядом с "Парикмахерской" на Таганской улице — окошко в стене (Пушкинский васисдас). Бублики горячие с маком. Маленький — 3 копейки, большой — 6. Никогда нигде уже не было потом таких. Разрезаешь его вдоль, мажешь маслом (мама: "Зачем ты мажешь так толсто?").

С Воронцовской улицы — трамваем на площадь Ногина (теперь Славянская), на Маросейку к логопеду, который велел говорить "лыба" (рыба), "луки" (руки) и — научил не картавить, а р-р-р потом пришло само. И дворовые мучители уже не требовали повторить за ними: "На горе Арарат растет крупный виноград". А раньше это были слезы, когда пойманный у подъезда... то есть я не успел убежать домой. Им, видимо, нравилось смотреть, как жертва плачет, хотя что уж тут красивого.


Самое страшное — зубная боль. Проходным двором на Большой Рогожский в детскую поликлинику (построил ее до революции какой-то купец-благодетель, двухэтажный особняк, на антресолях квартиры для врачей; в советскую эпоху они стали кабинетами, из зубного постоянно доносились вопли и вой; теперь в особняке — вообразите! — Музей кулинарного искусства).

Жуткие инструменты в лотках с отбитой эмалью: козья ножка, сверла. Бормашина, которую крутила врачиха ногой, качала педаль, как у швейной машинки. Точно так же педалью крутились точильные камни точильщика. Сверла, которые врачиха выбирала из кучки и, посверлив, бросала обратно в эту кучку, — общие. И зонды — общие. О стерильных инструментах тогда и мысли не было. Впрочем, и СПИДа тоже не было, только сифилис. Лишь вата со слюнями и кровью выплевывалась и не использовалась вторично.

Всё использовалось. Учебники, ветошь, бумага, распрямляли ржавые гвозди, делали "жука в пробку" — наматывали проволоку на перегоревший фарфоровый предохранитель.

465-я школа в Большом Факельном. Директор — бывший военный — шел по коридору, командуя: "Руки! Чище! Лучше!" Никто не знал, что делать. Ловил, больно бил по темени костяшкой пальцев (хуже, если ключом), приговаривая: "Вызови мать. Ты меня понял? Ты меня понял? Деда не надо. Вызови мать". Директор знал, что дед мне всё прощает.

Военное дело: вслепую разбирали и собирали винтовку Мосина (думаю, и сейчас справлюсь не глядя).

Билеты в кино, дешевые в первые два ряда — 30 копеек, вечером в середину жутко дорогие — 45. Непонятно, кто их покупал. Берешь билет за 30 и идешь в десятый ряд, как король. Билет в театр — 1 р. 20 к. На премьеру — 1 р. 50 к. В театральном буфете за 1 р. 20 к. наливали 100 граммов коньяку, никто не спрашивал: мальчик, сколько тебе лет?

Мечты о коммунизме привели к упразднению контролеров. В трамваях, автобусах, троллейбусах поставили кассы, куда надо было кинуть денежку и самому себе открутить билет. Добровольные контролеры возле касс следили, сколько ты кинул денег, сколько собираешь сдачи. Потому что публика делилась на честную, которая платила, нечестную, которая ехала без билета (как я), и бесчестную, которая стояла возле кассы и собирала сдачу, сколько могла. Кинет пятачок, а собирает полтинник.

Из школы в Сыромятниках можно было проехать две остановки на трамвае до Андроновки. Моторный вагон и сзади еще два. Если гурьбой сесть в третий вагон, столпиться на задней площадке и начать ритмично подпрыгивать, вагон начинал страшно раскачиваться, мог сойти с рельсов. Мы ликовали. Публика угрожала побить.

Москва была набита китайцами. Праздничные демонстрации 1 Мая и 7 Ноября часами текли по Таганке и спускались по Радищевской к Яузским воротам. По пути все покупали на улице китайские игрушки: свистульки "Уйди-уйди", цветные шары, которые меняли форму, пропеллеры, вертушки, которые крутились от ветра, мячик на резинке: кидаешь, а он возвращается в ладошку.

## Апофеоз

Праздник состоял из трех частей.
Демонстрация. Опоздать было невозможно. Толпа текла и приплясывала часами. По тротуарам стояли

китайцы — продавали волшебные вещи из цветной бумаги.

Обед (переходящий в ужин). Бесконечные закуски, безуспешно навязываемый бульон, плов, пироги, водка, коньяк, вина всякие…

Вечером салют. Дед вел меня за руку. Вниз, к Яузским воротам, к Москве-реке. В темном небе ходили и скрещивались прожекторы, изображая бесчисленные римские десятки и пятерки. Но несколько лучей были неподвижны. Они упирались в огромный, висящий посреди неба портрет. Ласковые глаза, ласковая улыбка, ласковые усы. Народ пел, плясал, кричал "ура!" при вспышках салюта.

— Дед, как он держится?

— На аэростатах.

Невозможно наглядеться!

…Дома у меня была игрушка — башенка с коромыслом. К одному концу коромысла подвешивался самолет, к другому — жестяной дирижабль. Заводишь ключиком пружину из стальной ленты — они летают по кругу. А в книге огромного формата "Я поведу тебя в музей" был роскошный портрет генералиссимуса, защищенный папиросной бумажкой.

Я выдрал портрет. Привязал нитками к дирижаблю. Потом (точно по стишку) поставил стул на стол, залез как можно выше, прицепил дирижабль к люстре. Потом поставил на пол проекционный аппарат (для диафильмов) и направил ярчайший луч на портрет. И — погасил свет.

Всё получилось! В черном небе, в луче прожектора — милое ласковое светлое лицо!

Побежал в столовую, со скандалом вытащил взрослых из-за стола, обещая показать чудо. Они пришли.

Они столпились в дверях темной комнаты. Они смотрели и молчали. Ни один из этих безродных космополитов, прошедших кто — фронт, кто — эвакуацию, ни один не закричал "Ура!"

Никто не произнес ни слова.

Что-то было не так.

Наверное, не хватало салюта.

У Яузских ворот в сыром подвале (речка просачивалась сквозь стены) жила семья дяди Миши. Родной брат деда, большой любитель всех трех стихий (всё, что дымит, горит и шевелится). Он пришел с войны увешанный орденами, капитан-артиллерист, профессор истории, преподавал в МГУ и — жил в подвале; туда постоянно шлялись аспирантки (на консультацию), мы их иногда заставали…

В книжном шкафу — собрания сочинений: у всех одни и те же подписные издания. Ромен Роллан, Эмиль Золя — пытался читать эту жвачку. Но конечно, в миллион раз лучше были Жюль Верн, Джек Лондон, Майн Рид, О’Генри, Лесков, Салтыков-Щедрин. В 56-м году появилось после огромного перерыва собрание сочинений Достоевского в 10 томах, тираж 300 000. Маяковский в 13 томах… Про Булгакова, Набокова даже не слыхали.

В 65-м в серии "Библиотека поэта" вышла Цветаева. (К тому времени уже ее и всех читал в самиздате.) В предисловии — 50 страниц мелким шрифтом! — ни слова о самоубийстве. Автор предисловия "Вл. Орлов" написал: "Марина Цветаева — большой поэт… Но этот большой поэт пережил самую тяжелую для художника трагедию…"

Отгадайте, как заканчивается эта фраза? "Пережил самую тяжелую для художника трагедию: он остался в стороне от столбовой дороги истории. Марина Цветаева в 1917 году изменила именно духу своего великого времени — и заплатила за этой самой дорогой ценой" — осталась на обочине. А еще Орлов написал: "Цветаева почти до самого конца не разлюбила жизни". Эти предисловия сейчас стоило бы издать как научное пособие для перекладывателей столбовых дорог в нашем времени, в XXI веке.

Вся биография, вся судьба — в топонимике.

Я родился в Шелапутинском переулке в родильном доме имени Клары Цеткин. (Шелапут — бездельник, оболтус, обормот, повеса, а Клара — какая-то революционерка, что ли.) Оттуда, перейдя Ульяновскую, Малую Коммунистическую и Большую Коммунистическую, принесли в Товарищеский, а по-старому — в Дурной.

Ульяновская шла от Яузских ворот до Андроновки, там она превращалась в Тулинскую и шла до Заставы Ильича, а потом превращалась в Шоссе Энтузиастов (бывш. Владимирка, каторжная).

И вот — Божьим промыслом — всё изменилось!

Родильный дом Клары Цеткин (бывш. Морозовская богадельня; того самого Морозова, что дал денег Станиславскому на МХТ) — заброшен, гниёт. Ульяновская (Ульянов — настоящая фамилия Ленина) превратилась в Николоямскую. Тулинская (в честь одного из псевдонимов Ленина) превратилась в улицу святого Сергия Радонежского. Большая Коммунистическая, как уже сказано, — в улицу Александра Солженицына, Малая Коммунистическая — в улицу Станиславского (только фамилия, без имени).

Благолепие! Только Шоссе Энтузиастов еще не догадались или не успели переименовать обратно во Владимирку. А меня вообще ни разу не переименовали.

# Алёна Дергилёва

## Я пишу портреты домов…
## Солянка

**Р**одилась я в купеческом одноэтажном особняке с мезонином на Таганке. Дом стоял на углу Воронцовской улицы, по которой тогда ходили трамваи, и переулка Маяковского. В конце этого переулка когда-то жил В. В. Маяковский. И моя бабушка рассказывала, как не раз встречала его на улице, с тростью, шляпой, размашисто шедшего домой.

Улицы — мощенные булыжником, асфальт появился позже. На углу — колонка с артезианской водой, какие теперь встречаются в провинции, а в Москве исчезли в шестидесятых годах. Двор — классический, московский, окруженный плотным высоким забором, с воротами, еще висящими на огромных петлях, и подворотнями с обеих сторон. Первые годы моей жизни был еще дворник-татарин. Внутри двора — отгороженный палисадник с лавочками, клумбы и заросли лопухов. Вдоль высокого забора — сараи. Каждой семье принадлежал закуток, забитый хламом. Часто в сарае стояла кровать или раскладушка. И летом там спали. Во дворе был даже дощатый туалет — скворечник. Помню золотаря, приезжавшего на машине его чистить. Приходили во двор и старьевщик ("старье — берем") и точильщик ("точу ножи-ножницы"). После дождя в лунках от воды, стекающей с крыши, были видны россыпи мелких цветных камушков, летами дробящихся, сверкающих умытостью и блестящими боками. Два огромных, вековых дерева, за стволы которых прятались играющие дети, до сих пор стоят. Это единственное, что сегодня уцелело с тех времен.

Жизнь в послевоенной Москве была сильно уплотненная. В одном нашем особняке, в каждой комнате, закутке и чуланчике жило по семье — кажется, всего двенадцать. Парадных комнат с большими окнами на улицу в доме было всего три. Самую большую занимала семья бывших владельцев этого дома. Центральную, как мне тогда казалось — очень большую, занимала вдова "красного" командира. Сейчас я понимаю, что вещей почти не было, только самое необходимое, поэтому комнаты, хоть и маленькие, казались просторными. В чулане над главным парадным входом, заколоченным по послереволюционной моде, потолок был настолько низкий, что даже я, девочка, не могла выпрямиться. Там можно было сидеть или лежать. Не было ни горячей воды, ни стиральных машин, ни холодильников… Таинственная темнота скрипучей лестницы, ведущей на чердак с толстым слоем пыли и земли вместо пола, с деревянными балками конструкций, — завораживала. Все детство я копила в себе ощущения старого дома.

Мои родители занимали самую дальнюю, за длинными, изгибающимися коридорами, шестнадцатиметровую комнату. Удивительное впечатление оставил голубой, под мрамор, пол, выложенный из пластиковых плиток. Главным персонажем в комнате был стол, на котором и обедали, и работали, и я рисовала — по очереди.

Матушка моя была большой любительницей прекрасного. Она была абсолютно уверена, что я стану художником. Первым моим рисунком, выполненным года в четыре и, конечно, под руководством матери, был портрет Пушкина. Потом я часто рисовала то, что видела каждый день: отца и мать в разных жизненных ситуациях.

Отец и матушка обучались в свое время в Строгановке и впитали в себя уважение к Вечным Законам Красоты. И хотя учились они в конце сороковых — начале пятидесятых годов, расцвет "сталинского ампира", запрещенные импрессионизм и современное искусство Запада вызывали искренний интерес. Матушке нравились раскованность и композиционная свобода Пикассо и Матисса. Теперь и мне это нравится, хотя рисую я по-другому. У каждого художника свой путь.

Когда я училась в седьмом классе, стали ломать дома на Таганской площади. Там жила моя подружка, ей пришлось переехать в новую пятиэтажку в район Ленинодачного. Она попала в класс, где уже училась Надя Рушева. Так я и Надя стали друзьями, и очень жаль, что так ненадолго. Человек она была интересный, и я до сих пор жалею, что нет у меня такого друга.

В 1967 году в журнале "Москва" впервые напечатали роман "Мастер и Маргарита". Тиража на всех желающих не хватило, и журнал "ходил по рукам". Вот и Надя, прочитав, дала журнал мне буквально на один день. С уговором, что я потом нарисую к нему иллюстрации, и мы будем их рассматривать и обсуждать вместе. Надя подошла к иллюстрированию романа очень серьезно, сделала целую папку интересных работ черной тушью. Я не успела дочитать роман за один день, торопясь, ничего толком не поняла. С детства люблю читать медленно, не могу иначе и сейчас. Поэтому и нарисовала кое-что и кое-как… А Надины работы к роману "Мастер и Маргарита" сейчас уже прошли проверку временем и хранятся в музее.

В конце шестидесятых годов стали расселять и нашу улицу в первые хрущевки (потом пришла очередь девятиэтажек). Наш дом пошел под снос в 1972 году. До середины девяностых на его месте был пустырь, теперь там "новодел" — безликий, холодный, офисный.

Четыре года я прожила в Кузьминках, как только появилась возможность — переехала в район Солянки, в дом-"утюг", Петропавловский переулок, 1/2, рядом со знаменитой Хитровкой. Многие дома с дореволюционных времен оставались почти без изменений.

В наших переулках часто снимали сцены фильмов из "прежней" жизни, раздавались выстрелы, проносились "музейные" лимузины и конницы красноармейцев. Сейчас такое уже не получится. С "перестройкой" многое сломали, от домов остались лишь фасады.

Когда гуляю по старой Москве, безошибочно цепляю глазом уголки, еще не затронутые перестройкой, несущие в себе столетнюю историю.

Люблю сморщенные в свою особенную гримасу стены, прошитые тут и там проводами, изрешеченные сетью трещин, оспинами, родинками и бородавками. Часто попадаются фасады с глазами, носами и ртами, улыбающиеся, зевающие или орущие. Сейчас они часто подвергаются косметическим операциям. Художнику больно видеть результат: как будто им впрыснули модный ботокс, по сути — яд, который разглаживает мимические мышцы, убивая их. И вместо лица, сработанного самой жизнью, получаем гладкую мертвую маску.

Многие мои акварели московских домов "портретны", например, "Сивцев Вражек, 6", "Сверчков переулок", "Яузский бульвар". Акварель "На улице Солянка" — портрет куска старого забора, видавшего виды, доживающего, думаю, последние годы. Сейчас происходят необратимые изменения в нашем окружении, наверное, необходимые. Это очень болезненно, как уход из жизни любимых, родных людей.

Задумывая какой-то сюжет, я долго собираю материал. Стараюсь увидеть этот дом или кусок улицы в разное время суток, в разное время года, в выходные и будние дни, под дождем или под снегом, в солнечный день. Всякие детали, аксессуары на доме то появляются, то исчезают, как украшения на женщине. Меняется настроение у дома, выражение лица.

Мне важны детали, которые помогают передать возможно точнее задуманное. Постепенно накапливаются разносторонние характеристики одного дома или куска улицы. Сейчас особенно быстро происходят перемены. Через год уже невозможно узнать место, так подробно мною отрисованное. Срываются старые вывески с магазинов, растесываются углы домов на перекрестках под двери, окна меняются на пластиковые…

И все же, как сказал один мудрец: лучшее место на земле — то, в котором ты живешь, а лучшее время — именно сейчас.

# Николай Бесчастнов
## В Петропавловском переулке

**П**етропавловский переулок внешне особенно не изменился со второй половины 1920-х годов. Он начинается от Хитровской площади и заканчивается у Яузского бульвара. Переулок очень короткий и "горбатый". На самой высокой части этого "горба" расположен один из красивейших древних храмов Москвы — храм Петра и Павла на Кулишках. Он чуть углублен в квартал от линии застройки и возникает перед путником как-то неожиданно, заставляя прохожего, идущего по неширокому тротуару, резко задрать голову в попытке его обозреть.

На правой стороне переулка церковное строение фланкируют два жилых дома. Наша квартира находилась в том доме, что начинается от площади. Дом довольно длинный и тянется как по Петропавловскому, так и по расположенному ниже Певческому (бывшему Астаховскому, а раньше Свиньину) переулку. На площадь он выходит тупым усеченным концом и в народе называется "утюг". Дом был построен в 1925 году на месте самых жутких притонов Хитровки — кабаков "Каторга" и "Сухой овраг", ярко описанных Гиляровским. Сюда Гиляровский водил своеобразные экскурсии, а в 1902 году привел К. Станиславского и В. Немировича-Данченко для поиска типажей к первой постановке в их театре пьесы Горького "На дне". Считается, что декорации третьего акта пьесы "срисованы" художником В. Симовым на Хитровке.

Когда мы переехали сюда в 1976 году, место сильно обезлюдело и стало цивильным, но какое-то напряжение устойчиво витало в воздухе при переходе площади на пути к метро "Китай-город". Приходилось резко ускорять шаг и как можно быстрее "нырять" в Подколокольный переулок. Видимо, сгусток поломанных человеческих судеб намертво въелся в камни наклонившегося в сторону Солянки, уже пустынного в "брежневское" время пространства. Помню, своими ощущениями от Хитровки я поделился со священником Петропавловского храма, с которым я часто раскланивался в переулке, и он со мной согласился. Но путь к метро еще был достаточно оживленным. Рядом же находились и совсем глухие места вроде Подкопаевского переулка — абсолютно заброшенного царства собак, от которых шарахались редкие богомолки. Туда мы старались не ходить без надобности.

Жить на Хитровке было интересно. Казалось, машина времени перенесла меня из времени, которое сегодня называют "годами застоя", в антураж героев Чехова.

Наш дом со стороны переулка был двухэтажным, а со двора — трехэтажным. Наш балкон на третьем этаже выходил во двор совсем рядом с колокольней — казалось, что до нее можно достать рукой. Звонарем там работала пожилая женщина, которая звонила очень музыкально и как-то проникновенно. Ко мне она относилась уважительно — возможно, потому что в те годы я уже носил бороду таких же размеров, как и у мужчин, что служили в ее храме. Летом она уезжала к родственникам в деревню и колокола начинали звучать из рук вон плохо.

Ниже по склону небольшого, но крутого оврага, идущего к Солянке, все было застроено бесконечными деревянными флигельками, сенями и крылечками, бессистемно возводившимися в конце XIX — начале XX века. Такие "сараюшки", ни на деревню, ни на город не похожие, любил изображать московский гравер-самоучка Иван Павлов. Во дворе нашего дома моя супруга — художник Алёна Дергилёва, активно работавшая в тот период в офорте, — выполнила несколько характерных композиций, считающихся сегодня одними из лучших по старой Москве.

В этом же овраге росли огромные деревья, густо заселенные воронами. Они жили здесь всегда. Вороны были настолько большими и умными, что дети, завидя их, переходили на шепот. Мы выставляли на балкон коляску со спящим сыном Петей, и однажды я застал на кованых перилах огромного ворона, рассматривающего ребенка. Ворон лениво оттолкнулся от перил и как бы нехотя улетел. Позже меня успокоили местные старушки, что здешние вороны никогда не нападают на детей. Помню в нашей довольно большой кухне огромную чугунную ванну на ножках в виде львиных лап. Сын до трех лет свободно плавал в ней, и его подкармливали, не вставая из-за стола. Ванну кто-то затащил в квартиру сразу же после постройки дома — убежденным сторонникам коммунистической партии образца второй половины двадцатых годов она была не положена.

Когда сын немного подрос, они с другом Пашей повадились в церковную сторожку за водой для своих забав. Служки было хотели отругать шалунов, но, узнав, как их зовут, посчитали их брызганье водой хорошим знаменьем и разрешили им забегать когда захочется.

В конце шестидесятых — начале семидесятых годов переулки около Солянки стали заполняться художниками, и к нашему переезду в этом районе их обосновалось несколько десятков. Район превратился в один из московских монмартров, тихо живущих своей параллельной от официоза жизнью. Мастера кисти и карандаша стаскивали, в основном из-за любви к прекрасному, в свои святилища вынесенную старожилами резную мебель прошлых веков и тысячи мелких старорежимных вещей и вещиц в таком количестве, что многие мастерские постепенно превращались в немыслимые барахолки. В этих барахолках и происходило таинство рождения прекрасного, которое вдруг выплеснулось на выставках в виде "натюрмортов забытых вещей". Натюрморты были немного похожи на работы входившего в моду у нашей богемы итальянца Д. Моранди, но в нашем случае старые вещи "разбавлялись" вяленой рыбой, панцирями и клешнями крабов, ракушками и засушенными цветами из далеких краев. Никогда не забуду мастерскую московского графика Бориса Смертина в Подколокольном переулке, у которого таких покрытых чудовищными наростами пыли "сушенок" стояло и лежало многие сотни. Художники коллекционировали атрибуты времени, в котором они не жили, соединяя их в своих композициях с пережитыми в тех или иных краях личными ощущениями. Многочисленные странноватые натюрморты не получили достойного внимания в отечественном искусствоведении, а зря. Сегодня уже понятно, что это было не только формой отстранения от действительности, но и мучительной стадией нащупывания новых путей в искусстве. Живописцы и графики, совмещая обыденные предметы из разных времен, пытались узреть непосредственную красоту любой иной пластики, далекой от набивших оскомину композиций со строителями коммунизма. Конечно, эти поиски шли не только в "хитровских" мастерских, но именно в них работы смотрелись как-то по-особенному. Магия места давала о себе знать.

В большинстве мастерских, расположенных в старой части Москвы, часто собирались разношерстные компании. Как правило, это происходило после выставок, открытий или закрытий всевозможных художественных экспозиций. Успех или творческие неудачи должны были быть "выговорены" в кругу друзей. Там же за нехитрой снедью обсуждались планы проведения популярных тогда групповых выставок и творческих поездок по стране. Собирались такие компании и у нас в большой, с высокими потолками и полами из широченных досок комнате. Мебели в ней почти не было, и десять–пятнадцать человек свободно растворялись в кубатуре интерьера. Очень хорошо было при открытых окнах летними вечерами. Шум огромного города полностью исчезал, уступая место благоговейной тишине. Звуки от движения машин застревали на расположенной ниже Солянке.

Мы увлекались поездками по местам зарождения русских народных промыслов. На этой почве я познакомился с одним из оригинальнейших русских художников второй половины XX века — Александром Денисовичем Максимовым. Его в Союзе художников считали аранжировщиком русского лубка, но это, как оказалось, было внешним клише.

Александр Денисович был хозяином комнаты в коммуналке на первом этаже, как раз там, где дом начинал поворачивать в Астаховский переулок. Вся комната до потолка была заставлена библиотечными стеллажами, а справа под выключателем прижималась к стенке металлическая панцирная кровать со старым одеялом. Оказалось, что все стеллажи были завалены его альбомами и папками с рисунками. Они были в ледериновых или холщевых разноцветных переплетах, которые еле просматривались в тусклом свете одинокой лампочки без абажура… Несколько часов подряд мы говорили с ним о путях развития искусства, причем в основном говорил он, а я листал страницы альбомов и перебирал рисунки в папках. Рисовал он виртуозно, как никто, и обязательно делал каждый день более десятка изображений. За свою жизнь он сделал их никак не меньше ста тысяч. Максимов считал рисунок лабораторией изобразительного искусства. Позднее я узнал, что кроме этой комнаты он заполнил своими литографиями, офортами и темперными композициями большую мастерскую в Новогиреево и квартиру жены в Бескудниково. В Петропавловском переулке у него хранились только рисунки и сотни уникальных зарисовок — копий нательных наколок разного характера, которые он сделал в пятидесятые-шестидесятые годы прямо с загорающих на пляже людей. Литографированные аранжировки этих наколок наряду с аранжировками русского лубка хранятся сегодня в лучших музеях мира, включая Третьяковскую галерею.

Надо отметить, что художники Хитровки жили достаточно обособленно от остальных обывателей, стараясь общаться только с себе подобными. Это было связано как с определенной отрешенностью этой профессии, так и с иногда не совсем легальными формами владения своими творческими кельями. Давало о себе знать и отношение большей части населения тогдашней России к тем, кто, по их мнению, "сидит дома и что-то рисует". Подозрительно… Однако хочу сказать, что на "сходках" в мастерских о политике вообще предпочитали не говорить... зачем, и так все ясно.

На Хитровке жили и люди искусства, которые не входили ни в какие творческие группировки. Это, как правило, были художники театра и кино. Елена Ксенофонтовна Архангельская жила в доме на левой стороне Подколокольного переулка, что частично выходил на площадь, и работала во многих театрах, исповедовала "эмоциональный метод" работы над сценическим костюмом. Свой огромный творческий опыт она успешно передавала художникам по костюму на кафедре художественного моделирования костюма Московского текстильного института. Я в этом институте преподавал рисунок и живопись и случайно узнал, что она живет и творит рядом с нами.

Не могу себе представить, что стало бы с Гиляровским, узнай он, что через пятьдесят лет Хитровку заселят художники. Могу лишь отметить, что их подвижнические усилия были своеобразным духовным очищением этого ранее проблемного во всех смыслах места.

Для нас удобство жизни в этой части Москвы было связано и с тем, что в нескольких остановках езды на трамвае по Бульварному кольцу проживали родители моей жены — Иван Яковлевич и Виктория Михайловна Дергилёвы. Они занимали одну из комнат бывшей квартиры-мастерской Константина Коровина — последнее московское пристанище живописца по адресу Мясницкая, 48. До революции огромный дом принадлежал почетному гражданину Г. П. Немчинову и врачу П. П. Воронину, первый этаж сдавался под магазины, а в верхних были элитные квартиры. Константин Коровин занимал престижный бельэтаж с огромными окнами, выходившими на Мясницкую улицу. В 1889 году здесь у Коровина некоторое время жил Михаил Врубель. После отъезда Коровина за границу в 1920-е годы квартира, как и все помещения в доме, стала коммунальной, заселенной семьями "красных" командиров средней руки. В 1930-е годы командиров расстреляли, и их вдовы тихо доживали свой век за коллективными еженедельными хоровыми песнями, как у М. Булгакова в "Собачьем сердце". Иван Яковлевич переехал в эту квартиру по обмену, ничего не зная о ее прошлом. Я помогал ему в переезде и могу сказать, что те, кто жил тут после Коровина, были плохими хозяевами. В коридоре с высоченными потолками лампочки перегорели еще в 1920-е годы, и никто не взял на себя смелость залезть к потолку и их сменить! По углам коридора громоздились пузатые дореволюционные чемоданы, скорее всего, брошенные еще непоседливым мастером живописи, и жутких размеров платяные шкафы, заплетенные паутиной. В квартире от прежнего хозяина оставался и огромный стол с синими майоликовыми вставками, который потом, спустя годы, мы передали в музей Строгановского училища. Интерьер комнаты несколько раз изображала моя жена.

На офорте "Портрет отца" Иван Яковлевич Дергилёв изображен в помещении, где бывали Ф. И. Шаляпин, А. М. Васнецов, Л. О. Пастернак, С. А. Виноградов, а П. А. Тучков играл на гитаре. Любил поиграть на гитаре и Иван Яковлевич, их у него было несколько. Не знаю, помогли ли коровинские стены, но в них он пережил ренессанс своего творчества.

В восьмидесятые годы Иван Яковлевич окончательно перешел от экспериментов в фотооткрытке к стабильной работе над фотокомпозициями с фотографированием на пленку и последующей цветной печатью. Все это он делал сам и в ночное время. Ночью любили работать почти все мастера промышленной графики СССР и их нудное вхождение в дневные проблемы шло через бесконечные чаепития. Крепкий индийский чай, голландские краски и кисти и хороший приемник-коротковолновик для прослушивания музыкальных программ западных радиостанций были верными друзьями художников. Традиция "гонять чаи", распространенная в "самоварной России", не только не исчезла в советский период, но и приобрела свои оттенки. У творческой интеллигенции, успевавшей несмотря ни на что "делать искусство", чай приобрел и допинговый вариант.

В период жизни на Мясницкой Иван Яковлевич стал безоговорочным авторитетом в советской изобразительной открытке, а тиражи его произведений доходили до 50 миллионов экземпляров.

Из тех жильцов, с которыми мне удалось пообщаться, выделялась вдова военного, который участвовал в партизанском движении на знаменитом "Бронепоезде 14-69". Соседи звали ее "комиссарка" и очень не любили за то, что она ставила в углу своей комнаты, а иногда и в прихожей, блюдечко с молоком для тараканов. Она-то и рассказала о довоенном быте квартиры. Тараканов было много, население квартиры с этим смирилось и не покушалось на их бытие. Тараканов просто не замечали.

Как-то я в один из приездов с сыном к Ивану Яковлевичу, стоя в очереди в туалет, высказал свое недовольство одному из соседей. Он искренне удивился и сказал, что нужно просто подойти к таракану и, дунув на него, сказать: "Фу…"

В квартире были очень высокие потолки. Когда мы решили переклеить обои и я залез по огромной лестнице к потолку, смотреть вниз было страшновато. Но был и плюс. Когда размотали рулон самых дешевых обоев по 70 копеек за пятнадцать погонных метров, то их грубый орнамент удивительно "сел" на огромной площади стены! Я вдруг понял, что обойная промышленность страны продолжала упорно и "от души" работать на кубатуру жилья среднего класса старой России.

Из окон комнаты, выходившей на Мясницкую, улица просматривалась вплоть до метро "Кировская". По этому маршруту Иван Яковлевич раз в две недели ходил на художественный совет в ДИЭЗПО (Дирекцию по изданию и экспедированию знаков почтовой оплаты), находившуюся в одном из помещений Почтамта, а я бегал к трамваю при возвращении домой. Сын уходить обычно не желал, т. к. ему — дошкольнику — давали в руки фотоаппарат без пленки и он самозабвенно "фотографировал" виды из окна. На праздники на Мясницкой скапливались демонстранты с транспарантами, флагами и цветами.

Несмотря на шикарные в своей основе интерьеры и оригинальный состав обитателей, коммуналка оставалась коммуналкой со всеми вытекающими из этого последствиями. Достаточно интеллигентное население, а я повидал коммуналок достаточное количество, не могло уничтожить ощущение какой-то неприкаянности… Ярких конфликтов там не было, но не было и понимания. Несколько лампочек в туалете, ведущие к разным выключателям, говорили об этом. Старинная мебель, оставленная прежним хозяином, была растащена по комнатам. Стулья красного дерева и абрамцевские полки и столики, уже сильно поломанные, встречавшиеся во всей квартире, были дополнены кривоватыми изделиями советских мебельных производств. Скрашивало обстановку только множество текстильных покрывал и вышитых салфеточек. Лишь у "комиссарши" все было строго — железная панцирная кровать с потертыми хромированными шариками-вставками, сундук и два табурета. Она всегда была готова к новому переезду, но переезд затянулся на десятилетия.

Долго находиться я там не мог и к вечеру спешил в родной Петропавловский. Переулки вокруг Солянки казались после шумной Мясницкой спокойной деревней. К себе я ехал мимо "Чистых прудов" с прилепившимся к ним ресторанчиком "Ландыш", где на большой веранде с видом на пруды собирались после удачно проведенного худсовета мастера открытки и марки. Они получали за свою работу не такие плохие деньги и могли это себе позволить. Сидели там до полного закрытия. Разговоров об искусстве "открыточники" и "марочники" почти не вели, т. к. попадали в ресторан после нескольких суток неусыпной работы. Просто отдыхали.

Далее трамвай пересекал Покровку с известным всем москвичам богато декорированным "домом-комодом" (дом Апраксина-Трубецких). Проезжал мимо Милютинского сада на Покровском бульваре и быстро приближался к дому с огромными бетонными скульптурами рабочего с отбойным молотком и колхозницы со снопом пшеницы и ружьем над центральным проездом во внутренний двор. Народ называл его генеральским домом. Дом был построен по проекту русского архитектора И. А. Голосова в формах постконструктивистской стилистики. Голосов был мастером крупной архитектурной формы, и дом на Яузском бульваре действовал как-то угнетающе. Построенный в 1934–1941 годах, он никак не подходил к древним постройкам, окружавшим Хитровку.

У этого дома я выходил из трамвая и уже в полной темноте, т. к. фонарей ниже по переулку не было, с опаской полубежал по уходящей вниз наклонной поверхности Хитровки.

Сегодня жилая застройка переулков вокруг Хитровки основательно отреставрирована, закрытые и обезображенные в советское время церкви в Подколокольном переулке приведены в порядок и опять открыли свои двери. Но из района исчезли художники, уступив место служащим офисов и новым купцам.

Недавно я посетил эти места. В окнах первых этажей мелькали неслышно работающие клерки в белых рубашках, в церквях шла неспешная и малолюдная служба. Я зашел в церковь Николы Чудотворца в Подкопаях и поставил к образам свечи. Было натоплено и пахло ладаном. Хитровская площадь, продуваемая свеженьким ветерком с Бульварного кольца, была пустынна. Пустынен был и мой родной Петропавловский. Чистенько, но скучно.

Хотел было подняться по площади до "генеральского дома" и съездить на Мясницкую, но вспомнил, что дом, где жил К. Коровин, а потом и И. Дергилев выселен, отреставрирован и стал каким-то учреждением.

И не поехал.

# Денис Драгунский
## Садовая, бублики и брынза

И ногда, чтобы вспомнить, нужна всего одна фраза.

Например, "На Садовой большое движение". Так называется рассказ Виктора Драгунского, моего отца. О том, как Дениску и Ваньку обманул взрослый парень. Попросил у них велосипед слетать в аптеку за лекарством для бабушки. И не вернулся, конечно же.

Но я не про рассказ, а про эту фразу.

Большое движение на Садовой я впервые увидел в 1960 году.

Мы переехали на новую квартиру. Это было поздней осенью. Я тогда был в третьем классе. Первую четверть я еще ходил в старую школу, на улице Семашко (Большой Кисловский переулок), а после ноябрьских праздников пошел в новую — на улице Медведева; сейчас это опять Старопименовский переулок.

Мы переехали из коммуналки на улице Грановского (Романов переулок). А до этого жили в коммуналке на улице Чернышевского (теперь — Покровка; всё обратно переименовали!).

Первая коммуналка была темная — окна выходили в узкий двор. Вторая — и вовсе подвальная. Новая квартира была светлая и огромная — три комнаты. А главное — одиннадцатый этаж! Самый верхний.

Наш новый адрес назывался по-старинному красиво — Каретный Ряд. "Ведь в Каретном Ряду первый дом от угла…" — была такая песня Высоцкого. Это про наш дом, между прочим. Кстати, Высоцкий потом снимал квартиру именно в нашем подъезде: вот такое совпадение.

Дом был кооперативный, артистов Большого театра и Московской эстрады: почти все — папины и мамины знакомые. Певцы, чтецы, конферансье, танцоры, жонглеры, трубачи, скрипачи, виртуозы-ксилофонисты и даже чревовещательницы — мать и дочь со своей как бы говорящей собачкой.

Как мы попали на одиннадцатый этаж — это отдельная история.

Была жеребьевка — кому на каком этаже жить. Папа вытянул второй этаж и очень огорчился. Он сказал:

"Кошмар какой, всю жизнь видеть в окне вывеску: «Лососина, осетрина, угорь, миноги» — и всё неправда!" Такая вывеска на самом деле была на магазине напротив. Обломок старосоветской показухи, когда на стеклянных вертикальных досках, золотыми буквами на бордовом фоне, перечислялись небывалые деликатесы.

А тут Леонид Утесов вытащил одиннадцатый этаж. Он сказал моему папе: "Витя, давай меняться! А то вдруг лифт сломается, я просто не дойду до дома!" Папа сказал: "Ура!"

Утесов оказался прав насчет лифта. Месяца три, наверное, мы ходили пешком, уставали ужасно. Но нам все равно нравилось. Мы всё время смотрели в окна. Всей семьей. Потому что нам надоело жить в подвале, где тротуар выше подоконника. Надоело смотреть на засиженный голубями асфальт и ботинки редких прохожих.

Сверху видно было Садовое кольцо, как оно едет от Маяковки к Самотечной и обратно. Невдалеке ребристым айсбергом плыл театр Советской Армии, дальше торчало высотное здание на Лермонтовской и гостиница "Ленинградская" у трех вокзалов.

Садовая тогда была гораздо у́же, чем сейчас. Самотечную эстакаду только начинали строить. Посредине Садовой был длинный прямоугольный двухэтажный дом. Когда-то совсем давно там была дешевая гостиница, а тогда — то есть в 1960 году — довольно скверная столовая "Радуга" и какие-то мелкие магазинчики и мастерские. Сверху был виден внутренний двор с ящиками и флягами из-под сметаны.

Дальше была маленькая площадь перед аптекой (сейчас аптеки нет, и тех домов нет тоже — на этом месте московская ГИБДД).

Площадь называлась Угольная. Я сначала думал, что она "Уго́льная" от слова "угол" — правда, она была почти треугольная. Но она оказалась на самом деле "У́гольная", потому что там сто лет назад продавали уголь. А еще раньше она называлась Дровяная. Смешно сказать, но в Москве была своя Сенная площадь — тоже совсем рядом с нашим домом, сбоку от Страстного бульвара, рядом с Екатерининской больницей. Но я что-то отвлекся. Итак, смотрим в окно.

Левее Угольной — если сверху смотреть — было красивое старинное здание XVIII века. Сначала это был дворец графа Остермана-Толстого, а потом Московская духовная семинария — до революции, конечно. А когда я на него сверху любовался, это был Совет министров РСФСР. В ворота все время въезжали черные "волги". Теперь там Музей декоративно-прикладного искусства.

В самом начале семидесятых на Самотечной открылось новое здание кукольного театра Образцова — а раньше он был на Маяковской (теперь снова Триумфальная). Если стать спиной к памятнику Маяковскому, то театр был слева от красивого четырехэтажного здания, где внизу "Ростикс" (раньше там был ресторан "София", а наверху — редакция журнала "Юность"). Так вот, новое здание театра Образцова было с огромными музыкальными часами на фасаде. Двенадцать домиков по кругу — на каждый час свой сказочный персонаж.

В одиннадцать часов из домика выходил волк. Водку тогда продавали с одиннадцати часов. Это сразу стали называть "час волка". "Ждем, когда волк выскочит", — говорили московские алкаши, переминаясь у магазина.

А в полдень и в полночь наружу показывались все звери. Играла музыка. Перед театром собиралась небольшая толпа: в полдень — туристы и мамы с детьми, а в полночь — веселые подвыпившие граждане. Бывало, останавливались такси, и оттуда вылезали разгульные немолодые кавалеры со своими слегка помятыми, но яркими дамами: этакий шик — притормозить у часов и дождаться механического концерта. "Пусть счетчик щелкает, мне все равно!" Москва жаждала развлечений.

Перезвон этих часов был прекрасно слышен из наших окон. Гул автомобилей его не заглушал. Так что движение на Садовой было, конечно, большое. Но не такое, как сейчас, сравнения нет.

И еще — про бублики и брынзу.

В рассказе моего отца "Он живой и светится" есть слова: "Все родители нашего двора уже пришли, и все ребята пошли с ними по домам и уже, наверно, пили чай с бубликами и брынзой, а моей мамы все еще не было…" А потом Дениска с мамой тоже пьют чай с бубликами и брынзой.

Сейчас уже забыли, что такое настоящие бублики. Продавцы булочных забыли, и сами пекари тоже забыли напрочь, к сожалению. Потому что бубликом сейчас называется просто хлеб колечком, и не более того. Куда-то пропало настоящее бубличное тесто — крутое, вязкое и чуть сладковатое. Бублики были двух сортов, но не все это знали. Прекрасные шестикопеечные бублики с маком продавались везде. Но мало кто знал, что есть на свете чистые, без мака, свежие и горячие, с тончайшей, нежно хрустящей, чуть подрумяненной корочкой — бублики за пять копеек. Да и откуда людям было знать про эти упоительные бублики, если они продавались едва ли не в единственном месте — как раз рядом с нашим домом.

На углу Садовой-Каретной и улицы Чехова (то есть Малой Дмитровки), там, где сейчас стоит огромный дом с магазинами и офисами, был деревянный павильон. Вход с улицы Чехова. Там стояли автоматы с соками и еще продавались молочные коктейли — недорогая услада шестидесятых. В большой алюминиевый стакан продавщица наливала молоко, клала кусок мороженого и капала сверху сироп. Потом этот стакан ставился в шейкер. Маленький пропеллер погружался в белое месиво, раздавалось гудение, пена грозила перелиться через край, у ожидающих захватывало дух — но продавщица в последний момент нажимала кнопку и выдергивала стакан из шейкера. С пропеллера стекали сладкие капли. А она — немолодая дама в застиранном белом халате — разливала коктейль по стаканам. Десять копеек всё удовольствие. Но главное удовольствие было в том, что сначала надо было заплатить, а потом ждать минуту или две, пока этот коктейль сготовят. В этом было что-то роскошное, ресторанное, честное слово! Не то что бросить гривенник в автомат.

Так вот, бублики.

Сбоку, слева от входной двери, было окошко на улицу с маленькой вывеской "Бублики горячие 5 коп.". Там стояла бубличная машина! Был виден вертящийся стальной круг с веретеном посредине. Туда из кастрюли падало тесто и превращалось в бублики, которые тут же въезжали в печку и через несколько минут выскакивали оттуда в корзину. У продавца — это был мужчина, потому что он был на самом деле пекарь, — были заранее настрижены веревочки. "Четыре штуки!" — говорили ему. Или пять и даже шесть. "Поподжаристей, пожалуйста!" или наоборот: "Посветлее, если можно!" Он продевал сквозь бублики веревку и просовывал эту обжигающую гирлянду в окошко.

Я покупал бублики на обратном пути из школы. Чтоб они не остыли, я прятал их на груди, закутывал в шарф.

Вот эти бублики хороши были просто с маслом и со сладким чаем. А с брынзой лучше были те, обыкновенные, сладковатые с маком.

Брынза была очень соленая. Мама ее резала на продолговатые ломтики и заливала крутым кипятком. Ждала минут десять. Пробовала воду на язык — достаточно ли соли отдала брынза. Важно было не передержать, чтоб брынза не сделалась совсем пресная. Мама сливала воду. Брынза была горячая и слегка оплавленная кипятком. Бублик разрезался на четыре части, а потом каждый кусок — еще раз пополам, но вдоль. Двух бубликов прекрасно хватало на троих.

Конечно, все это ерунда и мелочь. Но жизнь состоит не только из книг, поцелуев и слез. Она еще состоит из бубликов и брынзы. Моя, во всяком случае. И если вдруг взять и выдернуть из нее бублики с брынзой — уж не говорю про вид на Садовую с одиннадцатого этажа, — то все книги, поцелуи и слезы разлетятся в разные стороны.

# Татьяна Щербина
## Сухарева башня

**М**не не понравилось всё. Сначала слово — когда мама сказала, что мы переезжаем на Колхозную площадь. Я, десятилетняя, о колхозах знала только "одет как колхозник" и "рассуждаешь как колхозник". Сочувствия у москвичей несчастные рабы, лишенные паспортов и прав, субститут уничтоженного крестьянства, не вызывали. Просто была такая данность: дикари-колхозники.

Утешать колхозников должны были официальные почести. "Колхозной" площадь назвали в 1934 году, до этого она была Сухаревской. Знаменитая Сухарева башня, построенная при Петре и давшая название площади, была разрушена по приказу Сталина в 1934 году. В 1919-м ее отреставрировали — когда реставрируют старую Москву, всегда кажется, что на века. А потом раз — и нет ничего. Нет башни — нет и той площади. В Колхозную ее переименовали в честь I Съезда колхозников-ударников, который созвали на замену башне. У башни слава высокоумная — первое учебное заведение в России, Морская навигацкая школа; кроме того, Яков Брюс, сподвижник Петра и один из самых образованных людей России, проводил там встречи интеллектуалов и соорудил обсерваторию, отчего молва прозвала его чернокнижником и "колдуном с Сухаревой башни". Говорили, будто после смерти Брюса в стенах башни замуровали его чародейские книги и будто бы дух его витает окрест.

Доходим пешком до Смоленской площади (жили мы возле Арбатской), садимся на троллейбус "Б" и бесконечно долго ползем по Садовому кольцу. Колхозная показалась мне краем света. Когда-то она таким и была: Сухареву башню построили в 1695-м, а веком раньше тут кончалась Москва и начинался Земляной город, ныне Садовое кольцо. От Белого города, окруженного крепостной стеной, собственно Москвы, Земляной был отделен стенами с башнями — всё деревянное, плюс рвом и валом, чтоб враг не прорвался к Кремлю, хотя его и так окружали три круга крепостных стен. Стена Земляного города стала четвертой. И вот появляется первая каменная башня, над Сретенскими воротами (ныне — пересечение Сухаревской площади и Сретенки) — высокая, искусная, восхищавшая всех, кто ее видел, даже маркиза де Кюстина. Сухарева башня, шедевр русского зодчества, простояла больше двух веков — для России это долго. Обычно жизнь тут меняется быстро: двадцать-тридцать лет — уже другая эпоха, и вид у Москвы другой.

Дом, в который мы приехали, был старым, тридцатипятилетним, странным — конструктивистским с ампирными колоннами. Мрачный, темно-серый, с маленькими окнами, выходящими на площадь, маленькой дверью подъезда, за которой сразу начиналась узкая лестница с обгрызенными временем ступенями. Будто пробираешься через черный ход — в нашем арбатском доме, не бог весть каком, но все же, их было два: парадный и тот, по которому выносили мусор, — черный. Вошли в квартиру, и мое тепличное детское сердце чуть не остановилось. Стены были темно-фиолетового, почти черного цвета, над столом нависал тканый оранжевый абажур, а поскольку шла зима, сплошные сумерки, квартира выглядела каким-то бункером с кругом тусклого свечения посередине. За большими окнами, выходившими во двор, покачивались черные голые ветки, будто черти махали нам руками — привет новичкам!

— Тебе нравится квартира, детка? — нарочито елейным голосом спросила мама.

— Не нравится, — громко, так, чтоб услышали хозяева, сказала я. Ведь если они услышат, что мне не нравится, то обидятся и прогонят нас, и мы будем по-прежнему жить в своем уютном арбатском переулке. И дед не уедет в коммуналку, а мы с мамой и бабушкой — в этот черный колодец. Напрасно я думала, что чувства в квартирном вопросе играют роль. Это вопрос жесткий. Им надо съезжаться, нам разъезжаться — и я еще не знаю, зачем — вариантов в центре немного. Это центр? Да центр это, центр.

Из переговоров взрослых я узнала, что семья, жившая в этой квартире с характерным номером 13, — из КГБ. Мое представление о КГБ было не менее смутным, чем о колхозниках, но почему-то я знала, что этот колхоз — страшный, обитель нечистой силы. Так что картина сложилась вполне законченная. Я упиралась, но вещи уже грузили в фургон, а меня просто взяли за руку и отвезли к новой жизни.

Мама сделала ремонт, стены стали светлыми, на кухне и в ванной — белый кафель, деревья за окном зазеленели, еще у квартиры оказалась большая терраса, где можно было играть, свет прибавился, жизнь налаживалась, только бабушка умирала и умерла вскоре после нашего переезда. Для того он, собственно, и затевался — бабушка знала, сколько ей осталось и что без нее мама и дед не уживутся. Семья всегда держится на одном человеке, хотя до его исчезновения это и не заметно. Я мечтала создать собственную семью, большую, многолюдную, но "нетрадиционную", состоящую из тех, кого выбирают, — из друзей. И она возникла, сама собой, на Колхозной. Я называла ее гаремом, чтоб не колхозом.

"Колхоз" присутствовал, из выражения "нагрянули всем колхозом" — в доме всегда толклись люди. Молодые и немолодые поэты, художники, музыканты, режиссеры, издатели самиздатских журналов из Питера, тут же были поклонники и поклонницы, которые приносили тортики, готовили, мыли посуду, слушали и переписывали от руки стихи; главное в этом было то, что в одной отдельно взятой квартире удалось создать жизнь, параллельную советской, которую все дружно ненавидели.

Генрих Сапгир, плотный и усатый, с желтыми глазами, похожий на тигра, был неофициальным поэтом, но при этом — официальным детским поэтом, сценаристом мультфильмов, автором кукольных пьес. Его "базовой" параллельной вселенной была Лианозовская школа (Лев Кропивницкий, Всеволод Некрасов, Игорь Холин, Владимир Немухин), но он часто захаживал и в наш молодой "гарем".

"Союз нерушимый", если посмотреть на это с высоты птичьего полета, рухнул как раз из-за того, что стал похож на решето. Все эти образования — кружки, школы, квартирники, рок-клубы, лито, салоны, правозащитные группы — были маргинальными, о них нельзя было узнать из печатных изданий и телевизора, но их становилось все больше. О них узнавали по сарафанному радио, к ним тянулись, и это были такие "дырки" в железном "совке", залатать которые оказалось невозможно.

"Дырки" были и в официальном, цензурированном пространстве, вызывая вселенские скандалы — и когда запрещали спектакли и фильмы, и когда решали "выпустить пар", предоставив какую-нибудь площадку андеграунду. В один прекрасный момент решето истерлось совсем, и оказалось, что "дырки" и были настоящим

воздухом, атмосферой, через них шел свет. Некоторые
из них, по топографической прихоти, располагались
в одном районе. Мастерская Ильи Кабакова на Сретенском бульваре — откуда вышел весь концептуализм,
мастерские молодых художников на Фурманном, там
был и "Синефантом" братьев Алейниковых, арт-группы
"Мухоморы", "Чемпионы мира" — от Колхозной близко,
пешком, ходили туда-сюда. Чуть дальше — дом Гарика
Виноградова, где он начинал свою "бикапонию" — пер-
формансы с массой висящих железок, из которых Гарик
извлекал звуки в темноте, освещаемой горящими таб-
летками спирта, плававшими в тазу. В другую сторону
от меня — арт-коммуна "Заповедник искусств", сквот,
как и на Фурманном, там Петлюра, он же Александр Ля-
шенко, создавал новую моду, винтаж с Тишинки — там
находилась известная на всю Москву барахолка. Иных
уж нет, а те далече.

Сапгир ревниво относился к другим поэтам: "Поэт
может быть только один". Над ним посмеивались, хотя
споры о поэзии были до хрипоты, но на том поколении
и закончилась формула "поэт — властитель дум". Высоцкий пел: "Но хотел быть только первым", а следующее,
мое, поколение хотело быть собой, перемен, и чтоб цвели все цветы. Генрих пил исключительно коньяк (а пили
в их поколении все) и ездил исключительно на такси. Барин. "Детские" заработки — а тогда многие зарабатывали
либо в котельных и дворницких, либо детскими книжками — ему это позволяли. Но в основном все жили без денег, можно сказать — при коммунизме, в смысле жизни

коммуной, где каждый вносил свою лепту. Происходило это стихийно, слово "надо" отсутствовало.

На Колхозной — все так и называли мою квартиру, "Колхозная" — вовсю шло изготовление поэтического самиздата. Один принес пресс, другой научился переплетать, я изготовляла в ванной "мраморную" бумагу, типа той, что украшала старинные издания, фотограф делал фотообложки, художник — иллюстрации. Работа кипела. У кого были деньги, покупали эти вручную оформленные машинописные и рукописные книжки. По существовавшему тогда закону можно было изготовлять двенадцать копий машинописного текста, тринадцатый был уголовно наказуем. Только чтобы КГБ мог доказать, что копий больше дюжины, они должны были оказаться у него в руках. Но кто ж им даст!

КГБ активно присутствовал в жизни Колхозной. Сначала явился некий молодой человек, инструктор из ЦК ВЛКСМ, по крайней мере, так было написано на его визитной карточке, — и не уходил. Просто поселился и велел не обращать на него внимания. Попытки его изгнать были безрезультатны, свое присутствие он объяснял тем, что влюблен в меня и потому будет тут сидеть, спать на кухне на стуле, но не уйдет. Нашему "гарему" было понятно, что "влюбленный" послан сюда бдить за происходящим, а спустить его с лестницы было нельзя, как нельзя спустить с лестницы милиционера. Он старался быть незаметным, жизнь шла своим чередом (до изготовления книжек тогда еще не дошло, а самиздат, конечно, прятали), но произошел казус:

подежурив некоторое время в квартире, он и вправду расчувствовался. И это сподвигло его на чистосердечное признание, что он ко мне приставлен и что теперь ему стыдно. Признание происходило под действием алкоголя, иначе не решился бы. Облегчив душу, инструктор бесследно исчез.

Дух КГБ, впрочем, никуда из квартиры не испарился, вместо этого бледного юноши стали появляться другие, но работали, как им казалось, тоньше: они появлялись под видом чьих-то друзей, когда собиралась большая компания, менялись, а над одним, попытавшимся стать завсегдатаем, я зло подшутила. Стала ему рассказывать, будто КГБ тайно проникает в мою квартиру, я это вижу по бумагам, лежащим иначе, чем я их положила, а тут вот вообще старинное золотое кольцо украли. Гебист, представлявшийся сотрудником РПЦ, не выдержал и воскликнул: "Да не может быть, в конторе работают кристальные люди!"

Тогда КГБ перешло к еще более тонким методам. Соседка, жившая этажом выше наискосок от меня, однажды прибегает ко мне страшно испуганная: говорит, к ней приходили из КГБ и просили ее сдать им одну комнату. И грозили, что, если откажется, ее выгонят с работы. Я рекомендовала ей отказаться, поскольку "коготок увяз — всей птичке пропасть", а работу она может себе найти и получше, но учла, что теперь надо быть осторожнее. Приятным было то, что в нашем "гареме" или "колхозе" не было стукачей, им приходилось заруливать со стороны, и это всегда становилось известно.

Так что свою изначальную "черностенность" квартира № 13 сохраняла, несмотря на светлейшие стены и светлейших людей, бывавших здесь. Но задавал тон дух Якова Брюса. Витал тут, определенно. Брюс, закрывшись в Сухаревой башне, смотрел в телескоп на звезды, изучал книги, привезенные из Европы, составлял географические карты, здесь же собирал компанию, которую прозвали Нептуновым обществом, состоявшую из Лефорта, Меншикова, иногда и самого царя Петра. Мы в "гареме" занимались вещами сходными. В отсутствие любознательного царя — на всех уровнях страной правили "колхозники", неучи — царственность признавалась за людьми образованными, талантливыми и совестливыми. Мы передавали друг другу книги и обсуждали их, от трудов по семиотике, астрономии, психологии, философии до литературного тамиздата и самиздата. Сейчас трудно представить, что Толкиена я читала в рукописи переводчика Андрея Кистяковского — при советской власти она не могла быть издана.

Набоков был читан на "ксероксе", в копиях с тамиздатских книг. Копировальные машины уже появились в некоторых учреждениях, но были строго охраняемы, да только охранники тоже живые люди — хотели заработать, заодно и почитать интересное. "Ксерили" Бродского, Шаламова, Алданова, Хармса, Вагинова, Ходасевича, Оруэлла, Ницше, Раджниша… Чаще всего попадались книги издательства "Ардис", их регулярно привозили в Москву. Солженицын считался самым большим "криминалом": если в доме будет обыск и найдут — посадят.

Брюс, по просьбе Петра, искал в Европе архитекторов и ученых, художников и садовников, встречался с Ньютоном и Лейбницем, возил из Европы художественные произведения и инструменты; мы же жили без "окна в Европу", только с большими окнами во двор и маленькими на Колхозную площадь. Но какой бы неприступной стеной ни была обнесена граница Мордора (потому Толкиена и не издавали, чтоб население не увлеклось хоббитами и эльфами, готовыми противостоять гоблинам и оркам), тайные ходы в ней всегда находятся.

Как-то приехали в Москву два парижских поэта, Ив Бержере, который преподавал у меня язык на последнем курсе МГУ, и Мишель Деги, один из мэтров французской поэзии. Мне звонят из Союза писателей, что приехали, мол, два поэта, хотят вас видеть. Я, понятное дело, не член СП, так что позвать меня могли только под давлением гостей. Приехала в Дом литераторов, встретились, обнялись, но между нами встал некто, заявив, что он переводчик.

— Мне не нужен переводчик, — наивно сказала я,

— Не нужен, — подтвердил Ив, но переводчик встал между нами стеной: общаться мы, говорит, можем только через него и только здесь. Не помню уж, какой хитростью удалось договориться, чтоб Ив и Мишель пришли ко мне. Я позвала Дмитрия Александровича Пригова, Алешу Парщикова, и мы кутили допоздна.

Брюса считали колдуном, поскольку окна в Сухаревой башне горели ночами, и в моем "гареме" — в двух шагах от места, где стояла башня, — свет гас под утро. Для тех, кто оставался ночевать — ехать поздно, а такси дорого, — была пятиметровая комнатка с тахтой, которая называлась "любовницкая". Раз гарем, должны быть мужья, жены, любовники, любовницы, пажи и конфидентки. Эти шутливые звания подчеркивали, что тут — семья, сообщество, отгороженное от жизни за окном. Концептуалисты, которые переплавляли "советскую действительность" в соцарт, создавали шуточные иерархии художников и литераторов: генерал, полковник, майор. У нас, отгородившихся в Колхозной, но все же Сухаревой, башне от партии и народа ("народ и партия едины", как сообщали висевшие повсюду лозунги), вместо иерархии была приязнь. Потому здесь оказывались и приживались или вовсе не оказывались творческие люди из самых разных страт.

Парщиков считал, что нужно встраиваться в систему, поскольку другой нет, а видоизменить ее можно, только оказавшись внутри. Тогда его кумиром был Вознесенский. Пригов шел по пути противоположному: создавать свой универсум и заполнять собой пространство. Он клеил на подъездах и раздавал гостям, когда приходил, маленькие бумажки с напечатанными на машинке лозунгами типа "Граждане! Будьте бдительны. Д. А. Пригов". Его маленькие лозунги своим количеством должны были перекрыть висевшие повсюду большие. И перекрыли. А Алеша, как только приоткрылось "окно в Европу" (и Америку), уехал. Но пока, в тепле нашей "Сухаревой башни", все слушали и поддерживали друг друга. Здесь читал свои рассказы и пьесы Володя Сорокин и был убежден, что на родине его не издадут никогда. Как и Набокова. Когда народ и партия в мгновенье ока перестали быть едины и Набокова издали, я Володе это припомнила, на что он заметил, что Россия может переварить Набокова, но не его. Но у России же мерцательная аритмия — четверть века она заглатывала Сорокина на просторе, но туда, где черные полковники успели вернуть стенам черный цвет, вернулись и "афганские соловьи", они же "сталинские соколы". Правда, набранного воздуха всё еще много.

Середина восьмидесятых, "перестройка", как-то всех разом вдохновила на "коллективные действия" (так называлась и одна из арт-групп, созданная еще в 1976 году). На Колхозной мы с Аркадием, младшим сыном Владимира Высоцкого, стали собирать альманах под названием "Ноль Ноль" (по названию моей тогдашней, последней самиздатской книжки стихов), куда включили прозу Венедикта Ерофеева, Жени Попова, Вити Ерофеева, Володи Сорокина, стихи Башлачева, Еременко, Пригова, Парщикова, был там и арт-раздел, и театр, и кино — всё давно стало классикой. Но тогда Аркадий, предварительно заручившийся чьей-то поддержкой в ЦК ВЛКСМ (без "лита" и санкции сверху ничего издать еще было невозможно), так и не смог получить разрешения, альманах зарубили. Он "бился" долго, но напрасно: авторы и герои были забракованы все на корню. Героев, надо сказать, безошибочно угадывал Боря Юхананов (ныне главный режиссер театра Станиславского, а тогда — режиссер и продюсер андеграундного театра и кино). Например, он привел на Колхозную Ренату Литвинову. Ее никто тогда не знал, а Боря настаивал, чтоб ее короткий сценарий включили в альманах. Он почему-то всегда знал, за кем будущее, а кто растворится в "тусовке", когда другим это еще не было очевидно. Альманах мы составляли вместе. Он же привел в "гарем" Сашу Башлачева. Саша некоторое время жил тут, пел и отсюда отправился в Питер, где через короткое время вышел из окна.

Брюс, по легенде, занимался магией, мы этим тоже занимались. У меня была книга Папюса "Оккультизм" (в виде ксерокопии с дореволюционного издания), ее все брали почитать. Папюс, надо сказать, бывал в России с лекциями, консультировал царскую семью и в 1905 году устроил для Николая Второго и царицы спиритический сеанс, во время которого Николаю будто бы была предсказана гибель от рук революционеров. Папюс, как пишут историки, пообещал отсрочить ее своими магическими ритуалами до тех пор, пока будет жив сам — умер он ровно за год до революции, 25 октября 1916 года. Вот однажды и мы устроили спиритический сеанс. Как раз когда Башлачев уже был в Питере. Я задала вопрос: "Как там Саша?" (а затевался сеанс хоть из любопытства, но не вполне всерьез), и вдруг блюдце выдало ответ: "Гроб". Все затихли. И тут в открытую форточку — дело в феврале — влетела бабочка. Летняя, разноцветная, которой неоткуда взяться на лютом морозе.

Ватман с алфавитом порвали и выбросили в мусорное ведро, унесли на кухню блюдце, кто ушел, кто остался до открытия метро, но все были подавлены, и обычный иронический тон как рукой сняло. Наутро —

звонок из Питера: Саша покончил с собой. Приехал Саша Градский, который иногда появлялся на Колхозной. Примчался Сережа Рыженко из группы "Последний шанс" — музыканты откликнулись, конечно, да и весь "гарем" собрался.

Это был, пожалуй, самый кошмарный день в жизни Колхозной. Не просто ужас, боль — казалось, произошло что-то, недоступное пониманию. С этим блюдцем, с этой бабочкой будто отверзлась бездна. И действительно, друзья и соратники стали погибать один за другим, многие — не дожив до тридцати. По разным причинам: Игорь Алейников (создатель параллельного кино и "Синефантома") разбился в самолете, актер Никита Михайловский внезапно заболел лейкемией и умер, Виктор Цой разбился на машине, и еще артисты и поэты, попавшие под машину или кончавшие с собой, — это стало казаться эпидемией. И все начали разъезжаться по разным странам, Колхозная башня опустела.

Рядом с домом, на Сретенке, был кинотеатр "Уран". В детстве я ходила туда смотреть фильмы с де Фюнесом и Аленом Делоном. Наверное, были и другие фильмы, но запомнились эти. Потом кинотеатр закрылся, и там стал создавать свой театр Анатолий Васильев. Здание переделывали долго, но жизнь туда проникла быстро. Из будущего театра на Колхозную и обратно ходили табунами — "всем колхозом". Боря Юхананов, ученик Васильева, устраивал там и тут показы фильмов, концерты, чтения. Когда я просыпалась, обнаруживала десяток спящих людей — на полу, на четырехметровой кухне, в коридоре, в "любовницкой" и еще одной комнате — всего их было три, на сорока трех квадратных метрах общей площади. Но тогда никто не знал про метры, и стоимости у них никакой не было. Я ж и говорю: коммунизм был, но ровно там, где был или назывался антикоммунизмом.

В постсоветские времена ко мне все время подходили незнакомые люди, заговаривая, как друзья, а я смотрела на них с удивлением. "Я же был у вас на Колхозной!" — говорили они. Там бывали тысячи людей, запомнить всех невозможно. В 2015 году умер *E. L. Doctorow*, автор "Рэгтайма". Однажды, в 1987-м, он пришел на Колхозную в составе делегации американских писателей, меня попросили почитать стихи, и один из этих писателей сказал: "В Америке вы были бы киноактрисой". Меня это тогда покоробило, поэты значили для меня гораздо больше, чем артисты. Теперь я понимаю, сколь нищенской им показалась наша жизнь, сколь маргинальной становилась поэзия во всем мире. Впрочем, был среди них один, мой будущий переводчик и друг, Джим Кейтс, которому та "Сухарева башня" и по сей день кажется волшебной. Но ее больше нет. Квартира есть, а башни, колхоза, гарема нет. За то, что было, надо благодарить маму, которой давно нет на свете, таинственный дух Якова Брюса и друзей, которые красили место, а не оно их.

# ВЕРОНИКА ДОЛИНА
## В начале была
## Сретенка...

М оя Москва — Сретенка, пожалуй. Что теперь скажешь и что расскажешь? Теперь, когда прошло уж шестьдесят лет с того дня, что я тут ненароком родилась... Ненароком — потому что мама работала, гм-м-м-м, детским патанатомом. И защиту кандидатской своей прошла... со мною внутри. Да еще и работала в подвале. Словом, чуть после нового 1956-го я появилась, да и все тут. Мама была крупная, как античная статуя, и усилий для моего появления совсем немного потребовалось. По легенде, родилась я как бы независимо....

Мамина сестра, моя тетя, молодой медик, осталась дежурить, что ли, в Институте акушерства... Вбежала на мамины охи — а я уж тут как тут, очень скромного веса и состояния.

Ну, в общем, стали мы жить на Сретенке, в Печатниковом переулке, в бабушкиной квартире. Бабка была директором института педиатрии в предвоенные годы. За ней, директоршей, приезжала пролётка — как бы машина с водителем.

А в бабушкиной юности и мамином малолетстве жили-поживали все кто был — на Арбате, на Собачьей площадке. Мама пожизненно вспоминала. И фонтанчик с собаками. И коммуналку. Соседа, профессора-генетика Левита, с дочкой его Цилей... А потом Сретенка случилась. Дед уже с бабкой не жил, ушел от нее к младшей ее сестре... Уехал в Питер, там работал с Павловым, а в годы войны был начмедом, главврачом — всю блокаду. А мои, значит, бабка с мамой в Москве остались. Уехали в эвакуацию в Свердловск, мама уже была первокурсницей. А няня баба Груша осталась в Москве... Бабу Грушу моя бабушка в двадцатые годы привезла из Рязани, где была первокомиссаром по женским вопросам.

Стало быть, для меня основой основ, луковицей нашего тюльпанового дерева стала Сретенка. Переулки. Вот этот каталог — Колокольников, Пушкарев, Последний, Сретенские ворота — я до сих пор разбираюсь в топонимии и буксую... Ворота эти оставались загадкой для меня много лет, пока я додумалась, что это некие въезды... Что-то никто толком не объяснял.

Объяснять вообще как-то было не в моде. До многого доходили сами мои сверстники. И что такое "Страховой дом «Россия»", вот это красивейшее здание на Сретенском бульваре… И Тургеневская библиотека — отчего она есть, а вот уж ее и нету. И жизнь трамвая "А", Аннушки, всё время рассказывали о нем то-сё…

Маленькая церква — у Сретенских ворот моего детства — была музеем каким-то военно-морским, поди ж ты… А баба Груша бодро крестилась у ее дверей и куда-то умудрялась бегать на службу… тут же, на Сретенке. В семье-то нашей, глубоко нерелигиозной, хмыкали, не протестовали, и вербы пушистые стояли на столе в кухне когда положено, и яйца мы с бабой Грушей симпатично ритуально раскрашивали.

Кинотеатр "Хроника", стало быть, новости и документалка, — прямо рядом. Кинотеатр "Уран" от нас в парочке кварталов наших уютных, сретенских… Кинотеатр "Форум" рядом с Колхозной площадью. Про Колхозную иногда что-то приблизительное, про Сухареву башню рассказывали… Звучало таинственно, подробности не сообщались, да мои домочадцы и не знали их.

"Букиниста" — как храма таинств сретенских — на углу Печатникова переулка мне было довольно. Уже небольшой девочкой я там бывала и привязалась к нему, хотя бы потому что там нашелся "Волшебник Изумрудного города", педантично мной вырезаемый из "Пионерской правды".

Впрочем, в школу я отправилась уже на Соколе, вот ведь как. Родители взяли да и поменялись квартирами с моим дедом. Это он обитал в солидной квартире на углу Балтийской улицы, в профессорском доме, после войны и победы — туда дедушка вернулся из Ленинграда. И вот со своей бывшей женой, моей бабкой, он великодушно обменялся жилищами. Наша немалая семья — бабушка и папа с мамой, и мы с братом, и наша баба Груша — все мы кряхтя перебрались на Сокол, а дед с женой — именно что на Сретенку.

Я неважнецки справилась с переездом. Мне следовало идти в школу, брат тоже покинул известную 16-ю французскую школу на Сретенке и попал ровно в английскую 9-ю на Войковской, подготовка позволяла... Я рыдала. Родители поражались. Брат хмыкал критически. С этим не все понятно. Годы прошли, а оно все непонятно. Папа работал в Химках — и этот переезд был для него недурен совсем... Мама еще некоторое время работала в Институте курортологии на Кутузовском, метро от "Сокола" до "Маяковской" везло, и этой старой красивейшей станции я была обучена очень быстро. И всё же Сретенка не уходила. Не покидала меня. Я вырывала руку, но она держала цепко.

Держит и по сей день. Какая-то тайна в этом есть, всего не расскажешь. Я и сама рада бы понять, в чем тут дело. Пока не разобралась... ну, еще небольшое время у меня есть на то, чтобы разобраться.

◆ ◆ ◆

Теребит меня старуша
За рукавчик шаровар.
Мы выходим, баба Груша,
На Рождественский бульвар.
Запахни мне туго шубку,
Обвяжи кашне не зря —
Ведь морозец не на шутку
На седьмое января.

Не забудь меня, старуша,
Пригляди еще за мной —
С этой горки, баба Груша,
Соскользну я на Цветной.
Понесет меня, былинку,
Раскровившую губу,
То ли к цирку, то ли к рынку,
То ли в самую Трубу.

Отведи меня, старуша,
На бульвар под Рождество.
Я зачем-то, баба Груша,
Не забыла ничего.
Не забыла, не забыла,
Не забыла, не смогла —
Как мне Сретенка светила
И Рождественка цвела.

*Памяти Юрия Штерна*

На Серебряном, на Сретенском крыльце
Мы сидели с первой мукой на лице.
С первой болью, как от жала стрекозы, —
Если б девочка бежала от грозы.

С первым зайчиком соседское окно.
С первым мальчиком недетское кино.
С первым братцем по грудному молоку...
Это вкратце. Тут длиннее не могу.

На Серебряном, на Сретенском крыльце
Мы лежали, как на сахарном яйце.
На пасхальном кумаче, почти в гробу,
Со звездою в высоко клейменном лбу.

На Серебряном, на Сретенском крыльце
Вот стоим как в эпилоге, как в конце.
Что мы можем тут, на берегу реки,
Где мы плавали, теченью вопреки?

А мы можем, от беды на волосок,
Слышать Сретенки-старушки голосок.
Он звучит, почти невыносимо чист —
Мой мизинчик. Магазинчик "Букинист".

◆ ◆ ◆

Картинка иль, может, отметинка?
Отметинка на судьбе…
Кретинка, да это же Сретенка
Висит у тебя на губе!

Дело не в водоворотах,
А опять во мне одной.
Дело в Сретенских воротах,
Что захлопнулись за мной.

Я не то чтобы с нею выросла,
Но она меня родила.
Это палочка детского вируса
Оболочку мою взяла.

Дело не в водоворотах,
А опять во мне одной.
Дело в Сретенских воротах,
Что захлопнулись за мной.

Уж не знаю я, что есть родина,
Но никто меня не украдет,
Ибо Сретенка — это родинка,
Это до смерти не пройдет.

Дело не в водоворотах,
А опять во мне одной.
Дело в Сретенских воротах,
Что захлопнулись за мной.

# Юрий Арабов
## Времена года.
## ВДНХ

# 1.

Когда я думаю о времени, то ловлю себя на мысли о том, что последние лет двадцать-тридцать почти не чувствую его течения. Ощущение старения, некой тоскливой пресыщенности, которое наступает после сорока, мало что прибавляет к чувству времени. Да, нынешние фотографии, если сравнить их с прошлыми, на которых запечатлен автор этих строк, кое-что объясняют. Объясняют, в частности, что небытие не дремлет, что смерть трудится над чертами, стараясь привести их к нужному результату, как муравьи трудятся над созданием своей кучи, кропотливо и верно. Но время от этого не становится более ощутимым, оно пропадает или скрывается в глубине бодрствующего сознания. И лишь изредка, когда удается вырваться в лес, вдруг чувствуешь смену его этапов, движение по кругу, которое остановится лишь тогда, когда будет вырублено последнее деревце. Похоже, известные слова о том, что "времени больше не будет", сказаны о нас, горожанах, и в каком-то смысле мы уже обитаем без времени в томительной и душной вечности, лишенные надежд и каких-либо духовных перспектив.

Однако в детстве смена времен года переживалась значительно острее, чем сейчас, и мне думается, не столько из-за того, что маленький человек более восприимчив и раним, нежели взрослый. Просто мы с матерью жили на самой окраине Москвы, за Всесоюзной сельхозвыставкой, которая в те далекие времена называлась не ВДНХ, а ВСХВ. Жили в двухэтажном бараке, придавленном с трех сторон обширными лесными массивами. С востока к нам подступал Лосиный остров, считавшийся чуть ли не другим материком, и в него я попал уже в юности, недоумевая, отчего я не был здесь раньше. С севера за нашим бараком текла быстрая Яуза. Уже в пятидесятых она была мутноватой, а сегодня превратилась в сточную канаву, что не замерзает даже в лютые морозы, а лишь дымится, как поставленная на огонь пустая сковородка. Раньше в ней попадалась доброкачественная рыба; последняя щука, по моим опросам, в наших краях была выловлена в 1959 году, а лещи водились до середины шестидесятых. За Яузой

Алёна Дергилёва. Чебуречная на Солянке (фрагмент). Акварель. 2011 располагалось село Леоново с белоснежной церковью Ризоположения Пресвятой Богородицы, построенной в начале XVIII века. Эта церковь никогда не закрывалась, пережив и ленинско-сталинские погромы, и хрущевский "научный атеизм", и брежневское равнодушие. Ее желтые луковицы отражались в леоновском пруду, в котором плавала пара лебедей и время от времени кто-то тонул. В начале шестидесятых местная камвольно-отделочная фабрика спустила туда краситель, рыба всплыла кверху брюхом, а лебеди улетели и не прилетали больше никогда. За селом проходила (и проходит до сегодняшнего дня) Окружная железная дорога, по которой грохотали грузовые составы. За железной дорогой начиналось Подмосковье с подрубленным лесом и садами, о котором ходили смутные и недостоверные слухи. Говорили, что владельцы частных домов укрывают краденое и что на кривые улочки забредают иногда дикие звери, в частности волки. О медведях я тогда не слышал, но, судя по тому, что теперь на этом месте построен микрорайон Медведково, косолапые встречались и там. Наконец, с запада к нам почти вплотную подступал Главный ботанический сад, включивший в себя бывшие лесные владения графа Шереметева. Сохранилась и сама графская усадьба в Останкине со статуями во дворе, которые на зиму забивались досками от холодов и снега. Неугомонный Хрущев имел планы по отношению к этой местности. Он, в частности, хотел пустить электрички по Окружной железной дороге и углубить русло нашей Яузы, чтобы по ней ходили прогулочные катера от Москвы-реки до Ботанического сада. Но Хрущева сняли, и этим планам не суждено было сбыться.

Что сказать о климате тех далеких лет? Недавно мне попалась фотография, снятая в нашем районе в конце пятидесятых. Огромные сугробы. Я стою в валенках, а над головою нависают ледяные горы... Зима была холодной, а лето — горячим. Звучит банально, но скоро и это нехитрое утверждение будет рассматриваться как чудо. Где, скажите мне, ледяные узоры на стеклах наших домов, которые можно было рассматривать часами? Где хрустящий под ногами снег, искрящийся на солнце до рези в глазах и почесывания в носу? Но справедливости ради следует отметить, что снег в те годы быстро чернел, так как в каждом дворе находилась своя автономная котельная. Когда вода остывала, то кто-нибудь из жильцов дома спускался в подвал и просил вечно пьяных кочегаров подпустить тепла.

Во дворах лежали груды таинственного шлака, которые один поэт сравнил со скомканной копиркой. Но начиналась весна, и в робких проталинах сначала показывался лед, а уже под ним обнаруживалась сонная, а потом все убыстряющая свой бег вода.

Я стою в маленьком дворике и лопаткой тараню хрупкий лед. Длинные тени деревьев ложатся на желтые стены барака. В воздухе тянет сладковатой сыростью. Через месяц отец подойдет к березе, ткнет ее ствол изо всех сил, и на меня посыпятся тяжелые, как оловянные солдатики, майские жуки.

# 2.

Мы с мамой жили в пятиметровой комнате, выходившей в длинный и гулкий коридор. Мама очень гордилась, что у нас не было клопов, но сама указывала, мол, у соседей клопов полно. Возможно, что все другие обитатели коммуналки говорили то же самое. Клопы, по-моему, действительно водились выборочно, в старых диванах и бабушкиных сундуках. Их травили керосином, и они являлись почетной темой душевного разговора, как сейчас такой темой являются, например, домашние животные. Тогда собак и кошек в квартирах почти не держали из-за всеобщей тесноты и скученности.

Холодов в бараке я не помню. Но зато помню, как дом разрушался на глазах, как отслаивалась штукатурка, обнажая тощую арматуру. Довольно часто отключали электричество, особенно в грозы, и барак погружался в зловещую тьму, совершенно безнадежную, ибо казалось, что свет не включится никогда. Особенно было обидно, если по телевизору в это время шло какое-нибудь кино, например "Чапаев" или "Путевка в жизнь". Эти фильмы показывали чуть ли не каждый месяц, и их смотрели все с покорным удовольствием, потому что другие были еще хуже. Все-таки в "Чапаеве" витала развеселая бандитская удаль, которая в пятидесятых была чрезвычайно популярна и соблазнительна. Замаскированная революционным пафосом, она гнездилась и в самом Чапае, и в Петьке, а в "Путевке" вообще действовал бандюга в исполнении артиста Жарова. И зрители у экранов, по моим скромным наблюдениям, реагировали на разбой прежде всего как на приемлемую альтернативу своему существованию, а не как на классовую патетику.

Телевизоры назывались "КВН" и имели экран величиной со спичечную коробку. К нему приставлялась специальная увеличительная линза, похожая на аквариум, делающая экран немного больше.

Вообще, привкус уголовщины всерьез обитал в наших краях.

Где-то неподалеку находилась легендарная Марьина роща. Говорили, что банды оттуда захватывали целые трамваи и троллейбусы, давали водителю червонец, чтобы тот без остановки гнал на Сельскохозяйственную улицу, к нам, и где-то в районе стадиона "Искра", что был рядом с нашим домом, происходили битвы Сельхоза с Рощей. Считается, что сейчас высокая преступность. С этим, конечно, не поспоришь. Однако народ нынче какой-то потрошеный, несвежий, неэнергичный. Толпа же пятидесятых отличалась от нашей не только тем, что была однообразно и серо одета, но прежде всего бурлением страстей, общей подвыпитостью и разудалой силой. Смех, компания, гитара или гармошка, гордость своим телом и желание тотчас же, всем миром разрешить назревшие проблемы...

Я помню, как однажды у открытого кафе на ВДНХ в кустах закричала какая-то молодка. Мужская половина кафе, оставив свои твердые, как подметка, шашлыки, бросилась в кусты на помощь, а потом разочарованно возвратилась назад, потому что рукопашной не получилось, а влюбленная парочка из кустов со стыдом бежала...

Очередь в рестораны, особенно удлинившаяся в шестидесятые. Коллективные походы на футбол. Пиво, раки. Газированная вода на улицах — две стеклянные колбы на белой тумбе, тяжелый баллон сжатого газа и дородная тетка в заляпанном белом фартуке. "Налейте, пожалуйста, побольше сиропа. И, ради бога, вымойте получше стакан". Дворники с бляхами, посыпающие зимние дорожки песком. И конечно, драки, заварухи, пинки, пендели, затрещины, фингалы — в общем, рукоприкладство всевозможных мастей.

Стадион "Искра", располагавшийся через улицу, как раз и был подобным местом, где страсти сталкивались, разжигались и опустошались с поразительной быстротой и силой. Поводом к опустошению страстей служили футбольные поединки между командой камвольно-отделочной фабрики, например, и командой киностудии имени Горького. "Кутила, газ!" — дико орали подвыпившие трибуны. И центрфорвард Кутилин в поношенных сатиновых трусах линяло-серого цвета прорывался в штрафную площадку противника и, конечно, мазал, мазал, мазал... Тут же начинались потасовки. Не кровавые, хотя трупы время от времени находили на утренних улицах, но они, эти трупы, не имели к самодеятельному футболу прямого отношения. О них рассказывали соседки таинственным шепотом, прибавляя к этому столь живописные детали, что белый свет мерк и бытие Божие представлялось сомнительным. "Ах, какой молоденький! А внутри ничего нет, ни печеночки, ни сердечка. Все вырезали. Пустой". — "А старичка-то видали без носа? Участковый говорит, что отрезали. Кто-то носы коллекционирует, так-то". — "А девочка? Что с девочкой-то сделали?.. Трусики в стороне лежат, а сама-то пьяная!.. Мамочке своей в лицо плюнула!" Короче, пересказывать все это даже не хочется.

Но лучше от коловращения жизни уйти в лопухи, репей и там упиться заброшенной красотой окраинной природы. Стадион был построен среди леса на покатом склоне Яузы и состоял из двух футбольных полей и одного небольшого административного здания. На окраине чернела небольшая сосновая роща, где среди бурых иголок попадались лоснящиеся маслята. Много было и мухоморов, выглядевших таинственно и сказочно. Через Яузу был перекинут старый деревянный мост. Мама иногда брала меня на тот берег, к пруду, в село, где можно было застать пасущихся коров и коз. В церковь мы никогда не заходили, а обогнув ее, шли через сельский погост к насыпи железной дороги. Садились на зеленую лужайку и ждали проходящего поезда.

Солнце в зените, и июньская зелень окрашена в теплый желтый цвет домашнего теста. Я жадно вдыхаю тревожный мазут железной дороги, и сердце мое наполняется предвкушением чуда. Чудом будет адский паровоз с красной звездой на лбу, внутри которой светятся профили Ленина и Сталина. Он пройдет величаво и тяжело, как слон из джунглей, ведя за собой вагоны с углем. Мы замашем руками и закричим что-то машинисту, а он, наверное, не услышит. Машинист ведь гений, в обязанности которого входит поддерживать вечный огонь в гигантской печке. Что ему радости и горечи человеческие, что ему до двух маленьких человеческих существ на склоне? Он, гений, прокладывает новые невиданные пути в пространстве, едет куда-то со своими вагонами и сам не знает куда. Ну и бог с ним, пускай едет. Мы же, усталые и довольные, возвратимся домой к сковородке с жареной картошкой и будем самыми счастливыми на свете. Во всяком случае я. Потому что сегодня я видел собственными глазами черный паровоз, и дым валил из трубы. И вряд ли подобное чудо повторится в ближайшем будущем. Теперь не скоро выберешься с мамой на склон, не посидишь, собирая в траве обуглившуюся на солнце землянику, потому что холодает, роса становится крупной и приходится надевать резиновые сапоги.

**4.** Однако я бы соврал, если бы утверждал со всей решительностью, что в те далекие времена люди ели одну картошку. Я представляю октябрьский ясный день, мы едем на Маломосковскую улицу, где расположен магазин "Рыба". Высокий сталинский дом с толстыми, как у пирамиды, стенами, на первом этаже — магазин. Направо — живая рыба, которая нас не интересовала. Налево — икорный ряд. Икра черная и красная нескольких сортов, икра паюсная, икра щучья и еще бог знает какая. Причем не в банках, как сейчас, а на развес. Несколько продавцов, к каждому стоит небольшая очередь, человек десять-пятнадцать. Мне в очереди стоять чрезвычайно не хочется, и я развлекаюсь тем, что рассматриваю роспись потолков и стен, отделанных мрамором. В те далекие времена расписывали не только станции метро, но и магазины. Живопись, конечно, была неважной, но для меня имела первейший интерес. Меня не трогало то, что мама томилась в очереди за икрой к моему дню рождения — к своему она никогда подобных излишеств не покупала. Мне была интересна живопись, я погружался в нее и, задыхаясь, переносился в другой мир.

Волны моря перекатывались через штукатурку рыбного магазина. Несколько мускулистых рыбаков, перевесившись за борт маленького баркаса, тащили из пучин гигантскую рыбину. У рыбины был острый профиль и немного подслеповатые заискивающие глаза. Будто она сама извинялась перед рыбаками, что такая тяжелая. Общим выражением морды она напоминала чем-то детского поэта Михалкова. Рыбаки тужились и никак не могли втащить ее на борт. В одном из рыбаков мне чудился отец.

Другая фреска изображала подводные глубины. Кораллы, водоросли и прочие водяные джунгли были прорезаны студнями медуз, словно поданных на тарелке, подводными змеями и осьминогами, напоминавшими косматые головы бродячих философов. От этого становилось страшновато. Я воображал, что мне, скорее всего, придется однажды в жизни очутиться на дне в глубоководном скафандре. Запас кислорода кончится в самый неподходящий момент, шланг запутается в кораллах, на корабле забудут, что кого-то опустили на дно, и уплывут по своим делам, оставив меня одного. Я попробую уцепиться за медузу, она выскользнет из рук, оставив на тяжелых перчатках слизь. Нападет осьминог, но я отгоню его гарпуном. Только морской конек, пожалуй, унесет на поверхность океана, где случайное судно американских рыбаков поможет моей ноге обрести твердь…

Следует заметить, что когда, много позже, я очутился в Третьяковской галерее, то живопись, увиденная там, за исключением Христа в пустыне, мало чем поразила мое воспаленное воображение. Она, эта живопись, сильно проигрывала фрескам из магазина "Рыба" и не имела соотношений с моей судьбой. Разве представишь себя, например, на войне 1812 года? Не представишь, не захочется. Не увидишь себя в живописи передвижников, скажем, среди тех детей, что запряжены в тележку и везут ее, надрываясь… Зачем? Куда?! А вот рыболовом себя представишь, и соленые брызги Каспия, которого до сих пор я никогда не видел в реальности, будут тревожить и разъедать душу…

Что же мы делали с купленной икрой? А ничего. Зарплаты мамы хватало граммов на сто, и в течение всего месяца она вынуждена была отказывать себе в самом необходимом. Икру она не ела, экономила, оставляя мне. В газете прочла, что маленьким детям необходима икра. А я не ел икру, потому что она была мне противна, особенно в свежем виде, ибо напоминала внутренности глубоководных существ. Когда икра, полежав, твердела, то я брал в рот несколько шариков с внутренним равнодушием… Сейчас это звучит почти кощунственно, но в пятидесятых сей продукт не считался дефицитом, он был просто дорогой высококалорийной пищей, изредка доступной советским людям, особенно если они проживали в городе Москве.

В шестидесятых почти одновременно со снятием Хрущева исчезла и икра. Мы как-то поехали году в 65-м на свою Маломосковскую… И что же? Магазин стоял на месте, но рыбы в нем уже не было. На наших глазах он срочно переоборудовался в обыкновенный продовольственный, торгующий консервами и мороженым мясом. Мясо, в свою очередь, пропало через десять лет, а тогда я с ужасом наблюдал, как маляры длинными кистями закрашивают на потолке море. Мазок — и пропала усатая рыбина. Другой — и мускулистые рыбаки превратились в бледные привидения. Осьминог был острижен наголо и стал напоминать зэка. Медузы высохли вместе со свежей побелкой. Наступали другое время и другая эпоха. Отходили в прошлое коммуналки и странно связанная с ними черная икра, которую никто не ел из экономии, и она в итоге доставалась дворовым кошкам. Скучно на этом свете, господа…

# Дмитрий Глуховский

## Третий Рим.
## ВДНХ

Р одился-то я на Тверской — то есть улице Горького, и даже учился на Арбате, но что ваши Тверская и Арбат против тех площадей и аллей, где я провел чуть не всё свое отрочество? Ну, улицы и улицы. Дома, мостовые, история какая-то. Ничего, в сущности.

Я вот тужусь, думаю — и все равно не могу придумать в Москве ни одного другого такого места — странного, загадочного, искусственно-противоестественного и потому совершенно магического, на которое к тому же москвичи давно не обращают внимания, словно и вправду наложено на него какое-то охранительное заклятие, делающее его невидимым для профанов.

Останкино — вообще прекрасный и удивительный район: тут и башня, которая чуть не двадцать лет была высочайшим зданием в мире, и образцовейший парк имени главного чекиста с усадьбой графа Шереметева при входе, и антисоветские коттеджи советских космонавтов, и центральный аппарат зомбирования народа, и весь цирк телеуродов за тройным милицейским кордоном, и безразмерный Ботанический сад, один черт знает чем засаженный.

Но настоящая жемчужина Останкина — это, конечно, ВДНХ.

Пускай переименовывают мою ВДНХ в ВВЦ, меня эти их игры не касаются: я так и буду говорить — ВДНХ. И не "мою ВДНХ" даже, а "мое", потому что ВДНХ — это не аббревиатура никакая, а имя собственное. Тетраграмматон. И средний род этому месту подходит великолепно.

Когда мы переехали в Останкино, мне было лет, наверное, тринадцать. Следовательно, был девяносто второй, Союз только что развалился, у метро образовались очаги свободной торговли чем угодно — от наручников до норковых шуб, на улицу после девяти выходить стало опасно, а вся имперская инфраструктура, включая культурную атрибутику, оказалась предоставлена сама себе и начала подгнивать.

Так случилось и с ВДНХ.

Но если ваш Арбатик и всякая Тверская-Ямская, пообшарпавшись, стали выглядеть под стать обсевшим их бомжам и безногим ветеранам, то ВДНХ от государственного небрежения только похорошело.

Первое мое знакомство с ним приходится еще на мое солнечно-бетонное советское детство, но это так, не влюбленность, а детское удивление какое-то было. А именно влюбляться в ВДНХ я стал как раз в отрочестве.

Мы как раз в то время завели собаку, и собаку надо было выгуливать. Да, рядом, конечно, и парк Дзержинского, и Ботанический сад, но и тот и другой с ВДНХ разве сравнятся? Нигде, наверное, я столько времени не провел — и один, и с братом, и с друзьями, — как на ВДНХ.

Заходили не с парадного входа, а с черного, Хованского, добираясь от наших панельных домов мимо как раз тех самых буржуазных космонавтских таунхаусов, отлично с улицы видных, ныряли сразу в маленькие асфальтовые ручьи второстепенных дорожек, текущих под развесистыми деревьями, и брели куда-нибудь теряться. Так на ВДНХ было лучше всего: без маршрута, в никуда, так можно было там каждый раз удивиться, что-нибудь для себя новое находя.

Что вы вообще знаете о ВДНХ? Павильон "Космос", небось, и какой-нибудь фонтан "Дружба народов". Ничего то есть не знаете.

И я тоже ничего не знал.

И открывал — как Колумб открывал — в древесном шепчущем море удивительные острова, потому что все ВДНХ заполнено странными, необъяснимыми сооружениями, которым, кроме этой территории, другого места на Земле нет и быть не может.

Выплывали из летнего зеленого хора или из осенней листвяной многоголосицы павильоны и павильончики: смелая "Нефть", спроектированная будто самим Ле Корбюзье, похожий на чудом уцелевший древнегреческий храмик "Пионеры-герои" с гипсовыми Валей Котиком и Маратом Казеем, советскими божками, навсегда детьми и навечно стариками: лица у них были мертвенно-белые и морщинистые от трещин. Интересная, как "Детский мир", "Энергетика" с огромными живыми макетами гидроэлектростанций и линий высоковольтных передач, и прекрасное "Золото". Заставленная невероятными агрегатами "Электроника" и зловонное бесконечное "Свиноводство".

Главная аллея проектировалась, конечно, римлянами: "Украина", "СССР", "Космос" — все это античные храмы и дворцы, громадные, величественные, давящие и вдохновляющие, дающие советскому человеку почувствовать себя вошью и однодневкой, но вместе с тем ощутить восторг и гордость, ощутить себя частью чего-то неизмеримо могучего и вечного.

ВДНХ было парадным портретом империи, но портретом волшебным: стоило империи умереть, как и портрет стал разлагаться. Перестали подкрашивать побелку павильонов, и лоск их вмиг истрепался. Сквозь ретушь на нас глядел возраст, и сооружения, которым было всего-то лет тридцать, стали казаться древними. Застыли фонтаны и зацвели небреженные пруды. Чаща, неубранная и несдерживаемая, стала смыкаться вкруг дорожек. Провалились куда-то блюстители порядка, легионы бабок-смотрительниц, и пришли новые хозяева.

Вандалы.

Ровно так же, как ими тысячу лет назад был захвачен Рим подлинный, так и его реплика, искаженное отражение, ВДНХ пало под варварским натиском.

ВДНХ, покинутое римлянами, превращалось в чудовищного размера базар. Торговцы чем угодно и чем попало завладевали павильончиками и павильонами, делили их промеж собой как придется, устраивали лотки в проходах, в галереях, между уцелевших экспонатов. Павильоны все еще назывались так, как они назывались раньше, — старинные советские буквы венчали их, рассыпаясь, а на дверях и на окнах теснились яркие наклейки, обещавшие изобилие полуголодному, только сбежавшему из соцлагеря человеку.

И мне там нравилось дико.

В грандиозном "Космосе", построенном по образу и подобию собора Святого Петра в Ватикане, была развернута незабываемая выставка-продажа американских микроавтобусов-минивэнов — черных, тонированных, со спутниковыми антеннами в крышах, соединявшими их духовно с темой павильона. Они громоздились на помостках по обеим сторонам центрального нефа, и взгляда от них оторвать было невозможно. Они даже продавались — это было поразительно, потому что больше они не продавались нигде, да и машин таких я раньше вживую не видел.

В "Свиноводстве" — которое можно было вслепую, по одной вездесущей вони, найти от самой центральной площади — той, где ракета, — новые квартиранты, подселенные к растерянным свиньям, установили игровые автоматы; не старье вроде "Морского боя" или "Авторалли", а новейшие российские игровые автоматы по мотивам народных сказок про Ивана-царевича. Тогда еще не случилось пришествие в Россию игровых приставок "Денди", и автоматы эти казались верхом совершенства.

Так что мы с братом запасались деньгами и маршировали, набрав воздуху, как перед погружением, против густого от миазмов воздуха, и, спрятав нос в ворот куртки, играли, играли в этого чертова Ивана-царевича — постепенно обвыкаясь, истрачивая и копейки, и брезгливость, переставая слышать свиное дерьмо.

А рядом с "Космосом", в павильоне, который уж не помню как и назывался, летом устраивали открытый видеосалон. Помните видеосалоны? Это когда видеомагнитофоны только стали просачиваться через границу и появляться только у тех счастливчиков, которым по работе можно было выезжать. Самые предприимчивые из них потом барыжили мечтой об Америке и киношками про Брюса Ли, организуя видеосалоны в подвалах или подключая нас к своему цветастому мельтешению, гордо именуемому кабельным телевидением. Ночью по этому телевидению можно было наткнуться и на порнографию, а порнография тогда была куда интересней нынешней. О чем это я? Да, о видеосалоне; там единственный раз в своей жизни я увидел идиотский, наверное, фильм "Фантастический наездник", который меня впечатлил неизгладимо и который я помню до сих пор и многажды пытался найти, но никогда более посмотреть не смог. Как сейчас вижу: эти ряды выносных стульев, и люди сидят — посреди дня и, заплатив сколько-то рублей за полчаса просмотра, глядят на маленький телевизор с размазанной картинкой таких ярких цветов, которых в советском кино не существовало.

А в павильоне "Москва" — это с козырьком такой, современный, неподалеку от "Рабочего и колхозницы", — можно было вообще купить всё, но мы туда ходили зырить на пневматические пистолеты, которые с виду были точными копиями настоящих. В их рукоятки вставлялись баллончики с углекислым газом, и стреляли они стальными шариками, которые, по клятвам продавца, могли с десяти метров разнести в брызги аж бутылку из-под шампанского. Мы даже таскали туда за руку отца, потому что такой пистолет в доме был бы, конечно, совершенно незаменим; и отец с неподдельным интересом (ему ведь тогда тоже было на двадцать лет меньше, значит, немногим за тридцать) изучал оружие и взвешивал в руке — но ничего мы так и не купили, потому что мать нас бы с таким пистолетом на порог не пустила.

И еще можно было купить на ВДНХ вареную колбасу, когда больше нигде ее было купить нельзя, и к нам за этой колбасой ездили за шестьсот километров поездом наши тети из Костромской области: двенадцать часов в плацкарте в одну сторону, зато в очереди стоять всего-то день, а к вечеру уже получаешь вожделенные два батона в руки, в том числе и в детские руки, поэтому нас всегда брали с собой.

И еще — книги любые.

И надувные куклы для одиноких сердец.

И мед. И шубы. И телевизоры.

И — потом уже — компьютерные игры на дисках-сборниках; это когда появились домашние компьютеры.

Было ВДНХ целым царством; страной изобилия; выставкой запретных благ; колдовским садом, в котором произрастали искусы.

Мы шлялись все дни напролет — нас трое и моя собака — по руинам советских храмов, по торговым развалам, мимо дряхлеющих памятников и обретших посмертную жизнь павильонов. Стреляли в тирах и ели горячие сосиски, заблуждались в заброшенных подлесках. В марте, помогая тормознутой московской весне, били асфальтовыми глыбами лед в опустевших прудах на задворках "Рыболовства", в июле сидели на травяных склонах у этих прудов и дули легальную уже кока-колу.

Так прошло лет пять; варвары окончательно обжились в рушащихся храмах, превратили советский Ватикан в Диснейленд с шашлыками и веселыми трамвайчиками; глаз замылился у всех — и у новых обитателей этих развалин, и у простых москвичей. Потускнели золотые шпили, облупились лоснившиеся латыши, украинки, узбечки и грузины на "Дружбе народов".

И эта эпоха — как-то незаметно — канула.

Понаоткрывались в Москве торгово-развлекательные центры и гипермаркеты, не надо больше за телевизором ехать на ВДНХ, а видеомагнитофонов и в природе теперь не существует; за шубами жирующие россияне ездят в Грецию, и вся страна колбасой завалена и медом сверху залита. Изобилие настало везде, не надо больше за ним ехать двенадцать часов плацкартом. Сквозь щербатые прутья ограды ВДНХ улетучился, выдохся феромон потребительского счастья.

Мокнут под дождем сирые фотографы с обезьянками, сбрасывают до земных свои астрономические цены продавцы шашлыка, пустеют павильоны.

Уходит из них и вторая жизнь.

Нынче обещают ВДНХ третью.

Говорят, восстановят, перекрасят, обновят, актуализируют — и опять будет выставка достижений народного хозяйства России.

Ну а что — если в политике реставрация, то и тут реставрацию нужно. И выйдет так же расходно, аляповато и комично, наверное. Поглядим. А может, ничего не выйдет и к восстановлению ВДНХ останутся с голым задом.

Я буду такому рад.

В заброшенном, тлеющем и рассыпающемся ВДНХ есть свое величие, есть идея, есть чувство.

Я теперь гуляю по нему, как по афинскому Акрополю. Всматриваюсь в трещины, колупаю облетающую побелку, гляжу, как трава через асфальт растет.

Это и есть наш Акрополь. Не приходит же нынешним грекам в голову за древних все переделывать! Так что лучше бы не хватило нам денег на реставрацию.

Я вижу в ВДНХ историю.

Нашу — и мою.

Нет больше видеосалонов, нет игровых автоматов и нет свиней, нет пневматических пистолетов и нет тайной палатки с пиратскими играми. Нет больше древнего царства, богов которого прославляли эти храмы; нет и того глупого и залихватского, варварского государства, которое расцвело на руинах; нет моего детства и отрочества; мы выросли, собака умерла.

Но иду туда — и кажется издалека: вон же там видеосалон; и свиная вонь висит в воздухе неизбывно; и собака моя, того и гляди, выскочит из тенистой аллеи.

Может, и выскочит. Потому что феромоны-то все выдохлись, а волшебство осталось.

Только профанам его не видно.

Им Арбат или Тверскую подавай.

Скажите еще — Красную площадь.

Смешно.

# Олег Фочкин

## Ветеран Инвалидного рынка. Аэропорт

**В** тот июньский день немного похолодало, но настроение было приподнятым — только что сдан довольно сложный экзамен по геометрии, а значит, приближающийся день рождения ничто не омрачит. Мы с дворовой командой двинулись мимо родной школы из Малого Коптевского проезда к рынку, еще даже не придумав, чем заняться. В кинотеатре "Баку" шел какой-то неинтересный фильм, да и не хотелось летом идти в кино, тем более что большинство одноклассников разъехалось по дачам, только выскочив из дверей школы.

Вся жизнь кипела вокруг Ленинградского рынка. Здесь не только покупали всё, что можно было купить на кооперативном базаре и в прилагавшемся к нему магазине промтряпок. Здесь назначали свидания, садились в автобусы или маршрутки, которые за 15 копеек могли увезти куда угодно, вплоть до дикого еще пляжа в Серебряном бору. А там оставалось совсем немного дойти до берега реки, купив по дороге таящее на глазах фруктовое мороженое в картонном стаканчике, и, плюхнувшись возле воды на полотенце, созерцать на противоположном берегу стадо коров, как раз в том месте, где сегодня высятся белые коробки застроенного до основания Строгино. Но то летом, в короткую отпускную пору, когда желания совпадали с возможностями, а берег Черного моря все равно был виден только на черно-белом экране телевизора или в кино. Все остальное время Ленинградский рынок оставался центром микровселенной, открывая тайны мироздания и человеческих взаимоотношений.

Вы скажете, что таких рынков в каждом городе много, а уж в Москве их более чем достаточно. Но я ведь не случайно упомянул о микровселенной. Вся Москва состоит из таких фрагментов, пересечений, воспоминаний, знакомств и открытий неизведанного, которое можно никогда не узнать, как бы мы ни старались это сделать.

Вот и в нашем повествовании Ленинградский рынок — и главный герой, и место пересечения надежд и судеб. Он менялся вместе с нами и нашей страной, точно отражая все происходящее.

Описанные выше события относится к концу семидесятых годов прошлого века — кануну Московской олимпиады, когда в палатке "Мороженое" можно было купить (правда, очень недолго) последнее достижение столичной хладопромышленности — большой картонный стаканчик за целых 70 копеек! Бешеная цена по тем временам. Мороженое называлось "Планета". Внешне стаканчик был похож на те, в которых продавалось сливочное или шоколадное мороженое по 48 копеек. Но это было трехслойным, а название получило из-за трех шоколадных вставок, которые как кометы пронзали шоколадный, сливочный и фруктовые слои.

Правда, с окончанием Олимпиады это мороженое куда-то исчезло, как и многие другие импортные продукты, к которым москвичи уже начали привыкать. Разве что пепси-кола прочно обосновалась в магазинах и обжигала нёбо в жару наравне с напитком "Байкал", за которым тоже еще надо было погоняться по всему городу или тащиться через зной в фирменный магазин на Ленинском проспекте, где, отстояв очередь, взять заветные бутылки и теплыми довезти до дома…

Площадь перед рынком была почти пуста. Пара маршруток, несколько старушек с зеленью, не успевшие занять рыночные прилавки, лениво прохаживающийся постовой да мороженщица, выглядывающая из окна своей палатки. Даже киоск "Союзпечать" на углу Часовой был закрыт. Обед, который обычно плавно переползал в ужин и сон.

Хотя нет, был возле рынка еще один его постоянный обитатель — старик-инвалид, у которого всегда можно подбить набойку или купить шнурки. Он передвигался на шумной деревянной доске с гремевшими на всю округу подшипниками, опираясь на лоснящиеся от его рук бруски, которыми он ловко отталкивался от асфальта и катился вдоль тротуара. К нижней губе инвалида была прилеплена неизменная беломорина с фирменно, в три касания смятой гильзой. Изредка он пыхтел своей папиросой, и тогда сизый дым окутывал и его, и всё вокруг, пока старик не вырывался из клубов дыма на своей каталке до следующей затяжки.

Пепел падал ему на воротник солдатской парадной рубашки, которая, впрочем, давно уже потеряла парадный вид, но старик оставался ей неизменно верен. То ли у него больше ничего не было, то ли он не хотел предавать память о прошлом. Вот об этом самом прошлом я очень хотел с ним поговорить. И как было упустить подвернувшуюся возможность?

Как тогда работала моя голова и почему она связала воедино всё, что я хотел выяснить у этого старика, теперь уже не вспомнить. Я ведь о нем толком ничего и не знал: зовут его дядя Паша, кумушки на лавке во дворе говорили как-то, что он воевал, потому и остался без ног, хотя по другой версии инвалидом он стал по пьяни. Верить хотелось в героическую версию. А то, что старик каждый вечер напивался и командирским голосом строил у подъезда соседок, так то ж не он один.

У нас во дворе был свой сумасшедший или юродивый. Кто его разберет, чего больше. Дядя Витя — молодой еще парень, которого раз в год забирали в психушку после очередного запоя, и он выходил оттуда тихий и незаметный. В другое же время, приняв на грудь, он выходил на середину двора и отдавал команды по-немецки, даже зиговал, войдя в раж. Затем следовала целая речь на немецком и погоня за нами, пацанами, не упускавшими момент подразнить неповоротливого алкоголика. В трезвом виде он ничего этого не помнил и очень переживал, когда ему рассказывали об очередных победах. А потом выяснилось, что и немецкого-то он не знает. Его речь оказалась потоком сознания, набором слов, услышанных по телевизору и подсознательно стилизованных под немецкий язык. Возможно, это был особый способ защиты от постоянных нападок. Остановить же в активный период его могла только мать, выбегавшая из дома в одних тапочках и халате с веником наперевес, да старый рыжий кот, обтиравшийся у ног дяди Вити. Оба друг в друге души не чаяли и действовали обоюдно умиротворяюще.

Но то наш дворовый дядя Витя, а то безногий старик, который не был сумасшедшим и явно многое повидал. Даже здоровенные, все в синих зэковских наколках грузчики с рынка разговаривали с ним уважительно и всегда оставляли полстакана водки после своих вечерних посиделок. Другим же они спуску не давали и могли послать по матери и тетку с семейной авоськой, и народного артиста, коих на Ленинградский рынок захаживало немало в силу близости к этому району домов, выстроенных советской властью для работников пера и сцены.

А еще дядя Паша восхитительно талантливо гонял голубей. В дальнем углу рыночной площади, ближе к кинотеатру, жалась к домам старая голубятня. Тогда их в районе было много. Некоторые остались со времен Фестиваля молодежи и студентов 1957 года, другие существовали, говорят, еще с дореволюционных времен. Местные рассказывали, что сюда приезжали выбирать голубей со всей Москвы. Район, расположенный за Петровско-Разумовским парком и зоной городских дач, славился своими голубями. Сейчас от этого времени остались одни воспоминания да фотографии.

Голубятня у рынка уступала разве что только своей сопернице у Цветковского пруда, что притаился на задворках Большого Коптевского проезда, на месте уже не существующей улицы. Там и голубятня была побольше, и голуби попородистей, и хозяин побогаче. Но смотреть, как гоняют голубей, всегда приходили к дяде Паше: так, как это делал он, не умел больше никто.

Сам забраться на верхотуру к голубям инвалид, конечно, не мог и неизменно задействовал кого-то из местных мальчишек, которые с радостью помогали в этом деле, да и покормить из своих запасов белых крылатых красавцев не чурались. Иногда и взрослые с не меньшим удовольствием участвовали в этом процессе.

Дядя Паша гремел на своей тележке в сторону голубятни, а ее обитатели, издали узнававшие привычную "поступь командора", начинали беспокойно и нетерпеливо гулить и бить крыльями, предвкушая краткие минуты свободного полета.

Мальчишка-напарник брал у дяди Паши ключ, постоянно висевший под рубашкой на потемневшем от пота и частых касаний шнурке, и лез открывать окошко, возле которого уже грудились голуби. Они распихивали соперников, чтобы первыми добраться до хозяина и сесть ему на плечи или на голову. Дядя Паша поглаживал птиц своими грубыми, почерневшими пальцами с распухшими костяшками, что-то неожиданно ласково тихо бормотал, а потом вдруг резким движением встряхивал всю эту кишащую кучу перьев с себя и покрикивал: "Ну, хватит, хватит". Однако было видно, что весь процесс доставляет ему огромное удовольствие.

Затем он снимал с губы папиросу, зажимал ее в горсти пальцев, а другую руку подносил ко рту, засовывал два пальца между щербатых зубов и издавал неожиданно громкую и мелодичную трель. Этот посвист знала вся округа и тут же поднимала голову к небу: сейчас полетят.

И действительно, все голуби как по команде взмывали в небо и делали первый тренировочный круг. Пока еще невысоко и недалеко, но дядя Паша требовательно и уже гораздо резче свистел еще раз, и все его подопечные будто просыпались и взмывали выше, облетая круг за кругом весь район — от "Сокола" до "Аэропорта", а в иные дни долетая и до Тимирязевского парка.

Дяде Паше, да и всем остальным, это белое пятно, движущееся размеренно по небу, доставляло истинное удовольствие. Сложив у лба правую руку лодочкой и вновь прицепив к губе папиросу, он внимательно следил за птичьим полетом, пока голуби не возвращались, нагулявшись, по его сигналу к отбою. Он бы и сам, наверное, полетел вместе с ними, да не было у него ни крыльев, ни ног. И это последнее отражалось тут же на его вмиг мрачневшем лице.

Пока голуби летали, мальчишка-помощник выгребал из голубятни мусор и помет, менял воду, подсыпал зерно. И птицы знали, что их ждет на земле, поэтому охотно возвращались за сетку, уже не делая остановки на плечах дяди Паши.

— Всё, концерт окончен, — говорил он и, вешая на шею ключ, катил в сторону рынка, где его уже ждали традиционные полстакана…

Но вернемся в тот день, когда я с дворовыми приятелями заметил дядю Пашу у почти пустынного рынка. У моих друзей не было интереса тормозить возле инвалида, и они пошли в сторону кинотеатра и пруда в надежде встретить кого-то из знакомых, да заодно посмотреть, что будут показывать на следующей неделе. Я помахал им рукой и подошел к старику.

Тот кивнул мне, но на разговор явно не был настроен. У меня, сам не знаю каким именно образом, в голове выстроился странный мысленный ряд: инвалид, Амбулаторный проезд, Протезная улица… Дело в том, что меня давно уже интересовало, откуда взялись все названия окружающих улиц, а никто из знакомых взрослых не мог объяснить мне их происхождение. Да оно и понятно. Все дома в округе строились в конце 1950-х — начале 1960-х годов, а некоторые и того позже. До этого вся округа была деревянной, о чем свидетельствовали отдельные бревенчатые дома, которые почти полностью пропали уже на моей памяти. А еще в начале шестидесятых по Малому Коптевскому в сторону рынка как-то прошел медведь, о чем свидетельствовала заметка в газете. Уж как он дошел до Москвы, судить не берусь, но переполох устроил знатный, перепугав ранним утром всю округу. Да и возле Тимирязевского парка, сразу за железной дорогой по пути к станции "Красный Балтиец" ютились последние жители маленькой деревушки Ипатовки, которых еще не успели выселить перед строительством большого госпиталя МВД. Он появился чуть позже, а пока утром мы слышали петухов и бегали тайком собирать малину с полузаброшенных участков.

Наверное, что-то могли рассказать о названии улиц и переулков деревенские. Но они не очень дружелюбно встречали гостей, да и у нас не было желания встречаться с их злыми и горластыми собаками.

Мне почему-то казалось, что дядя Паша не может не знать, что в этих местах было раньше. Наталкивала меня на эту мысль и голубятня, которая была явно старше рынка, построенного в 1963 году.

Я решительно продолжил движение к инвалиду. Он внимательно посмотрел на меня снизу вверх, вздохнул и негромко спросил:

— Ну, чего хотел-то, ведь не просто так подошел.

— Дядя Паш, а вы знаете, что здесь было раньше? — скороговоркой выпалил я.

— Где? — не очень понял мой собеседник.

— Здесь, на месте рынка, рядом. Тут как-то все названия с больницей связаны, а еще, говорят, здесь бараки на болоте стояли. И я читал, что в парке были липы, которые Петр Первый сажал. А последняя из них погибла от удара молнии только в 1967 году…

— Про Петра не знаю, не присутствовал при этом, — усмехнулся старик. — Ну а про другое кое-что могу рассказать. Вот только зачем это тебе?

Пришлось соврать, что на лето мне дали задание написать доклад по истории района на основе рассказов местных жителей, а я даже не знаю, с чего начинать.

Уж не знаю, поверил ли мне дядя Паша, или просто ему вдруг захотелось поговорить, а может, что-то вспомнилось из собственного детства, но только он согласился рассказать, что сумеет.

Счастью моему не было предела.

— Ты только вот что, газировки мне набери холодной, в горле пересохло.

Автомат с газировкой за копейку стоял совсем рядом, возле палатки "Мороженое" и входа в магазин "Продукты" — государственную часть рынка.

Проблемой могло стать отсутствие граненого стакана, что случалось довольно часто, но в тот раз мне повезло — стакан был на месте.

Быстро набрав воды, я бросился обратно, пока старик не передумал.

Он жадно выпил воду, с сожалением убедившись, что все кончилось, поставил стакан на край бордюра и жестом предложил мне следовать за ним в тенек у остановки автобуса, где я мог присесть на скамейку, а он на нее облокотиться. Самопальная инвалидная тележка прогремела по дороге, и вот мы устроились в тени.

— Спрашивай, — милостиво кивнул мой собеседник.

— Дядя Паша, вы же здесь давно живете?

— Ну, давно, — утвердительно кивнул в ответ дед.

— А что здесь раньше было, до рынка. Тут же все дома новые, им лет по десять–пятнадцать, а я помню, что здесь одни деревянные домики были, застал их еще. И почему так много всего связанного с медициной и инвалидами? — затараторил я.

Дед задумчиво одной рукой достал из нагрудного кармана армейской рубашки пачку "Беломора", надорванную с одного края, щелчком снизу выбил папиросу и протянул пачку мне:

— Будешь?

Соблазн был велик, да и лицом в грязь ударить не хотелось, но я не курил и отрицательно замотал головой:

— Спасибо.

— И правильно, — легко согласился дядя Паша. Затем размял папиросу, загнул мундштук и прикурил, чиркнув спичкой по своей тележке.

— Что здесь было, спрашиваешь, — задумчиво протянул он. — Это долгая история.

— Вы же обещали!

— Да я и не отказываюсь, хочешь — слушай. Вот только бы понять, с чего начать.

То, что здесь всё новое, — это ты правильно заметил. Одна моя голубятня от прошлого и осталась. Даже пруд у кинотеатра, и тот перекопали. Он ведь был больше, мы на нем часто рыбу ловили, не то что теперь.

А рынок был и раньше, только не здесь, а ближе к метро. И называли его тогда не Ленинградский, а Инвалидный. Он был и кормильцем, и поильцем, да все давно прошло…

И дед, вздохнув и глубоко затянувшись, замолчал.

— А почему Инвалидный? — не выдержал долгой паузы я.

— Видишь ли, пацан, эти места с древних времен служивым отвели. Здесь еще с русско-турецкой войны солдатушек лечили и хоронили. А тех, что выжили да калеками стали, тут же и селили в приютах. А что им было делать? Куда податься с культями, да без ног, вот как я?

И дядя Паша показал на свои закатанные штаны, скрепленные на уровне предполагаемых колен английскими булавками.

— Вот и создавали разные артели, в которых делали что могли. Кто — протезы для своих же страдальцев, кто сапоги справлял местным, кто скобянку, кто еще что. Вот так рынок и появился. Да и деревенским стало куда с огородов выращенное возить.


Конечно, мне хотелось получить от дяди Паши как можно больше информации, но он был немногословен, поэтому подлинную историю Инвалидного рынка я узнал много

позже, копаясь в разных архивах. Бывший Инвалидный рынок располагался в начале современной улицы Усиевича на месте домов 1 и 2 и дома 5 строение 2 по улице Черняховского. Правда, тогда этих улиц не было, а те, что были, имели другую конфигурацию. Все улицы за несколько десятков лет здесь сместились и изменили свои направления и размеры, а некоторые были переименованы или вовсе исчезли.

Инвалидный рынок продержался до конца пятидесятых — начала шестидесятых годов, и оставалась к этому времени от него только пивная, на месте которой сейчас находится зубная клиника. Название свое он получил от Александровского инвалидного убежища (инвалидного дома), построенного для ветеранов Русско-турецкой войны. На содержание убежища поступал весь доход от часовни Александра Невского в Охотном Ряду — памятника погибшим на войне 1877–1878 годов.

От убежищ и получили название две соседние Инвалидные улицы. А на месте построенного во времена Лужкова "Триумф-паласа", располагался протезный завод, обеспечивавший приюты и госпитали, а заодно давший название улице.

Рядышком были также Алексеевский и Сергиево-Елизаветинский приюты для увечных воинов.

Когда появился Инвалидный рынок — точно неизвестно, но рядом с самого начала стали селиться инвалиды. Они создавали небольшие артели и мастерские по изготовлению всевозможной хозяйственной утвари, для продажи которой и понадобился рынок.

Сохранились воспоминания местных жителей о том, как он выглядел: "В начале рынка были ряды, длинные столы — галантерея, мелкие мастерские, нитки, замки, бумажные цветы. Потом — крытые павильоны со школьными товарами и книгами".

Этих подробностей дядя Паша не знал, как не знал он и многого другого из истории Инвалидного рынка и солдатских приютов, что расположились за вечно пьяным Петровско-Разумовским, где в "Яре", "Аполло" и других ресторанах пили и пели до утра, бросали тысячи к ногам томных цыганок, где вдоль дач катались на лыжах или модных велосипедах барышни с кавалерами, где, казалось, заканчивалась Москва.

А она не заканчивалась, но здесь, на Инвалидных, не было времени на праздные гулянья. Здесь выживали и доживали. Потом инвалидов мировых войн сменили ветераны-красноармейцы, но суть поселения, граничащего с летным полем и аэродромом Ходынки, не изменилась. Здесь жили служивые калеки и их семьи.

После Великой Отечественной почти все продавцы были бывшими фронтовиками. Кто без руки, кто без ног… Последние катались на самодельных дощатых тележках, вместо колес — подшипники, и торговали всякой "блошиной" всячиной.

Тут можно было прикупить припасенные для себя или родных трофеи или старую шинель и сапоги. Продавали здесь и ворованное, благо всегда было где спрятаться от неожиданной облавы — в многочисленных бараках и деревянных кособоких домишках.

А параллельно с барахолкой шли ряды с картошкой, солеными огурцами, семечками, сушеными грибами на нитках, мочалками…

Дядя Паша тоже обосновался здесь в те послевоенные времена, но как потерял ноги, рассказывать не стал. А я постеснялся расспросить.

Начав разговор, он вдруг надолго замолчал и только дымил папиросой, погрузившись в прошлое, из которого я боялся его позвать, чтобы он попросту не прогнал меня, оборвав рассказ о рынке, который по не объяснимой и сегодня причине так меня тогда волновал.

Но после очередной затяжки, когда искра попала ему на палец и явно обожгла, дядя Паша вдруг очнулся и посмотрел на меня.

— Что тебе рассказать про тот рынок. Нет его. Жизнь сейчас совсем другая. Да и людей, что на этом рынке торговали и жили за счет него, нет.

— А куда они все делись? — неуверенно спросил я. — Умерли?

Дядя Паша оценивающе посмотрел на меня, словно решая, надо ли продолжать и пойму ли я то, что он сейчас собирается сказать.

— Можно сказать и так. Ты, может, мне и не поверишь сейчас. Про это стараются не говорить, если вообще знают. Но все, кто тогда на рынке работал, можно сказать, умерли. Причем в один день.

— Это как? — не понял я.

— Да вот так, пацан. Были, и в один момент исчезли. Почитай, только я случайно и остался.

Дядя Паша снова замолчал, а потом рассказал историю, в которую мне и сегодня трудно поверить, но тем не менее, как я выяснил позже, что-то прочитав, что-то услышав, что-то и сам увидев, она имеет под собой реальное обоснование и подтверждение. Помогла в этом и перестройка, когда информация о нашем недавнем прошлом хлынула со всех сторон, заставляя удивляться, ужасаться, заново переживать то, что казалось таким устоявшимся и незыблемым…

Инвалидов после войны было много, ведь она не щадит никого, а "пушечное мясо", если выживает, возвращается домой. И после той великой войны инвалиды, просящие милостыню на вокзалах, рынках, перед кинотеатрами или каким-то иным образом пытающиеся выжить, не удивляли никого. В районе метро "Аэропорт" в силу сложившихся обстоятельств концентрация ветеранов зашкаливала.

Многие просто не хотели возвращаться в свои семьи, чтобы не стать обузой для близких, и предпочитали оставаться без вести пропавшими, перебиваясь чем придется или находя временные пристанища. Некоторым везло больше, и у них появлялись новые семьи. Вдов и оголодавших по мужикам молодых женщин было более чем достаточно.

Но одно дело — первые послевоенные годы, а другое — начало шестидесятых, когда по заверениям Никиты Хрущева до коммунизма оставалось совсем ничего. Тогда и было принято страшное и беспрецедентное решение — избавить большие города от ветеранов нелицеприятного облика, невзирая на заслуги и награды.

Первая волна прокатилась еще при Сталине. Искалеченных ветеранов в конце сороковых забирали в интернаты чуть ли не с городских улиц, чтобы они своим видом не смущали граждан и гостей столицы. Но эта волна затронула лишь малую долю одиноких неприкаянных фронтовиков; большинство ее пережило и продолжало ошиваться возле пивной "Шайба" в районе Инвалидного рынка.

Хрущев пошел дальше. В 1954-м появился доклад МВД СССР в Президиум ЦК КПСС о мерах по предупреждению и ликвидации нищенства. "…Несмотря на принимаемые меры, в крупных городах и промышленных центрах страны все еще продолжает иметь место такое нетерпимое явление, как нищенство. За время действия Указа Президиума ВС СССР от 23 июля 1951 годах «О мерах борьбы с антиобщественными, паразитическими элементами» органами милиции… было задержано нищих: во втором полугодии 1951 года — 107 766 человек, в 1952 году — 156 817 человек, в 1953 году — 182 342 человека… Среди задержанных нищих инвалиды войны и труда составляют 70%…" — вот что говорилось в этом докладе.

Облавы прошли в один день. И рынок фактически опустел. Что конкретно стало катализатором той облавы, неизвестно. Возможно, сыграло свою роль и то, что рядом с Ленинградским проспектом стали строить дома для артистов и писателей. Может быть, кто-то из них пожаловался на неопрятный вид нищих инвалидов и их ежевечерние застолья. Может быть, какой-то чиновник решил, что такое соседство несовместимо. Теперь уже и не узнаешь.

Дяде Паше повезло. В тот день он был пьян, а потому и проспал облаву у одной солдатки, которая его привечала и которой он приносил все заработанное. Может быть, она откупилась от милиционеров, а может, просто повезло, кто теперь знает. Сам рассказчик на этот счет распространяться не стал, а больше рассказать было некому.

Он отлеживался, не выходя из дома две недели, пока все не утихло. Да и потом не торопился показываться на рынке. Занимался домашними делами, ждал, пока все успокоится. Вот только голубей, к которым прикипел, бросить не смог и попросил соседских мальчишек за ними присматривать. А потом к нему все привыкли и перестали обращать внимание: один инвалид — это не целый поселок безруких и безногих.

— А что стало с теми, кого забрали? — ошарашенно спросил я, когда дядя Паша закончил свой рассказ и тяжело замолчал, погрузившись в прошлое, куда мне дороги не было.

— Вывезли их. Кто-то помер сразу, кто-то еще пожил, — коротко ответил он.

— Что значит помер? — не очень понял я.

— Да вот то и значит, — рассердился вдруг инвалид. — А сам-то ты как думаешь, кучеряво им жилось али как?

Тогда мне это было сложно представить. Но как живут инвалиды войны, я понял уже довольно скоро, когда из Афгана стали возвращаться мои вчерашние одноклассники. Со многими из них разговаривать было очень трудно. Это были люди из другого мира, который нам, московским благополучным мальчишкам, до поры до времени понять было практически невозможно.

Картины той страшной облавы, пропавшие бесследно ветераны — все это живо рисовалось в моем мальчишеском сознании, но получить больше информации о трагедии, тайну которой мне приоткрыл дядя Паша, в тот момент я не мог. И только потом, став студентом-историком, я узнал из разных источников, куда делись инвалиды-ветераны.

Самой печальной оказалась судьба тех бывших солдат, которых в народе нарекли "самоварами". Инвалидов с одной рукой или ногой мы видели много, как и вовсе безногих. А вот "самоваров" не застали, хотя их-то после войны в районе Инвалидного рынка было немало. Так в те годы называли тех, у кого не было ни рук, ни ног. Только "крантик" самоварный ниже живота и оставался. Но и в таком виде они еще были жизнеспособны и желанны для одиноких баб, которым в жизни уже совсем ничего не светило. А так хоть забеременеть и ребенка вырастить можно было. Тяжело, но в радость.

Сколько "самоваров" было, теперь сказать трудно, но именно их в первую очередь и вывозили из городов, подальше с глаз. Говорят, самый знаменитый интернат для таких увечных ветеранов соорудили на Валааме. Кормить "самоваров" поручили местным бабам из обслуги, они же инвалидов одевали-раздевали, на ведерко, которое взамен горшка было приспособлено, сажали. Но разве можно было всех обслужить вовремя малыми силами. Местные жители вспоминают, что при Валаамском монастыре был яблоневый сад (пять лет назад, попав на Валаам, я долго искал этот сад или его остатки, но так ничего и не нашел). Этот сад был единственным местом развлечения и отдохновения "самоваров", местом их "прогулок". Сюда их привозили на тележках и подвешивали в мешках на яблоневые ветви. Так они и висели здесь целыми днями, разговаривая друг с другом, ссорились и мирились, плакали и смеялись. Иногда про них забывали, и тогда некоторые перемещались прямо с веток в могилы. Иногда у них тоже бывали праздники, когда кто-то из родных все-таки добирался до интерната. Хотя было ли им это в радость, и что они чувствовали, когда вновь оставались наедине с товарищами по несчастью, и представить трудно.

Документально на Валааме подтверждена смерть только пятидесяти ветеранов Великой Отечественной, и теперь уже ничего не докажешь.

По официальным данным в январе 1952 года на острове находился 901 инвалид, в декабре того же года — 876, в 1955-м их количество возросло до 975 человек, а потом начало постепенно снижаться — 812, 670, 624... К декабрю 1971 года по документам значилось 574 инвалида...

Но это уже совсем другая история, которая не имеет отношения к дяде Паше; сам же он о своих в одночасье пропавших друзьях с Инвалидного рынка рассказывать не захотел. Может быть, и знал что-то о том, как сложились их судьбы, но оставил в себе.

…Дядя Паша надолго замолчал. Время шло к вечеру, мне пора было домой, но я боялся нарушить эту тишину и все еще пытался осознать все то, что рассказал мне инвалид. Такого на уроках истории не узнаешь. Да и просто в голове не укладывалось, что вчерашних героев могли вот так в одночасье взять и увезти неизвестно куда. Героев! Нам же постоянно говорили, что ветеранов надо уважать и чтить. А тут выясняется, что это правило распространяется не на всех…

Наконец дядя Паша как будто очнулся и пытливо посмотрел мне прямо в глаза, сразу поняв мое смятение и неуверенность в том, что все рассказанное — правда.

— Ладно, пацан, поговорили и хватит. Ты особо об этом никому не болтай, разве что мамке. А то и мне достанется, — неожиданно мягко заговорил мой собеседник. — Пролалакал я с тобой, а у меня еще дел полно. Иди домой. Но помни: всё, что я тебе рассказал, — было. А только была б у меня другая жизнь, не стал бы я ничего в ней менять. Моя она…

И даже подтолкнул меня. Дескать, иди, разговор окончен.

Дома я никому ничего рассказывать не стал. Затем началась подготовка к очередному экзамену, дальше — каникулы. И я не то чтобы забыл о нашей встрече — ведь сам на нее напросился, — но куда-то отодвинул ее подальше, вглубь памяти, на потом.

А через месяц дядю Пашу зарезали. Прямо там, у рынка, посреди дня на глазах у десятков людей.

Как потом рассказывали очевидцы, к нему возле палатки "Мороженое" подошел какой-то амбал с зоновскими татуировками на руках. Нагнулся, о чем-то коротко спросил, дядя Паша ему в ответ огрызнулся и тут же получил заточку под сердце.

Он умер еще до приезда "скорой", удивленно и умиротворенно глядя в небо, где кружили его любимые сизари.

Убийцу так и не нашли. Он как будто испарился. Да и не искали его особо. Кому интересно, за что убили неряшливого, вечно пьяного и ворчащего инвалида, который и так давно мозолил власти глаза.

Я об этом узнал уже, когда вернулся с каникул. Где дядю Пашу похоронили, не знаю.

Голубятня вскоре тоже опустела, а затем и исчезла, уступив место двухъярусным гаражам.

Сменились поколения, многое забылось. Только Ленинградский рынок — преемник Инвалидного — продолжает оставаться центром местной вселенной.

А я, проходя мимо, вспоминаю дядю Пашу — последнего ветерана Инвалидного рынка.

# ВЛАДИМИР ШАРОВ
## Ходынка

**Я** родился на углу улиц Марины Расковой и Правды, потом почти сорок лет жил на Аэропорте, позже снимал квартиры на Песчаных улицах и улице Куусинена. Все эти районы по большой дуге опоясывают Ходынское поле, место весьма примечательное и для большого города когда-то довольно странное. За последние пять лет Ходынку уже наполовину застроили, остальную часть наверняка ждет та же участь, и тогда от нее, как и от других издавна известных среди москвичей мест, останется лишь имя да несколько разрозненных, не связанных друг с другом историй.

Лет девяти от роду я — сейчас уже не помню где — прочитал про трагедию на Ходынском поле во время коронационных торжеств Николая Второго и, надо сказать, никак не связал ее с тем лугом, по которому летом чуть не ежедневно гулял с родителями многие годы. Тем более что никаких могил или памятных знаков на Ходынке никогда не было. Никто не хотел, чтобы эту страшную (во время давки на Ходынском поле погибло почти полторы тысячи человек) и невыносимо бессмысленную трагедию (до полумиллиона людей собрались на Ходынке, привлеченные красивым зрелищем коронации и в не меньшей степени обещанием богатых подарков: а всего-то раздавали сайку, кусок вареной колбасы, пряник и пивную кружку) лишний раз вспоминали.

Мне это вдруг показалось неправильным, и я стал думать, что как раз Ходынкой началась вся наша страшная эпоха, время, когда люди уходили из жизни так легко, будто на земле их ничего не держало. Я думал о том, что вообще было бы справедливо, если бы каждый из нас входил в некое братство (из родных или просто сочувствующих), и эти братства всех помнили и всех поминали. Хотя бы раз в год, в день смерти убитых, собирались для этого.

И тут же мне стало казаться, что те, кто поминает убитых на Гражданской войне и на обеих мировых, погибших во время коллективизации и замученных в тюрьмах и лагерях, станут говорить, что раздавленные на Ходынке им не пара: они никому не были нужны, поэтому в смерти этих несчастных не было ни смысла, ни оправдания. Другое дело — те, кого оплакивают они сами. Тут каждый отдал Богу душу за какую-то свою или чужую правду, их смерти искали, за ними гнались, когда же наконец настигали — убивали с радостью и торжеством. И напрасно "ходынцы" станут доказывать, что гибель сотен и сотен людей на коронации была предсказанием, пророчеством того, что скоро ждет всю империю, что именно они и проложили путь, по которому пошли и до сих пор идут остальные.

Я думал, что было бы правильно, если бы члены ходынского братства собирались на этом поле еще с вечера 17 мая. В Москве это уже почти лето, тепло даже ночью, и, наверное, они ничем не будут отличаться от других гуляющих здесь целыми семьями, с детьми и собаками. Опознать их можно будет единственным образом: в руке они будут держать аккуратный кулек, а в нем, как и тогда, в 1896 году, сайка, колбаса, пряник, сласти и эмалированная кружка, да еще по тому, что при встрече они будут церемонно раскланиваться друг с другом, вместо же приветствия — просить прощения у только что коронованного монарха, сокрушаясь, что своим недостойным поведением и своими смертями испортили ему великий праздник — день восшествия на престол. Слова эти не собственного их сочинения — они взяты из покаянного адреса; он от имени всех, мертвых и живых, бывших на Ходынском поле в тот страшный день, был опубликован 20 августа 1896 года в главных российских газетах.

Когда-то, еще задолго до этой истории, на Ходынке располагались артиллерийские стрельбища, и от Сокола дальше на север и запад, вдоль старых дорог до сих пор среди обычной застройки то и дело попадаются невысокие красного кирпича казармы, склады и конюшни. Мне они в детстве напоминали возвращающиеся с учений маршевые батальоны. Позже ходынские полигоны позакрывали и официально вся территория была отдана под обычный городской аэродром. Однако использовался он от случая к случаю. Несколько лет на вой самолетных турбин жаловались жители окрестных домов, от них отбивались, в общем, без труда, но затем их поддержали люди в больших погонах, отвечающие за безопасность, а это уже сила. Слышал, что они устали бояться, что однажды какой-нибудь разочаровавшийся в жизни летчик решит спикировать на Кремль — от Ходынки до его башен ровно пять километров; как его называют, подлетное время меньше минуты, а за такой срок противовоздушная оборона и "А" сказать не успеет. В общем, с конца шестидесятых годов на Ходынском поле садятся лишь легкие одномоторные самолеты да вертолеты, вдобавок лишь вечером, когда начальство из Кремля разъезжается по дачам.

С моего балкона на Аэропорте была видна часть поляны. В закатном солнце вертушки летели медленно, без обычной авиационной лихости и, прежде чем сесть на полосу, как стрекозы, зависали. Считалось, что по-настоящему Ходынка оживает лишь два раза в год: за неделю до Дня Победы и снова — за неделю до октябрьских праздников. В первые дни мая и ноября именно сюда из подмосковных гарнизонов, из Тучкова, Красноармейска и Кубинки, перебрасывались части Таманской дивизии и дивизии имени Дзержинского, по необходимости и другие войска. Несколько ночей на Ленинградке перекрывали движение и, разворачиваясь напротив стадиона "Динамо", на Ходынское поле вперемешку с танками шла моторизованная пехота, двигались, стараясь не задеть электрические провода, артиллерийские установки и установки залпового огня, ракеты ближнего и среднего радиуса действия.

В четырнадцать лет я как-то ночью, гуляя по аллее, случайно оказался посреди этого ада. Земля дрожала и ходила ходуном, всё вокруг выло и скрежетало. Пожалуй, что именно тогда мне наглядно и на всю жизнь объяснили, до чего же одинокий человек гол, мал и жалок. В общем, перед парадами Ходынка возвращалась на век-два назад и снова делалась полигоном. Солдаты, прибыв на место еще затемно, при свете фар где-нибудь с края поля правильным каре расставляли палатки и уже на рассвете начинали готовиться к параду. День за днем с перерывом на короткий ночной отдых что люди, что техника, как на плацу, на длинных взлетных полосах самозабвенно оттачивали шаг и равнение, чтобы пройти по Красной площади не хуже прошлогоднего.

В сущности, для местных никогда не было секретом, что статус городского аэродрома — прикрытие, а так Ходынка как принадлежала, так и сейчас принадлежит военным, и нужна она им отнюдь не из-за двух парадов.

Под и вокруг этого огромного, зимой занесенного снегом, а летом цветущего луга, где среди трав и прочих полевых растений гудят пчелы, над ними, кувыркаясь в воздухе, распевают жаворонки, а еще выше, нарезая круг за кругом, парят ястребы, находятся десятка полтора заводов, делающих корпуса, двигатели и прочую оснастку самолетов. Все наши главные авиационные КБ. С тридцатых годов через ангары, что стоят ближе к периметру, но, в общем, разбросаны без какого-либо порядка, они время от времени, но тоже ночью выкатывают на взлетные полосы прототипы, опытные образцы и уже готовые машины, чтобы испытать узлы, которые невозможно проверить в цехах под землей. Когда же государственная комиссия признает самолет нужным стране и пригодным для серии, здесь же, на Ходынском поле, его впервые поднимают в воздух и, если все проходит штатно, перегоняют для окончательной доводки на номерные военные заводы в Куйбышев, Иркутск или Хабаровск.

Раньше КБ размещались только под аэродромом, но после войны, ища для своих цехов новые пространства и пустоты, они неустанно рыли и рыли, и теперь в округе нет такой улицы, жилого квартала, под которым бы не строили самолетов. Так заводы старались не попадаться на глаза и особо никому не докучали. О них вспоминали, лишь когда на одном из подземных стендов на предельных оборотах гоняли мощные турбины и вместе со станиной так же мелко и певуче начинали дрожать пол и стены в твоей квартире, да случайно оказавшись рядом с обычным подъездом обычного дома, из которого, когда кончалась смена, один за другим нескончаемой цепочкой шли и шли аккуратно одетые усталые люди.

Хотя во времена моего детства аэродром со всех сторон был окружен бетонными, в рост человека плитами, охранялся он плохо. Лишь в дни, когда на Ходынке стояли войска или должны были испытывать новый самолет, здесь, и то нечасто, можно было встретить солдата с автоматом или овчаркой на поводке, идущего вдоль забора, а так поломанный, изъеденный дырами забор никому не был помехой. Живущие по соседству — на улицах Куусинена, Зорге и многочисленных Песчаных — изо дня в день, обычно ближе к вечеру, играли тут с детьми или выгуливали своих совсем не бойцовых пород собак.

Особенно хорошо было на Ходынке летом. Вдоль взлетных полос военными инженерами был сделан неплохой дренаж, и по обеим сторонам от бетона шли широкие, никак не меньше полукилометра, полосы настоящей ковыльной степи. В молодости бывало, будто пьяный, бредешь себе, спотыкаясь, путаясь ногами в этом густом, сбитом в колтуны разнотравье, и не помнишь ни о каком городе. При мне на Ходынке никто никуда не спешил. Многие приходили сюда целыми семьями, с детьми, которым тут было привольно, будто на даче с бабушками и дедушками, другие прогуливались в одиночестве, то и дело останавливаясь, чтобы полюбоваться полевым цветком или облаком над Курчатовским институтом, окрашенным оранжевым предзакатным солнцем. Все мы гуляли здесь такие мирные и безмятежные, будто в мире отродясь не было никаких войн и никакого зла, никакой крови и смерти.

# Дмитрий Данилов
## Дом десять. Тушино

**Ч**асть жизни прошла в Тушино. Часть детства прошла в Тушино. Довольно большие отрезки времени проведены в Тушино. На Туристской улице, дом десять. Там жила бабушка.

Семидесятые годы, восьмидесятые годы. Семидесятые годы и первая половина восьмидесятых годов. Проводил там выходные дни, каникулы. Что-то вроде дачи или деревни, потому что ни дачи, ни деревни не было, и для этих целей использовалось Тушино.

В Тушино было много деревенского. В Тушино были настоящие деревни. Петрово. Алешкино. Захарково.

Если выйти на балкон, немного высунуться наружу и посмотреть направо, можно было увидеть деревню Петрово. Простые деревенские избы. Сельское хозяйство. На Туристской улице — современные панельные дома, а за ней — деревня Петрово.

Деревня Захарково располагалась возле универсама. Огромный универсам на улице Свободы, в том месте, где к ней примыкает Химкинский бульвар. Его так и называли — универсам. Достаточно было произнести это слово — и все понимали, что имеется в виду именно этот универсам, а не какой-нибудь другой.

Универсам сохранился по сию пору. На нем большая надпись — "Универсам".

Деревня Захарково располагалась возле универсама, между улицей Свободы и Химкинским водохранилищем. Туда ходили купаться. Пройти по дороге между деревянными домиками и купаться.

По поверхности Химкинского водохранилища плавали всякие ошметки, мусор. Купаешься — а рядом покачиваются на волнах ошметки.

Деревня Захарково располагалась на берегу Химкинского водохранилища. Там была устроена пристань. Пристань называлась Захарково. От пристани Захарково до Речного вокзала ходило маленькое суденышко. Даже паромом его нельзя было назвать. Просто суденышко. Можно даже сказать — кораблик. Но это будет некорректно. Корабль может быть только военным, и кораблик — это маленький военный корабль, а водное транспортное средство гражданского назначения называется судно. Значит, суденышко.

Суденышко ходило от пристани Захарково до Речного вокзала. Речной вокзал — прекрасное серое здание. Суденышко преодолевало расстояние от Захарково до Речного вокзала минут за десять. Потом обратно. Потом туда. Потом обратно. Можно было целый день кататься на суденышке. Этот процесс был приятен.

Зимой, чтобы попасть из Тушино в район Речного вокзала, люди ходили по льду. Это быстрее, чем ждать 199-й автобус, которого надо было сначала дождаться, потом он ехал по бульвару Яна Райниса, по улице Героев Панфиловцев, по улице Фомичевой, по улице Свободы, по Московской кольцевой автомобильной дороге, по Ленинградскому шоссе, по Беломорской улице, по Смольной улице, по Фестивальной улице, а так — сразу, по прямой, или, как некоторые говорят, напрямки, по льду, по снегу, и вот ты уже на Речном вокзале, у обледенелых бездействующих причалов.

199-й автобус — любимый маршрут. В дальнюю даль, за пределы Тушино. Любил на нем кататься. Просто так. Завораживающе. Сесть на сиденье у кабины водителя, такое есть сиденье в автобусах "ЛиАЗ", рассчитанное на трех пассажиров, сидишь боком к окну, смотришь вперед, кайф, просто кайф, сначала бульвар Яна Райниса, потом улица Героев Панфиловцев, улица Фомичевой, между серых домиков, потом улица Свободы, она действительно довольно-таки свободная, широкая, слева серые дома, девятиэтажные и пятиэтажные, справа Химкинское водохранилище, простор, потом Московская кольцевая автомобильная дорога, это уже не улица, а настоящее шоссе, уже тогда были примитивные развязки для съезда с прилегающих улиц на Московскую кольцевую автомобильную дорогу и обратно, указатели "Ленинград", "Дмитров", "Шереметьево", дорога, дорога, автобус разгонялся, очень, очень здорово, потом сворачивал на Ленинградское шоссе, еще не было пробок, как сейчас, и автобус деловито ехал по мосту через канал имени Москвы, прекрасный вид, баржи, краны, горы песка и щебня, вдали маячит временно покинутое Тушино, Ленинградское шоссе широкое, парадные ворота города, красота, потом начинаются серые невзрачные улицы, Беломорская, Смольная, Фестивальная, здесь уже конечная, метро "Речной вокзал", автобус стоял на конечной, но недолго, все выходили, а водитель спрашивал, а ты что, тебе куда, да я просто так, можно я подожду, что, катаешься, да, просто так, можно, а билет есть, есть, вот, ладно, сиди, сейчас поедем, что, интересно кататься, да, интересно, хороший маршрут, ладно, сейчас поедем, и потом обратно, по Ленинградскому шоссе и так далее, не обязательно опять перечислять все улицы, по которым идет 199-й автобус, сколько можно.

Автобусный билет стоил 5 копеек. Троллейбусный — 4 копейки. Трамвайный — 3 копейки. Автобусный — синий, троллейбусный — черный, трамвайный — красный. Кассы были устроены в расчете на сознательность пользователей. Надо было опустить в щель монету или несколько монет, например, 2 коп. + 1 коп. + 1 коп. + 1 коп. или 3 коп. + 2 коп. или другие комбинации и потом оторвать билет. Причем отрывание билета технически никак не было связано с опусканием монет. Можно было кинуть, скажем, не 2 коп. + 1 коп. + 1 коп. + 1 коп., а 1 коп +. + 1 коп. + 1 коп., или даже 1 коп. + 1 коп. Никто же считать не будет. Главное, чтобы была как бы горсть монет. Потому что если одну копеечку кинуть, то какой-нибудь ворчливый пенсионер обязательно заметит, и поднимет вой, и будет мерзко ругаться. А так кинул несколько монеток — и оторвал билет. Можно было оторвать билет вообще без денег. Правда, если рядом стояли ворчливые пенсионеры или просто люди и видели, что мальчишка отрывает билет бесплатно, они обычно поднимали вой, стыдили, заставляли платить, чуть не линчевали, звали водителя, а если стайка нахальных подростков с магнитофоном делала так, то никто ничего не замечал и водителя не звали. А если какой-нибудь ворчливый пенсионер, например ветеран войны или ветеран органов внутренних дел, к ним все-таки начинал докапываться, они ему просто грубо отвечали: дед, не лезь, не нарывайся, не твое дело, или просто по морде ему давали, была очень высокая подростковая преступность, а нефига лезть куда не просят, козел старый. А вот если людей рядом не было, то можно было оторвать билет бесплатно. Однажды сел в 199-й автобус с целью совершить неутилитарное путешествие к Речному вокзалу. Улучил момент, оторвал билет без денег. Денег потому что не было, или просто их жалко было, деньги можно на что-нибудь другое истратить, например, добавить еще 2 коп. и купить розовое фруктовое мороженое в стаканчике, оно стоило всего 7 коп. и было приятно и вкусно его есть. Доехали до конечной, все вышли. Водитель: что, дальше поедешь? Да. Катаешься? Да. А билет есть? Вот. А деньги в кассу кинул? Да. Ну, смотри, если не кинул — убью. Не убил. Собственно, как он мог проверить, кинул деньги или не кинул, просто, как это сейчас говорят, дешевые понты, но все равно как-то немного неприятно было, хотя фигня, конечно, водитель сказал, ну ладно, катайся, сел в кабину, открылись двери, вошли пассажиры, двери закрылись, и 199-й автобус поехал по 199-му маршруту, самому интересному маршруту в Тушино.

Деревня Алешкино находилась там, где сейчас метро "Планерная". Алешкино — это была конечная остановка почти всех тушинских автобусов. Так и было написано: "96 Алешкино — ст. Тушино" или "102 Алешкино — метро Сокол". Потом построили метро "Планерная" и перенесли конечную остановку туда. А от старой конечной остановки осталось большое пустое заасфальтированное место, которое по традиции называется Алешкино.

Кстати, 102-й автобус теперь ходит не до метро "Сокол", а до станции "Тушино". Туповатый маршрут, по улице Свободы с севера на юг и обратно. А 96-й так и ходит от "Планерной" до станции "Тушино".

Дом десять — длинный, серо-белый, девятиэтажный. Двенадцать подъездов. Посередине арка.

С одной стороны дома десять — заросли, так называемые зеленые насаждения. Деревья сильно разрослись, закрывают половину фасада. Это фактически маленький лес, между деревьями петляют тропинки. В одном месте среди деревьев стоял огромный камень, словно бы некий монумент неизвестному погибшему существу. Около камня пили. Очень удобно было поставить на камень бутылки, расстелить газету, разложить закуску. Пили, орали и дрались. Пространство вокруг камня было густо усеяно битыми бутылками, пивными и водочными пробками, окурками и другой антропогенной грязью.

С другой стороны, там, где подъезды, вдоль дома десять тянулась асфальтированная дорога. Вся она была уставлена машинами, оставался узкий проезд. Уже тогда у населения было довольно много личных автомобилей, не так много, как сейчас, конечно, но все-таки достаточно, чтобы уставить ими асфальтовую дорогу, тянувшуюся вдоль дома десять. Старые "москвичи"–412, 408, 407, а иногда даже 403 и 401. "Жигули"–2101, 2102, 2103. "Волги" 21 и 24. Ушастые "запорожцы".

У "запорожца" мотор располагается сзади. У остальных машин — спереди.

Да, еще у автомобиля "фольксваген-жук" мотор располагается сзади. Это редкая компоновка.

Интересно было заглядывать в салоны машин через стекло. Машины пахли бензином. Однажды один парень объяснил: смотри, вот сцепление, вот газ и тормоз, а этот рычаг — чтобы скорости переключать. Нажимаешь сцепление, рычаг вот так вот — раз, влево и вперед, и потом одновременно отпускаешь сцепление и нажимаешь на газ. Через много лет правильность этих инструкций была подтверждена на практике.

Сразу за дорогой начиналось поросшее травой место, которое называлось двор. Во дворе играли.

Было принято играть и вообще находиться только в той части двора, которая непосредственно примыкает к твоему подъезду и нескольким соседним. В другие зоны двора ходить не рекомендовалось. В других зонах можно было получить по морде.

Песочница. В песочнице — песок. Примерно раз в год приезжал самосвал с песком и вываливал кучу песка в песочницу. Песочница фактически оказывалась погребенной под горой песка. Песок новый, чистый, приятный. Постепенно, в процессе совершения с ним различных игровых и символических манипуляций, песок становился грязным и неприятным. Его количество постепенно уменьшалось. Проходило лето, и уже не было никакой горы песка, а была просто песочница, и в ней немного песка. Куда он девался — неизвестно. Его же никто не носил к себе домой, не переносил с места на место, не набивал им карманы и не ел. Однако песок постепенно исчезал. Потом опять приезжал самосвал и вываливал кучу песка, нового, чистого и приятного.

Качели. Небольшие убогие качели. Аппарат для падений и получения травм различной степени тяжести.

Существовал вид спорта — прыжки с качелей в длину. Сильно раскачаться и прыгнуть как можно дальше. На земле отмечалось место, до которого допрыгнул участник соревнований, потом прыгали другие, и выявлялся победитель.

При помощи этих соревнований можно было себе что-нибудь сломать. Это иногда случалось. Но насмерть, кажется, никто не разбился. Вроде бы.

Между песочницей и качелями — деревянная конструкция из двух столбов и перекладины сверху. Конструкция предназначалась для выбивания ковров (тогда был ковровый бум), но на практике чаще всего использовалась в качестве футбольных ворот.

Метра два с половиной в ширину и примерно метр семьдесят в высоту.

Поскольку вторых ворот не было, играли в игру "каждый за себя".

Правила игры в "каждый за себя" таковы. Минимальное количество играющих — три, максимальное не ограничено. Один из игроков стоит в воротах, другие играют в поле. Вратарь старается не пропустить, игроки в поле — забить. Игрок, забивший гол, становится в ворота, а пропустивший гол вратарь идет играть в поле. Если против кого-либо из полевых игроков нарушаются правила, он бьет пенальти метров с пяти. Игра ведется до тех пор, пока один из игроков не забьет заранее определенное количество голов, обычно десять.

Игра "каждый за себя" способствовала развитию индивидуальной футбольной техники. В плане совершенствования командной игры и тактических навыков игра "каждый за себя" была абсолютно бесполезна.

Иногда играли по семь, по восемь человек. Столпотворение. А иногда набиралось всего три человека, и это было не очень интересно.

Игровое поле представляло собой просто участок земли, неровный, покрытый травой с проплешинами. Попадались стекла, камешки. Иногда это приводило к травмам.

За футбольными воротами для выбивания ковров располагался забор, отделяющий двор от территории детского сада. Забор бетонный, совсем низенький, меньше метра в высоту. Со временем, когда территорию детского сада стала вечерами оккупировать пьянствующая молодежь, низенький забор нарастили сеткой-"рабицей". Но через нее все равно можно было достаточно легко перелезть. Пьянство в детском саду не прекратилось, а, пожалуй, усилилось. Летними вечерами там разворачивалось просто дикое пьянство. Подростки, мужики, девки, бабы, песни, гитарное побрякивание, звон разбивающихся бутылок, звуки соприкосновения кулаков и лиц, крики о помощи, вой отчаяния.

Грязно-белый двухэтажный детский сад имел форму мавзолея Ленина, сильно вытянутого по горизонтали. Он был сделан из белых бетонных блоков. Швы между блоками были замазаны какой-то омерзительной серой массой. Поперек фасада струилась трещина, которую тоже периодически замазывали какой-то омерзительной серой массой.

Днем в детском саду мучались дети, а вечером и ночью пили, любили и убивали друг друга взрослые.

Иногда после сильных и неточных ударов мяч улетал на территорию детского сада. Игрок, произведший удар, отправлялся перелезать через сетку-"рабицу" или протискиваться через ближайшую прореху в заборе.

Чуть в стороне от территории детского сада располагался большой бетонный сарай. Иногда хмурые рабочие открывали железную дверь сарая и доставали из его нутра какие-то железки. Что потом они делали с этими железками — неизвестно.

У глухой стены сарая стояли дощатый стол и две скамейки. За этим столом всегда (кроме зимних месяцев), с утра до позднего вечера, сидели мужики и играли в домино. Они играли часами, не вставая из-за стола, наливая в стаканы водку и пиво. Их игру всегда сопровождало включенное на полную громкость радио.

Однажды это радио сообщило, что на космодроме Байконур был успешно осуществлен запуск космического корабля "Союз-31" с космонавтами на борту. Сообщение не произвело никакого впечатления на слушателей. Фамилии космонавтов стерлись из памяти навечно, навсегда.

Иногда мужики кричали. Бывали конфликты. Слегка дрались. Иногда восклицали: "Рыба!" Как в кино: шмяк по столу доминошной костяшкой, и сообщение: "Рыба!".

Здесь играли в "каждый за себя", а там — в домино.

Недалеко от доминошного стола располагалась маленькая асфальтовая площадка. На ней тоже играли в футбол. По краям площадки были установлены железные столбы с горизонтальными перекладинами. Между ними были натянуты веревки для сушки белья. В те годы еще было принято сушить белье на улице. Вернее, не то чтобы было принято, просто некоторые люди делали так, хотя это довольно странно — сушить белье на улице.

Железные столбы с перекладинами располагались настолько удачно и мудро, что здесь можно было играть в футбол двумя командами — было двое ворот. Правда, площадка была совсем маленькая, и имело смысл играть только двое на двое или максимум трое на трое.

Так и играли — двое на двое. Или трое на трое.

Играли самыми разными мячами. Но почти никогда — настоящими футбольными. Настоящий футбольный мяч стоил дорого и был редкостью. Чаще всего играли пластмассовыми волейбольными мячами, очень легкими, улетающими в небеса. После нескольких дней интенсивного использования такой мяч трескался, частично сдувался, терял в размерах, но все равно им еще долго играли, маленьким, жалким, бесформенным.

У паренька Кольки был большой толстый тяжелый резиновый мяч. Иногда играли им. Он был очень тяжел, вратарям было трудно и больно отбивать его.

Иногда играли даже совсем маленькими мячами, детскими резиновыми мячиками размером с теннисный. Это способствовало отработке техники.

До лета 1978 года я вообще не интересовался футболом. Не понимал, что в этом интересного. И никогда не играл. И не смотрел, как другие играют: чего там смотреть-то?! Зато с удовольствием играл в ножички, в машинки.

Однажды летом 1978 года ребята играли в футбол на маленькой асфальтированной площадке рядом с доминошным столом. По какой-то случайности оказался рядом. Стоял, смотрел.

Вдруг как тумблер какой-то в голове щелкнул — футбол стал интересен. В одно мгновение. Сразу вступил в игру, пытался бить по мячу. Поначалу получалось, конечно, плохо. Потом более или менее научился.

В тот же день впервые смотрел футбол по телевизору. Тогда как раз шел чемпионат мира по футболу в Аргентине. Успел посмотреть несколько игр, в том числе финал. Аргентинцы выиграли у голландцев 3:1 и стали чемпионами мира. У голландского вратаря была совершенно дикая физиономия. Зрители постоянно бросали на поле бумажные ленты, картонные тарелочки, и все поле по краям было завалено бумажным мусором.

В Аргентине тогда свирепствовала диктатура, и победа аргентинской сборной была ей (диктатуре) полезна с точки зрения пиара.

Поражало, насколько точно футболисты делают передачи. Точно в ноги. С большого расстояния. В дворовом футболе такого не было, и больших расстояний не было, да и самой игры в пас, потому что играли в основном в "каждый за себя" и в "два касания".

В те годы футбол был не таким, как сейчас. Играли медленно. Подолгу разыгрывали мяч. Большинство передач делалось в ноги, а не на ход, как сейчас.

Когда чемпионат мира закончился, стал смотреть по телевизору игры чемпионата СССР. Было неважно, кто победит. Радость приносили забитые голы, кто бы их ни забивал. Чем больше голов, тем лучше. Другие ребята болели за разные команды, в основном за "Спартак", московское (редко киевское) "Динамо" или "ЦСКА". Было непонятно, что это такое, как это так — болеть. Болеть за сборную СССР — это было понятно. Потому что наша страна. Пытался во время телетрансляций болеть за московские команды — никакого эффекта. Получалось как-то от ума, а какое же это боление, если оно от ума.

Так продолжалось до лета 1983 года. Паренек Вовка, крайний защитник из футбольной школы "Динамо", сказал: пошли на футбол, ты же ни разу не был, надо же на стадионе побывать, да, действительно, давай сходим. Предстояла игра "Динамо" — "Нистру" в рамках чемпионата СССР на стадионе "Динамо". Накануне поехали за билетами. Огромный серый (снаружи) стадион. Угрюмо-величественный. В кассах — никого. Купили билеты на завтра, а потом пошли на игру дублеров.

Игра дублеров проходила на Ходынке, на полузаброшенном поле за аэродромом. Пробирались туда какими-то закоулками, пролезали в щели в заборах, шли краем огромного Ходынского поля мимо ангаров, сараев и других служебных построек неизвестного назначения.

Ходынское поле прекрасно. Огромный заброшенный аэродром, гигантское пустое пространство посреди города. По краям — живописные полуразвалившиеся строения. Сейчас его застраивают многоэтажными элитными жилыми домами и торговыми комплексами. Это очень плохо.

Наконец добрались до футбольного поля посреди деревьев и гаражей. Вдоль поля — пара длинных скамеек. Народу — человек сто. Футбольные специалисты, родственники футболистов, болельщиков совсем немного.

Дублеры "Динамо" легко выиграли у дублеров "Нистру" со счетом 3:0. В одном из эпизодов сбили молдавского футболиста, он страшно закричал, и был слышен хруст ломающейся кости.

АЛЁНА ДЕРГИЛЁВА. Осенний день
на улице Коцюбинского (фрагмент). Акварель. 2012

На следующий день опять поехали на стадион "Динамо", на игру основных составов. Внутри стадион оказался очень красив: огромное пространство, ярко-зеленое поле, коричневые беговые дорожки, расчерченные яркими белыми линиями, трибуны, выкрашенные в бело-голубые динамовские цвета. Было приятно просто сидеть там.

На поле выбежали футболисты обеих команд и начали разминаться. Вальяжно перебрасывались мячом, несильно били по воротам, совершали небольшие пробежки. Было приятно и интересно на них смотреть, не то что по телевизору. Сразу стало понятно, почему считается, что футбол надо смотреть на стадионе, а не по телевизору.

Когда смотришь игру по телевизору, футбольное поле кажется гораздо бóльшим, чем на самом деле. На самом деле оно не такое уж большое.

Футболисты закончили разминку, построились около своих скамеек и под звуки "Футбольного марша" организованно побежали к центру поля. Началась игра, и пошел дождь.

Футбольный марш написал Матвей Блантер.

"Нистру" был беспросветным аутсайдером чемпионата. За весь сезон команда набрала десять очков (три победы, четыре ничьи и двадцать семь поражений) и благополучно вылетела из Высшей лиги. Считалось, что выиграть у "Нистру" легко. Особенно такому великому (хотя и испытывающему некоторые затруднения) клубу, как московское "Динамо".

Пошел сильный дождь.

На трибунах собралось три с небольшим тысячи болельщиков.

"Динамо" било пенальти. Не забило. Вратарь отбил.

Потом "Нистру" бил пенальти. Забил.

Первый тайм так и закончился — 1:0 в пользу "Нистру".

"Динамо" играло очень плохо. Просто отвратительно. "Нистру" — не лучше.

Во втором тайме "Динамо", в судорогах и муках, забило два гола и выиграло со счетом 2:1. Один гол забил Газзаев, он тогда еще играл.

Дождь, серое небо, голубые с белым трибуны, яркий свет прожекторов, зеленое поле, унылая, нудная, жалкая игра.

Как это было прекрасно!

Проникся какой-то странной жалостливой симпатией к "Динамо" — к этой неуклюжей, нелепой команде со славным прошлым, играющей на таком красивом стадионе с бело-голубыми трибунами. Подумалось, что когда выигрывает какой-нибудь "Спартак" или киевское "Динамо", в этом нет ничего необычного, это в порядке вещей, и радоваться таким победам бессмысленно. А когда выигрывает убогое "Динамо" (Москва) — это редкость, редкая радость, удивительное, в сущности, событие. И еще подумалось, что выгодно и хорошо быть болельщиком не очень сильной команды, потому что радость от ее побед никогда не приедается, ведь это так редко случается. И стал болеть за московское "Динамо".

Потом "Динамо" стало играть гораздо лучше, и постепенно, с годами, очарование убожества сошло на нет. Но все равно, все равно.

Поздними летними вечерами, когда темнело, в Тушино становилось тревожно. Это из-за зелени, распространившейся кругом. Не такая тревожность, какая возникает из социальных опасений (опасно идти, боязнь воров и бандитов), а другая, совершенно иррациональная. Эта тревожность невидимыми волнами распространяется от кустов, от крон деревьев, такую тревожность всегда чувствует городской житель вечером на природе, в воздухе витают сущности, связанные с кустами, лесом и природой, и становится не по себе, хочется сидеть в освещенной комнате, смотреть телевизор, лежать в постели, пить чай, смотреть телевизор, отгородиться цивилизацией от зловещей зеленой природы, потому что за окнами очень темно и тревожно.

А летними жаркими днями, когда никого нет во дворе и нечего делать, наступало ленивое оцепенение. Жарко, песок, деревья. Лето. Хотелось просто тупо стоять и не двигаться, или сидеть, или лежать, не двигаться и ничего не делать. Или сесть на качели и медленно, равномерно раскачиваться долгими летними жаркими днями.

Жаркий летний день, воскресенье. Во дворе никого нет. Выглянул в окно, посмотрел налево, туда, где Туристская улица. Неподвижный жаркий воздух. Людей не видно. Среди вязкого летнего морока по Туристской улице едет одинокий 96-й автобус. 96-й автобус плывет в летнем желто-голубом мареве, и больше ничего не слышно, только этот знакомый, впитавшийся в стенки черепа тянущий, ноющий звук, характерный для автобусов "ЛиАЗ". Автобус скрывается за углом дома, и долго еще разносится эхо, долго еще слышен этот тянущий, вытягивающий жилы звук.

Приятно бывало летними утрами, когда уже тепло, но еще свежо, когда голубое небо, и зеленые деревья не так зловещи, как поздним вечером. Даже если никого нет во дворе, все равно выбегал во двор и ждал, и обычно кто-нибудь приходил, выбегали ребята, начиналось "каждый за себя" и "два касания".

Туповатый, но добрый парень Колька. Туповатый и недобрый парень Сашка. Умный, хитрый и злой, но интересный парень Серега. Другой Серега, придурковатый, но простой и хороший. Слишком туповатый и от этого недостаточно злой парень Игорь. Хороший и умный парень Вовка, крайний защитник из футбольной школы "Динамо".

Другие ребята, не очень злые, а некоторые добрые, туповатые, хорошие и умные.

Парень Андрюха, тоже интересующийся железной дорогой.

О, железная дорога!..

Железная дорога была довольно далеко. Станция Тушино. Платформа Трикотажная.

Иногда ездили на станцию Тушино на 96-м автобусе. По бульвару Яна Райниса, до Сходненской, потом по Химкинскому бульвару, мимо магазина "Мебель", мимо универсама, по улице Свободы, через Восточный мост, потом направо и налево на Вишневую улицу, тихую и зеленую, на таких улицах живут персонажи писателя Ю. В. Мамлеева, тихая улочка с серовато-желтоватыми домишками, и за стенами этих домишек тихо творится неизвестно что, о чем страшно даже подумать.

На станции "Тушино" было интересно. Просто интересно там находиться, интересно смотреть на пути, на стоящие на путях вагоны, на электрички, подъезжающие к платформе, а потом снова устремляющиеся вдаль, в Павшино, Нахабино, Дедовск, Новоиерусалимскую, Волоколамск, Шаховскую. Завораживающее впечатление производили проносящиеся мимо грузовые и пассажирские поезда дальнего следования.

Когда мимо проходил грузовой поезд, все дрожало, платформа, земля дрожали, и люди слегка, еле заметно трепетали.

Иногда садились в электричку и проезжали один перегон, до платформы Трикотажная. Это казалось великим путешествием. Звенящий звонком шлагбаум на пересечении со Сходненским тупиком, шестнадцатиэтажные дома на зеленом берегу Сходни, мост через Сходню, а рядом еще мост — для заводского подъездного пути, а слева тоже мост — для Волоколамского шоссе, серые промышленные здания, огромное, почти бесконечное здание неизвестного назначения вдоль Волоколамского шоссе, вдали — трубы теплостанции, красная кирпичная церковь, опять звенящий шлагбаум, платформа Трикотажная. И обратно — закрытый шлагбаум, мигающий красными фонарями и звенящий звонком, вереница машин перед шлагбаумом, красная кирпичная церковь, теплостанция, длинный дом на Волоколамке, унылые промышленные здания, мост через Сходню, новые дома на берегу Сходни, шлагбаум, станция "Тушино".

Если идти от метро "Сходненская" по Сходненской улице на юг, можно увидеть охраняемый железнодорожный переезд со шлагбаумом. Это одноколейная ветка, соединяющая Тушинский машиностроительный завод со станцией "Тушино".

На Тушинском машиностроительном заводе построили космический корабль "Буран". Сейчас там делают автобусы и еще что-то безобидное.

Иногда, изредка, шлагбаум опускался, звенел звонок и попеременно мигали два красных фонаря. Движение по Сходненской улице прекращалось, и мимо медленно проезжал зеленый маневровый тепловоз ЧМЭ3, тянущий за собой несколько грузовых вагонов. После чего звонок переставал звенеть, фонари переставали мигать, шлагбаум поднимался, и жизнь продолжалась.

Однажды летом прошли вместе с Андрюхой по всей этой ветке, от ворот Тушинского машиностроительного завода до станции Тушино. Это было чрезвычайно интересно. Ветка проходит по тушинским промышленным закоулкам. Вокруг пустынно. Сереют заводские корпуса. Стоят покосившиеся бетонные заборы. Вдали маячат жилые дома. Стрелка, короткий ответвляющийся путь и тупик. Стрелка ручная. Было интересно рассматривать вблизи ее строение. Ручная стрелка должна запираться на специальный замок, ключ от которого хранится у стрелочника. А эта стрелка была не заперта, и любой желающий мог перевести ее и таким образом помешать работе Тушинского машиностроительного завода, а то и устроить небольшую аварию.

Иногда, тихими летними ночами, из дома десять было слышно, как по Рижской дороге идут поезда. А ведь это далеко, несколько километров, застроенных домами, заводами и другими рукотворными объектами. И все-таки было слышно, и по звуку можно было даже определить, пассажирский это поезд или грузовой, хотя ночью ходили только грузовые, ведь электрички ночью не ходят, а пассажирских поездов на Рижском направлении очень мало, не больше четырех пар в сутки, два поезда в Ригу, два — в Великие Луки, и все они идут вечером или утром, так что ночью можно было слышать только тяжелый, монотонный, сотрясающий землю грохот грузовых поездов, медленно ползущих в сторону Волоколамска, Ржева или станции Подмосковная.

Звук далекого грузового поезда — очень приятный, хочется слышать его долго, хочется поехать куда-нибудь, хочется вдыхать запах вещества, которым пропитывают шпалы, хочется ехать и ехать, монотонно, далеко и бессмысленно.

Рядом с домом десять стояли (и до сих пор стоят) другие дома. Серые, девяти- и пятиэтажные. Все эти дома построили в шестидесятых-семидесятых годах XX века. В них давали отдельные квартиры людям, которые до этого жили в коммунальных квартирах в центре или которые приехали из других городов и деревень работать на московских предприятиях. Квартиры одно-, двух– и трехкомнатные, тесные и неудобные, с низкими потолками. Зато отдельные.

Дома стоят параллельно и перпендикулярно, с севера на юг и с запада на восток. Никаких косых углов, округлостей — все строго под прямыми углами.

Перпендикулярно дому десять стоит дом шесть, корпус три по бульвару Яна Райниса. Тоже серый и девятиэтажный, как и дом десять, только немного покороче. Человеку, идущему по бульвару Яна Райниса в поисках дома шесть, корпус три можно посочувствовать: он вряд ли найдет этот дом, слишком далеко он стоит от бульвара.

Со стороны двора перпендикулярно дому десять стоят три пятиэтажных дома, серо-коричневых, угрюмых. А со стороны бульвара Яна Райниса, там, где "лес", — еще четыре дома, девятиэтажных, серых и тоже довольно угрюмых.

В последние годы в Тушино понастроили много новых домов, они не серые и не очень угрюмые и где-то даже в чем-то радуют глаз, а тогда, в семидесятые-восьмидесятые годы XX века, все дома были серые, угрюмые, пяти- и девятиэтажные, и глаз они не радовали, хотя и обладали некоторым мрачно-аскетическим очарованием и обладают им по сей день.

Недалеко от торца дома десять размещалась поликлиника, белое трехэтажное здание в форме параллелепипеда. Чтобы выйти на бульвар Яна Райниса, надо было пройти по территории поликлиники.

На бульваре Яна Райниса стояли три ларька, прижавшихся друг к другу, — "Мороженое", "Табак" и "Союзпечать". В ларьке "Мороженое" можно было купить фруктовое ядовито-розовое мороженое за 7 коп., крем-брюле за 11 коп., сливочное мороженое в вафельном стаканчике, сначала за 19 коп. и с кремовой розочкой, а потом за 20 коп., но уже без кремовой розочки, мороженое "Лакомка" за 28 коп. и огромное сливочное мороженое пломбир за 48 коп., самое дорогое и самое невкусное из перечисленных, а самым вкусным было самое дешевое, ядовито-розовое фруктовое за 7 коп. У ларька "Табак" толпились мужики, страдающие никотиновой зависимостью. В ларьке "Союзпечать" можно было купить очень ограниченный набор печатных средств массовой информации — "Правду", "Известия", "Вечернюю Москву", "Московскую правду", "Труд", "Гудок", "Комсомольскую правду", "Пионерскую правду", несколько журналов типа "Огонька" и всё, не было ни журнала "Компьютерра", ни журнала "Хакер", ни журнала "Космополитен", ни газеты "Спорт-экспресс" — всё это появилось значительно позже.

Рядом с ларьками располагалось двухэтажное здание ужасающего вида — кафе "Пилот". Оттуда часто доносились вопли напившихся алкоголя людей с криминальными наклонностями (люди с другими наклонностями это кафе не посещали). Иногда утром около кафе "Пилот" образовывалась огромная очередь — привозили чешское пиво. Очередь стояла с утра до вечера. Вся поверхность земли в радиусе полукилометра от кафе "Пилот" оказывалась усеянной пивными пробками с красивыми чешскими логотипами, в воздухе висел густой запах пива и мочи, а под уютными кустиками бульвара Яна Райниса валялись удовлетворенные потребители пива.

Некоторые, например дядя Женя, поступали по-другому. Каждое утро дядя Женя с пятилитровым бидоном шел к палатке, в которой продавалось разливное пиво (не чешское). Потом дядя Женя садился на скамейку около подъезда и молча, глядя в одну точку, выпивал пять литров пива. И шел за следующими пятью литрами. Так проходил день дяди Жени.

Следует также упомянуть так называемый шестнадцатиподъездный дом. Его так и называли — шестнадцатиподъездный. Такое название за домом закрепилось потому, что в нем было шестнадцать подъездов. Шестнадцать подъездов — это очень много. В доме десять, очень длинном, было всего двенадцать подъездов, а в шестнадцатиподъездном — целых шестнадцать — очень длинный дом, он тянулся, подобно некоей крепостной стене, от кафе "Пилот" до метро "Сходненская".

Весь первый этаж шестнадцатиподъездного дома занимали магазины и учреждения. Магазин "Продукты". Магазин "Спорт". Центр какого-то творчества, кажется, детского технического. Опорный пункт. Библиотека. Еще что-то.

На другой стороне бульвара Яна Райниса стоял девятиэтажный жилой дом очень необычной конструкции. Из светлого кирпича, с какими-то странными башенками на крыше над каждым подъездом. Причем это не был элитный дом, нет, самый обычный, для обычных людей, но сильно отличающийся внешне от окружающих домов. Такой же дом есть на бульваре Маршала Рокоссовского, в совершенно другом районе города.

Все эти дома до сих пор стоят там же, на своих местах. Были и другие развлечения. Например, такое.

Взять стержень для шариковой ручки, заполненный пастой. Зубами вытащить пишущий узел. Зажать губами другую сторону стержня и создать атмосферное давление, чтобы там, где был пишущий узел, выступила капелька пасты. Бросить стержень в лужу. Соприкоснувшись с водой, паста бурно выделялась и играла роль реактивного топлива, толкающего плавающий стержень вперед. Стержень, толкаемый выделяющейся пастой, плыл довольно быстро. Зрелище завораживающее. На поверхности воды оставалась цветная (синяя, красная, зеленая или фиолетовая) пленка. Особенно интересно было пустить в одну большую лужу одновременно несколько стержней с пастой разных цветов. Стержень, сталкивавшийся с пленкой пасты на поверхности воды, расталкивал ее, как ледокол расталкивает лед, оставляя за собой полоску чистой воды. Или мы устраивали гонки. Для этого нужны были большие лужи. Такие лужи образовывались после дождей или весной, когда таял снег. Чей стержень первым приплывет к какому-нибудь рубежу (краю лужи, или камню, или кромке льда), тот и победил.

Весна. Так сказать, журчат ручьи. Асфальтовая дорога около гаражей, недалеко от дома шесть, корпус три по бульвару Яна Райниса. По краю дороги течет поток талой воды, сверху нависает корка подтаивающего снега, и плывет стержень, оставляя за собой красный след.

С точки зрения экологии — совершенно дикое развлечение, хотя и весьма интересное и захватывающее.

459

Или еще машинки. Соревнования по вождению маленьких машинок.

Каждый желающий участвовать в соревнованиях должен был обладать моделью какого-нибудь автомобиля с привязанной к ней веревочкой (ниточкой). Надо было тянуть свою машинку за веревочку. Размеры и марки автомобилей не оговаривались. Заранее определялся маршрут, по которому будут ехать машинки. Цель соревнований — провести свою машинку по маршруту так, чтобы она ни разу не опрокинулась. Опрокинувшиеся машинки выбывали из соревнования. Наибольшим шиком считалось обладание машинкой "за три пятьдесят". Это были весьма качественные и красивые модели советских автомобилей, которые делали в Саратове на экспорт. Очень редко такие машинки можно было купить в "Детском мире" на площади Дзержинского. Они поставлялись маленькими партиями, так что купить такую машинку было большой удачей. У этих машинок открывались двери, багажники и капоты, а под капотом был крошечный двигатель. Были также рессоры и настоящие резиновые шины на колесах. Чудесные машинки. Однако они были совсем маленькими и часто переворачивались во время заездов.

Парень Серега нашел радикальное решение проблемы проходимости машинок. Однажды он явился на очередное соревнование с огромной, в полметра, моделью самосвала "ЗИЛ-130" с огромными колесами и откидывающимся кузовом. Эта циклопическая машинка не опрокидывалась никогда, и соревнования быстро утратили смысл.

Или велосипед. Велосипед был изрядным развлечением.

Почти у всех были велосипеды. Как правило, "Орленок". На самом деле эти велосипеды назывались "Вайрас" или "Шауляй", а никакой не "Орленок", но как-то так повелось называть их именно "Орленок".

Велосипеды "Вайрас" и "Шауляй" производились в Литве.

Было приятно кататься по дорожкам бульвара Яна Райниса. Они были извилистыми, закругляющимися, замысловато пересекающимися, и ездить по ним было интересно.

Говорят, бульвар Яна Райниса делали по прибалтийскому принципу. Засеяли пространство травой, и люди сами стихийно протаптывали тропинки в удобных для себя направлениях. А потом их заасфальтировали. Люди, рассказывавшие эту апокрифическую историю, обычно умилялись: ах, как у них там все мудро и правильно, у прибалтов, как на Западе практически, как все умно и ненасильственно, не то что у нас, у нас только бы всё запретить. Вот тоже сделали мудро и правильно. Хотя что в этом мудрого? Все равно дорожки вели куда-то не туда, и чтобы дойти, к примеру, от кафе "Пилот" до автобусной остановки, надо было долго петлять по петляющим дорожкам, а если бы дорожки проложили директивным путем, по приказу местных властей, то, наверное, сделали бы прямую дорожку от кафе "Пилот" до автобусной остановки. Люди, наверное, неправильно протаптывали тропинки, наверное, они шатались, уклонялись от намеченного маршрута, и дорожки получались кривыми. Вероятно, тут сказалась близость кафе "Пилот".

Интересно было представлять себя водителем некоего пассажирского транспорта, следующего по установленному маршруту. Например, вот такой, самый простенький маршрут: дом десять — поворот к дому шесть, корпус три, — гаражи. Ну, это совсем простой, примерно как троллейбус 70к (красный), по прямой от Братцево до универсама. А вот более сложный: дом десять — поворот к дому шесть, корпус три, — школа — поликлиника — кафе "Пилот" — дом шесть, корпус два, — гаражи — дом десять. Или совсем длинный: дом десять — поворот к дому шесть, корпус три, — дом шесть, корпус три — дом пятнадцать, корпус три (по улице Героев Панфиловцев) — дом пятнадцать, корпус один, — улица Героев Панфиловцев — Планерная улица — улица Фомичевой — метро "Сходненская" — шестнадцатиподъездный дом — кафе "Пилот" — дом шесть, корпус два, — гаражи — дом десять.

Еще было интересно, хоть и опасно, ездить по улицам, среди машин, автобусов и троллейбусов.

В соответствии с Правилами дорожного движения велосипед должен следовать на расстоянии не более одного метра от обочины (тротуара).

Например, выехать к кафе "Пилот", по второстепенной асфальтовой дороге проехать вдоль шестнадцатиподъездного дома к метро "Сходненская", повернуть направо, к светофору, потом еще направо, выехать на основную трассу бульвара Яна Райниса, туда, где ездят машины, осторожно ехать вдоль тротуара, потом свернуть на Туристскую улицу, потом на улицу Героев Панфиловцев, потом на асфальтовую дорогу мимо дома шесть, корпус три, и вернуться к дому десять.

Однажды поехал по этому маршруту, но не стал сворачивать на Туристскую улицу, а поехал дальше по бульвару Яна Райниса в сторону Братцево. От деревни Петрово к тому времени уже мало что осталось, но кое-какие домишки еще стояли. Доехал до Братцево, до детской больницы. Бульвар Яна Райниса превратился в улицу Саломеи Нерис. Вниз, под горку, по мосту через Московскую кольцевую автомобильную дорогу, и вот уже поселок Новобратцевский. Остановился, огляделся. Красные фабричные корпуса. Фабричные ворота. Труба. Рядом с фабрикой — несколько желтых домов барачного типа, двухэтажных. От этих сооружений веяло тоской и безнадежностью, и страшно было даже подумать о жизни в этих бараках, хотя ведь меньше километра от Москвы, а уже все так по-другому, в Москве, конечно, в то время тоже еще кое-где были бараки, да и обычные пяти- и девятиэтажки были серы и невзрачны, однако же в московских домах не было этого духа уныния и монотонного отчаяния. Вместе с тем бараки и фабричные корпуса Новобратцевского были странно привлекательны и даже по-своему прекрасны, и невозможно было оторвать глаз от этих смиренных, смирившихся со своей участью строений, и даже, как некоторые говорят, комок подступил к горлу, на самом деле никакой не комок, а просто какой-то приступ умиления, тоски и жалости к самому себе и ко всем окружающим объектам. Долго стоял, смотрел, смотрел… Потом развернулся и поехал обратно, по мосту через Московскую кольцевую автомобильную дорогу, по улице Саломеи Нерис, мимо детской больницы, по бульвару Яна Райниса, мимо немногочисленных оставшихся в живых домиков исчезающей деревни Петрово, мимо кафе "Пилот", мимо гаражей, к дому десять.

Собрались с несколькими ребятами постарше и поехали на велосипедах в дальнее путешествие, в город Химки. Это вообще-то очень далеко. Лето, дождливый день. Мимо дома шесть, корпус три, по Планерной улице, мимо метро "Планерная", по улице Свободы, по мосту через Московскую кольцевую автомобильную дорогу, по Путилковскому шоссе, мимо каких-то невнятных построек Ново-Бутаково. Выехали на Ленинградское шоссе. Пришлось долго ждать, пока в потоке машин образуется промежуток, чтобы перебежать. Перебежали. Дождь усилился. Подъехали к автобусной остановке. Это уже была Московская область, и автобусные остановки были оформлены совершенно по-другому, нежели в Москве, — гораздо более дико и безобразно. Выкрашенная блеклой синей краской будка, внутри темно, скамейка. Валяется мелкий мусор, стекла разбитых бутылок. Убого. Уже провинция, подумалось. Ребята постарше закурили. Женщина, одиноко стоявшая на остановке, опасливо поглядывала на курящих ребят постарше. Покурили и поехали по Московской улице к станции Химки. Московская улица уставлена угрюмыми пятиэтажными кирпичными домами. Подумалось, что вроде все то же самое, что и в спальных районах Москвы: улица, деревья на тротуарах, мрачные пятиэтажки, — а все-таки не то же самое, в Москве как-то все же уютнее, и непонятно, в чем это выражается, но это совершенно неоспоримый факт. Покрутились на привокзальной площади, купили, кажется, каких-то пирожков и поехали обратно, по тому же маршруту. Долгое, захватывающее, интересное путешествие. Только на следующий год рассказал о нем маме, иначе для нее это был бы удар, она очень опасалась велосипедных поездок по улицам, где ездят машины и другой опасный транспорт.

Потом, когда детство плавно преобразовалось в так называемое отрочество, стал все реже бывать в Тушино, все больше общаться с одноклассниками, проводить выходные и каникулы в центре, там стало более интересно, а тушинские забавы поблекли и утратили былую привлекательность. Но все же многое запомнилось и, пожалуй, уже не забудется.

Туристская улица, дом десять. Бульвар Яна Райниса, дом шесть, корпус три. Улица Героев Панфиловцев, изгибающаяся, как дуга. По ней ездит трамвай № 6. Исчезнувшая ныне деревня Петрово, деревенская асфальтовая улица, густо засранная крупным и мелким скотом, усыпанная упавшим с телег сеном. 96-й автобус, с надсадным тягучим воем медленно едущий по Туристской улице. Станция Тушино и грузовые поезда, сотрясающие земную твердь. Зелено-убогая Вишневая улица. Железнодорожный переезд на Сходненской улице. Страшный железный заводской корпус у Западного моста. Говорят, там делали авиационные двигатели или еще что-то такое. Проезд Донелайтиса, тянущийся вдоль огромного оврага, образованного речкой Сходней. Тихая и смирная Аэродромная улица, где раньше была какая-то радиолокационная вроде бы станция, а потом остались просто небольшие домики.

Дома, домики. Серые, серовато-белые. Панельные. Тихие и унылые, родные.

Дворы, и качели, и маленькая асфальтовая площадка, где можно было играть в "два касания".

Можно было бы, конечно, написать о взаимоотношениях, о "ребятах", но это совершенно не нужно, какая сейчас разница, кто с кем дружил и кто с кем дрался, это было так давно, что можно сказать, что и не было вовсе, это все ушло навсегда и совершенно неинтересно; возможно, кто-то из участников событий умер, кто-то уехал жить в другое место, кто-то спился или сел в тюрьму, кто-то ведет тихую обычную жизнь в том же Тушино, это все неважно и несущественно, а вот дома, заборы, гаражи и сараи стоят на своих местах, именно они важны и интересны, это единственная реальность, оставшаяся от того времени, и это единственное, что достойно описания, пусть даже такого короткого и фрагментарного, а ведь, с другой стороны, разве можно написать что-то серьезное и фундаментальное про эти низенькие серые бетонные дома, покосившиеся заборы, кафе "Пилот", скромные типовые здания школ, детских садов и поликлиник, про дворы, и качели, и маленькие площадки, поросшие редкой, с проплешинами, травой.

# Алексей Варламов
## Автозаводская

**1.** Свет фар проезжающей под окном первого этажа машины, бурый снег, сухая земля, дым заводских труб, низкое небо, бетонные заборы, рюмочные, пивнушки, запах хлорки, пара, какой-то особой сырости, проходные дворы, мощные сталинские дома по обе стороны чахлого сквера, редкое солнце, райком партии с красным флагом, доска почета, памятник павшим, маленькие троллейбусы с отрывными билетиками за четыре копейки, мороженое-рожок в киоске около метро и недосягаемая мечта о перочинном ножике в табачном ларьке — Автозаводская, улица моего детства, место первых тринадцати лет жизни. До Кремля отсюда по прямой — километров десять, а то и меньше, на метро — три остановки, а кажется — другой город, другой мир, не Москва, не столица, а индустриальный анклав, рабочий поселок, промзона.

От Автозаводской расходятся в разные стороны улицы поменьше, переулки, проулки, мосты, проезды, путепроводы — Велозаводская, Мастеркова, Ленинская слобода, Кожуховская…. Район не зря называется Пролетарским — там много заводов: "Динамо", "АЗЛК", "ЗИЛ", "Шинный", "Шарикоподшипниковый" — долгое и странное слово, смысл которого я никогда не мог в детстве понять. Наш дом находился возле ЗИЛа, рядом проходила окружная железная дорога, время от времени гудела по ночам и выбрасывала клубы горячего пара огромная ТЭЦ, питавшая весь район, и тогда папа куда-то звонил, ругался и требовал, чтобы ТЭЦ замолчала. Она и в самом деле затихала, то ли испугавшись папы, то ли по собственным нуждам, а я лежал в кровати, боялся темноты и думал о папином всесилии. Шум мне не мешал, я его не замечал, как не замечал отравленного воздуха, архитектурного несообразия, неудобства, а просто жил и не понимал, чем мой район хуже других, да и был ли он хуже? Но почему-то никто не стремился в нем жить, скорее, уехать оттуда, и когда позднее мама пыталась поменять квартиру, обменщики, услышав слово "Автозаводская", теряли интерес.

Моя семья поселилась здесь за десять лет до войны. Дедушка по материнской линии, красавец, женолюб, потомственный адвокат, представитель старинного дворянского рода, занесенного в родословные книги и упоминаемого в энциклопедии Брокгауза и Эфрона, из-за своего происхождения с большим трудом поступивший в начале двадцатых годов в университет, сумел получить работу юрисконсульта на заводе "Динамо", а заодно и комнату в коммунальной квартире на Автозаводской улице. Это случилось в тот не очень долгий период жизни, когда моя бабушка, внучка богатейшего тверского купца Коняева, была ему женой и родила троих детей: двух сыновей — моих дядьев — и дочку — мою маму. Вскоре дедушка ушел к другой женщине, а комната осталась, и бабушка там жила с тремя детьми. Дед ее навещал, но приходя в гости, в самые лихие советские времена, в самом рабочем районе Москвы, не забывал напоминать брошенной жене, из какого рода она, а из какого — он. Впрочем, детей благоразумно воспитывали на советский манер, и они выучились, сделали хорошую карьеру, вступили в партию, не догадываясь о том, кем были их предки и каким состоянием владели до революции, что потеряли и как чудом уцелели их недружные родители — это открылось в сравнительно поздние времена.

Когда дети выросли и сами женились, на двадцати метрах жили три семьи: два моих дядюшки с женами и мама с отцом. По семейной легенде, одна из супружеских пар спала на балконе в палатке, другая на полу, третья на диване, а детей укладывали в чемоданы. Потом разъехались, но часто встречались, садились за щедрый бабушкин стол с домашними наливками и закусками, хмелели, пускались в воспоминания, и я рос среди этих рассказов, преданий, историй про деда и его жен, про соседей, ближнюю и дальнюю родню, про войну, про Алтай, куда бабушка ездила с детьми в эвакуацию, а потом не могла вернуться в комнату, занятую другими жильцами, но поселилась в коридоре и по суду добилась, чтобы ей вернули законную жилплощадь, — адвокатом выступал бывший супруг, вложивший в свою речь всё наследственное мастерство. Бабушка вспоминала всякий раз новые подробности, и, наверное, тогда я впервые ощутил потребность их записать, а Автозаводская стала основной сценой этих магических рассказов, и в пролетарских декорациях я учился навыкам человеческой жизни и нащупывал будущую судьбу.

Мое рождение разрубило гордиев узел фамильной тесноты: благодаря щедрым социалистическим законам родители получили в одном из соседних домов двухкомнатную квартиру на первом этаже. Она казалась такой огромной, что бабушка носила меня на руках и показывала нашу отдельную кухню, первую в ее взрослой жизни, ванную, коридор, свою комнату, комнату родителей и подносила меня к окошку: из него был виден переулок, двор и странное сооружение, похожее на будку, — это путешествие по квартире есть первое воспоминание моей жизни, и оно так отчетливо, как будто случилось сегодня утром, а вот который час в таком случае у меня теперь — не знаю. Но воспоминания об Автозаводской и ушедших людях настраивают на философский лад...

**2.** Наискосок от нашего четырехэтажного дома находился крытый бассейн и похожие на средневековый готический замок знаменитые Тюфелевские бани, дивный памятник советского конструктивизма. В бани ходили всем районом, покуда в жилые дома не провели горячую воду, и мама рассказывала, что после войны там давали огромную ценность — кусочек мыла, которым надо было и помыться, и постирать, и домой унести обмылок. А бассейн был первый в советской Москве, и по этой причине попасть в него было невозможно. Однако у маминой одноклассницы там работала уборщицей ее мама, и девочек иногда пускали поплавать ночью. Так мама научилась в бассейне плавать и впоследствии хотела, чтобы я тоже научился, но ничего из ее затеи не вышло. Когда молодой нетерпеливый тренер увидел, что один из мальчишек не отрывает ноги от дна, а, согнувшись, идет пешком по лягушатнику, он рассвирепел:

— Ляг и почувствуй воду! Вода сама тебя держит. Люди тонут, потому что не знают, что умеют плавать.

Но я не верил ему. И тогда он бросил меня в бассейн для взрослых на глубину четыре с половиной метра, где плавали глухонемые.

— Плыви! Все люди умеют плавать!

Вопреки ожиданиям я не поплыл, а стал захлебываться и тонуть. Тренер пихал мне шест и на меня орал, глухонемые отчаянно жестикулировали, а я никак не мог за шест ухватиться и шел ко дну. Тренеру ничего не оставалось, как прямо в одежде за мной нырнуть, а потом делать искусственное дыхание, и после этого родители от меня отстали, однако острое ощущение воды как угрозы во мне поселилось, мешаясь с нежностью и сочувствием. Я понял, чего я не хочу, не могу вынести — насилия над водой и над человеком, который в ней оказался. Позднее я написал об этом небольшой и очень странный для самого себя рассказ "Все люди умеют плавать", использовав единственную привилегию пишущего человека — обращать свои неудачи в слово.

Автозаводская была причиной и местом многих моих будущих увлечений. От того ли, что она была очень тесной, угрюмой, или это было свойство моей натуры, пробужденное бабушкиными рассказами, но с самых малых лет мне всегда хотелось вырваться оттуда и узнать, что находится за пределами видимой местности. Мое первое путешествие было вглубь земли, в ту самую таинственную бетонную будку, что стояла напротив наших окон и в раннем детстве пугала тем, что именно в ней, по рассказам больших девочек, обитала красная перчатка, которая должна была задушить сначала моих родителей, потом бабушку и сестру, а затем и меня самого. Жутче всего было именно от последнего места в этой очереди, и ночами я не спал и слушал, как красная перчатка придет.

Когда я стал чуть старше, то, преодолев страх, спустился по шаткой лестнице в темноту будки и, пройдя по горизонтальному подземному коридору, очутился перед закрытой дверью. Толкнул ее и попал в просторную комнату. Фонарик выхватил картинки на стенах — людей в противогазах, грибы ядерных взрывов, носилки — это было бомбоубежище, построенное во времена

Карибского кризиса. Я выскочил наружу, испытав приступ клаустрофобии — наследственной болезни жителей нашей спертой местности, и отныне всячески, под любыми предлогами старался ее покинуть. Говорил бабушке, что иду гулять, а сам садился на автобус или троллейбус, останавливавшийся возле дома, и долго ехал до конечной остановки. Названия были написаны крупными буквами рядом с номерами автобусов и звучали загадочно и влекуще: улица Нижние Поля, улица Верхние Котлы, Рыбокомбинат № 40, Больница № 17, Нагатинская пойма, Карачарово. Так я ребенком изучал большую таинственную Москву, потом точно так же стал осваивать метро, и Автозаводская, постепенно, наяву превращалась не только в место жительства, но в точку начала пути и возвращения, и все, что находилось извне, казалось интересным, волнующим.

Нечто подобное происходило и с моей старшей сестрой. Она готовилась поступать на географический факультет, и на стене в нашей комнате висели две большие карты: СССР и карта мира. Сестра заучивала названия, которые должна была сдавать на экзаменах, а я глядел на карту своей Родины, испытывая невероятную гордость оттого, что живу в самой большой, счастливой и свободной стране мира, и мне хотелось объездить ею всю, все увидеть, запомнить, побывать на Карпатах и на Курилах, на Ямале и на Памире, а потом путешествовать дальше по всему миру, пока еще частично враждебному ей, но должному однажды признать ее превосходство. И странным образом мне хотелось присоединить к СССР еще какую-нибудь территорию. Велика была моя страна, но ей не помешало бы стать больше. Особенно нравился мне похожий на тигра Скандинавский полуостров, а еще почему-то Иран. Это было как бы продолжением игры в ножики, которой мы были в автозаводском детстве увлечены — чертили большой круг, делили его на равные сектора, а потом нападали друг на друга, отрезая у соседей куски земли, заключали договоры, а потом их нарушали, и никто за пределами игры не обижался — такими были ее правила.

**3.** На Автозаводской была география, но не было истории. То есть не так конечно, история была, и какая — советская, индустриальная, гордая, парадная, но здесь не было истории прежней, и все следы существовавшей на этой земле реликтовой Тюфелевой рощи, принадлежавшей царскому дворцу, урочище в излучине реки, богатые дачи, охотничьи угодья, пруд, в котором утопилась карамзинская бедная Лиза и московские дамы рвали ландыши, оплакивали, а иные и повторяли ее судьбу — всё это было уничтожено новым временем. Даже не советским, а предсоветским, предреволюционным, органично перетекшим в советскую индустриализацию. Ничего древнего, старомосковского, купеческого, дворянского, бабушкиного и дедушкиного тут не было, за исключением разве что Симонова монастыря, но от старинной обители остались только могучие стены, которые терялись в окружении заводов, сталинских домов и домов более поздней постройки, труб, высоких бетонных заборов, мостов, а всё остальное, включая могильные надгробья, было разрушено и частично пошло на постройку нового. То, что на территории завода "Динамо" стояла церковь, в которой были погребены русские воины Пересвет и Ослябя, сражавшиеся с ордынцами на Куликовом поле, то, что в Симоновом монастыре подвизался Кирилл Белозерский, — всё это я узнавал много позже, как позже открывал для себя древнюю Москву, но она не была для меня родной в буквальном смысле этого слова. Родной была фабричная слобода, безбожная, по-своему жестокая, со своей шпаной, своим блатняком, дерущимися улицами и дворами.

Среди этого пролетарского царства находилась выстроенная из красного кирпича пятиэтажная английская спецшкола № 15, где учились дети местной интеллигенции, за что справедливо получали время от времени по физиономии от гегемонов из школы по соседству, поджидавших нас за гаражами с нехитрым предложением:

— Пацан, дай десять копеек.

Некоторые пацаны давали запрашиваемую сумму, некоторые нет, но взрослым никогда не жаловались — ни родителям, ни учителям. Мне давать деньги казалось унизительным, и я уходил в несознанку:

— Нету.

— А найду, звездюлей дам? — деловито спрашивали соседи, однако обыскивать не обыскивали — отпускали с миром.

**4.** А вот что было по-настоящему родным и любимым, так это река. Москва-река. Или лучше
в одно слово — "Москва́река" с единственным
ударением на среднюю букву "а", которая не должна скло-
няться: Москвареки, Москвареке, Москвареку, Москваре-
кой, о Москвареке. Моя Москварека начиналась возле стадиона "Торпедо" и дальше уходила ниже в сторону Автозаводского моста и завода имени Лихачева. То, что было
выше, — Новоспасский мост и еще выше Таганка, Котель-
ники, Кремль — лежало за пределами Автозаводской, там
река была нарядная, с красивыми набережными, там
гуляла хорошая публика, ходили прогулочные парохо-
дики, а моя Москва-река была работящая, пролетарская.
Пройти вдоль нее везде было невозможно, заводские территории вплотную примыкали к воде, но в некоторых
местах набережной не было, и можно было ходить вдоль
берега. Река была единственным живым местом на Автозаводской, частью неуничтоженной, невырубленной природы. У нее был ледостав и ледоход, не очень заметный
в черте города, но был. Там ловили рыбу, купались, там
можно было собирать камушки и бросать в воду лежав-
шие на берегу дощечки, представлять, как они уплы-
вают вниз. Изгибаясь, река уходила в сторону Южного
порта и Коломенского парка. Иногда я ходил по долгому
правому берегу, и река текла рядом со мною примерно
с той же скоростью, с какой шел я, и благодаря ее течению я ощущал, что в нагромождении заводов, домов,
труб, железных и автомобильных дорог есть живое, про-
бивающееся сквозь теснину камня и асфальта и чудом

уцелевшее, незаточенное. Отец позднее рассказывал, что мой прадед, отец его мамы, был до революции капитаном речного пароходика на Оке. Про этого человека не сохранилось никаких сведений, но можно предположить, что если был капитаном на Оке, то мог и в Москва-реку заходить, и поэтому что-то шевелилось во мне, когда я видел эту воду.

Я любил и по сей день люблю Москва-реку, пусть даже она уступает Неве и сибирским рекам, пусть не так вписана в городской пейзаж, как Сена, Темза или Тибр, и ей недостает пешеходных мостов и тихих набережных, но все равно есть такие точки в Москве, где ты ее остро чувствуешь, и река делает мой город живее, таинственнее, нежнее. Это она дала ему имя, и моя собственная московская жизнь оказалась к ней привязана. Я учился в университете на Воробьевых горах и ходил гулять к ее высокому берегу, после университета переехал жить на Фили в район Западного порта, и там тоже текла река, но другая — строительные краны, баржи, буксиры. Когда я женился, то поселился в Тушино рядом с водохранилищем, шлюзами и каналом и гулял вдоль ее воды со своим маленьким сыном. Я построил дом в лесу в верховьях Москва-реки недалеко от того места, где она сливается с Рузой, но первое детское ощущение автозаводской реки остается самым сильным, и мне до сих пор кажется, что древние были не так уж и правы, когда говорили, что нельзя дважды войти в одну и ту же реку: изменилась река, изменился человек. Но именно потому, что изменение было двой-

ным, это странным образом возвращает нас с рекой
к единой точке.

**5.** Мы уехали с Автозаводской, когда мне исполнилось тринадцать лет, но я еще продолжал ездить
в школу. Без нее Автозаводская для меня была бы
неполной. Я не знаю, какими были спецшколы в других
районах Москвы, но наша была воистину интеллигент-
ским бастионом — с дисциплиной, с жесткими требова-
ниями, безжалостными отчислениями за неуспеваемость,
с учителями, каждый из которых считал, что его предмет
главный, с контрольными работами, сочинениями, изло-
жениями, диктантами, опросами, безумными домашними
заданиями, с предметами, которые на английском языке
преподавались, и своей гордостью — каждый новый
учебный год в школе вывешивали списки выпускников,
поступивших в МГУ, Иняз, МГИМО, МИФИ, Бауманский,
МАИ, что раздражало моего отца:

— Почему они не пишут про всех выпускников, а только про тех, кто поступил?

Я не любил свою школу, когда в ней учился, рос
с ощущением того, что она меня оскорбляет, унижает
своей требовательностью, помноженной на требова-
тельность домашнюю, я изнывал от этой дисциплины —
и лишь годы спустя внутренне перед ней покаялся и пой-
мал себя на мысли, что школа должна быть именно такой.
Я ощутил как счастье университет и оценил его свободу

именно потому, что у меня была такая школа. Она давала много разных уроков.

Однажды нескольких учеников из двух параллелей стали отбирать на районную олимпиаду. В конечном итоге нас осталось четверо, я отвечал хуже всех, но взяли меня и еще одного парня.

— Как их фамилии? — поинтересовался забредший к нам в гости дядюшка Борис.

— Галант, Кантор, Кушлин.

Дядюшка тонко улыбнулся.

— Нельзя же признать, что лучшие ученики — одни евреи.

Я не понял, что он имел в виду. В спецшколе на Автозаводской не различали национальностей. Там учились советские дети — представители новой общности — советского народа эпохи брежневской Конституции и брежневской редакции михалковского гимна, слова которого поныне звучат в моих ушах, и вместо "Россия — священная наша держава" я все равно слышу "Союз нерушимый республик свободных", и с этим ничего не поделаешь, и это тоже моя Автозаводская.

# 6.

Однажды в нашу школу приехал учитель из Америки. Не знаю, что чувствовал он, очутившись среди наших просторов, и какими глазами глядел на фабричную окраину красной Москвы, а мы впервые увидели американца, и возможность живой английской речи, разговора вскружила нам голову. Учительница наша относилась к его урокам скептически и считала потерей времени. Она была страшно въедливая, цепляющаяся к малейшей неточности, занудная старая дева, которая не слышала школьных звонков, их у нас в школе вообще не признавали: звонок — это для учителя, а если уроки бывали сдвоенные, то перемены мы просто не видели — сидели полтора часа подряд и на уроке на минуту нельзя было выпасть. Она признавала только британский английский и согласилась бы уступить свое место разве что выпускнику Оксфорда — а тут какой-то кукурузник из штата Айова — и на молодого парня в джинсах смотрела свысока. Но нам он нравился, от него веяло заграничной свободой, раскованностью, легкостью — неавтозаводскостью, он со своими ковбойскими штанами отрицал всё то, на чем мы были воспитаны, соблазнял нас и манил в свой дивный мир, где всё казалось легким и необязательным.

— Кам он, бойз, кам он, — подбадривал он нас.

Мы говорили в ответ горячо и страстно, впервые в жизни чувствуя свободу, и он нас не обрывал, не ругал за ошибки, как Сан Санна. Мы не понимали, дурачки, что можем так говорить только потому, что она мучила нас со второго класса, доводя до слез, и не догадывались, как она довольно улыбается за нашими спинами и гордится своими учениками, и у американца глаза на лоб лезли, потому что вся наша группа была такой — сильная, живая, отзывчивая, упругая: мы на лету схватывали тот материал, который он для нас приготовил, и жадно требовали еще, а у него в отличие от нашей Сан Санны ничего припасено не было, как не было и опыта преподавания, но мы простили ему его неподготовленность, потому что хотели просто слушать и говорить.

Он протянул нам после урока жвачку, мы ее не взяли — у нас была своя гордость. А он смотрел на нас своими смеющимися глазами и вдруг стал рассказывать про кэмп-дэвидские соглашения. Мы кое-что про это слышали, потому что раз в неделю один из учеников делал политинформацию, и агрессивная политика Израиля по отношению к нашим миролюбивым арабским друзьям, а также вероломство египетского президента Садата были нам в общих чертах известны. Не то чтобы нас это сильно интересовало, но мы из вежливости слушали американца и даже задавали какие-то вопросы, чтобы лишний раз попрактиковаться в языке.

На следующий день нас вызвали к завучу. На ней не было лица. Она должна была через месяц ехать в Штаты по обмену с этим парнем.

— О чем вы спрашивали Джона? Он пишет в своем отчете, что советские дети хотят знать правду о Кэмп-Дэвиде, которую от них скрывают.

# 7.

В Америку завуч не поехала, а Сан Санна от нас ушла. По этой причине или по другой, но нам дали другую учительницу, помягче, поспокойней. Наш английский на этом закончился, больше, чем мы знали, мы уже не узнали и лучше говорить не стали. В университете я учил испанский и смирился с тем, что навсегда английский потерял, но много лет спустя поехал в Америку, и все вдруг всплыло, как на переводных картинках. Я читал на английском лекции по русской литературе в университетах, свободно говорил и ездил на машине по штату Айова, забираясь в те места, куда не ступала нога русского человека, встречался с фермерами, студентами, школьниками, местными писателями и библиотекарями, я рассказывал им про свою страну, свое автозаводское детство, про трубы заводов, свою мечту купить джинсы, про бомбоубежище во дворе, где мы должны были прятаться от американских бомб, про американского учителя, то ли дурака, то ли провокатора, из-за которого моя школа лишилась своей лучшей учительницы, — они слушали меня непроницаемо, как если бы здесь происходила встреча даже не двух народов, двух цивилизаций и континентов, но двух рас, и я мог рассказывать что угодно: их интересовало одно — вру я или не вру. Недаром именно в этой стране изобрели детектор лжи, и я постоянно чувствовал себя под его контролем, но это не мешало мне по-своему оценить и зауважать Америку как страну великих возможностей и путешествий, страну очень патриотичную и в то же время легко срывающуюся с места, ни к чему не привязанную, страну с такой же недолгой историей, как видимая история моего района, но главное, что я понимал: я обязан был этим встречам, своим долгим отлучкам по карте мира — я был в долгу перед Автозаводской, которая меня сурово учила и выталкивала в огромный мир, которая в каком-то смысле жертвовала собой, отпускала навсегда, зная, что я все равно вернусь, потому что родину из состава крови вытравить невозможно, и любой анализ, даже много лет спустя, обнаружит ее присутствие.

**8.** Автозаводская для меня неотличима от того времени, и я никогда не мог представить ее в ином обличии. Она стояла как советская скала, и ничто не могло ее порушить. Ни малейшей черточки, ни тени намека не было на то, что однажды не станет того, чему учили нас в школе на уроках истории и обществоведения. Степень советскости, пролетарскости, концентрация этого духа здесь зашкаливали, как наличие ядовитых примесей в воздухе, и мне трудно представить, чтобы жители Автозаводской ходили в конце восьмидесятых на перестроечные митинги в Лужники, шли защищать Белый дом в августе 1991-го или голосовали за Ельцина. Скорее я готов представить их у этого же Белого дома в октябре 93-го. Собственно, мой старший дядюшка там и был. Пролетарская Вандея, которой не хватило сил себя защитить, и она потерпела поражение, — вот что такое Автозаводская.

В молодости я ей легко изменил: с радостью и восторгом расстался с советской химерой, мне казалось это возвращением, как нынче говорят, к корням, к истокам, и в каком-то смысле так всё и было. Это было то время, когда я поступил в университет, когда у нас образовался свой русский кружок и был среди нас человек, открывавший нам настоящую Москву, которую я люблю и поныне, хоть и во многом той Москвы уже нет. Тогда я легко Автозаводскую позабыл, я в каком-то смысле отрекся от нее, выбросил за ненадобностью, я ходил на перестроечные митинги и орал "Долой КПСС!", был у Белого дома в 1991-м и ни секунды об этом не жалел и не жалею сейчас, но годы спустя, трезво оценивая и себя, и свое время, понимаю, что от этого автозаводского, советского не избавишься, и его не надо стыдиться и пытаться в себе изжить. Я воспитан этим воздухом, рычанием ТЭЦ, школьными звонками, там было мало простора, мало воли, тесное, скученное, шумное, грязное место, не виноватое в том, что его таким сделали и вместо прекрасной Тюфелевой рощи, которую вырубили, как чеховский вишневый сад, но не под дачи, а под автобильный завод АМО, впоследствии названный заводом имени Сталина, возникла эта малопригодная для человеческого проживания местность. И глупо искать виноватого, моя тихая родина задолго до моего рождения стала жертвой нового времени, но если бы все кончилось только этим…

**9.** Я много лет ее не видел. Что-то мешало мне туда поехать, а мои обыкновенные пути проходили мимо, и ничто не приводило на Автозаводскую. Москва — странный город, в каких-то местах бываешь тысячи раз и знаешь всё, где-то не бывал никогда и вряд ли будешь, но Автозаводская так и оставалась в стороне. Когда я ехал на метро в Домодедово, чтобы улететь куда-нибудь еще по карте Родины, и проезжал мимо Автозаводской, сердце мое вздрагивало, но мысли о предстоящем полете были сильнее.

Я оказался там спустя некоторое время по очень странному поводу: получить справку о несудимости на углу Автозаводской и Велозаводской улиц. Справку мне выдали, а дальше я побрел по скверу. Банки, магазины, обмен валюты, салоны связи, реклама — всё как везде в Москве, но на Автозаводской этого не должно было быть. Оно казалось здесь наносным, чужеродным, нелепым, и я внутренне всему этому сопротивлялся и чувствовал себя обманутым. Не надо было сюда возвращаться. Не надо.

Моего дома с бетонной будкой во дворе не было — через него проходило Третье кольцо. Тюфелевские бани стали фитнес-клубом. На пустыре, где мы играли с пацанами в американку, в фешенебельном автосалоне продавали машины "субару". На месте завода имени Лихачева устроили киностудию — страшная насмешка времени: уничтожить существовавшую веками рощу, чтобы выстроить на ее месте завод, на смену которому придет студия, на которой будут снимать сериалы. Вот что случилось с моей родиной…

А вот пивнушки остались, и какие славные! Их, кажется, даже стало больше. Я зашел в одну, потом в другую. Чем больше я пил, тем милее всё становилось вокруг, я чувствовал, как исчезает время, и добрел до своей родной школы в состоянии, близком к тому, в каком однажды пришел на школьный вечер, и только милосердие учителей спасло меня от разгрома. Как всё это было печально и прекрасно! Я вдруг почувствовал себя так, как если бы вернулся в город, из которого уехал много лет назад и каким-то чудом там оказался; я шел по улицам и узнавал и не узнавал родные места, и мне хотелось немедленно кому-то позвонить, с кем-то встретиться, мне грезилось, что вот сейчас я столкнусь нос к носу с людьми из прошлого, но не было никого.

И все равно мое глупое сердце переполнялось нежностью и благодарностью к этим улочкам, они все-таки несильно изменились, гораздо меньше, чем я, и река текла точно та же, всё наврал Гераклит. Он не знал, что когда я спрашивал на экзамене студентку, в каком веке происходит действие "Лавра" Евгения Водолазкина и девочка не знала в каком, хотя до этого говорила мне, как ей нравится этот роман и как она плакала над ним, и тогда я позвонил прямо на экзамене Водолазкину и спросил: "Женя, что ставить девочке, которой нравится твой роман, но которая не знает, в каком веке происходит действие?" — и Водолазкин ответил: "Она права! Времени нет! Ставь пять!"

Я дошел до реки и почувствовал, что они правы все, времени не было, и не потому, что я был навеселе, а точнее, нагрустне, а потому, что река текла точно так же, как текла в мое детство, та же вода, и ей было все равно, что происходило на ее берегах. Постепенно сделалось совсем темно, хмель улетучивался, я оглянулся вокруг — никого не было в этот поздний час, разделся, вошел в воду и немного поплавал. Тот парень в бассейне говорил правду: все люди умеют плавать, только не все об этом знают.

# АЛЕКСАНДР АРХАНГЕЛЬСКИЙ

## Матвеевка: братство матрешки

СПРАВКА ИЗ ЭНЦИКЛОПЕДИИ

*Матвеевское* — местность на западе Москвы, на левом берегу р. Раменки, к северу от платформы Киевского направления Московской железной дороги. Соседствует на западе с Аминьевом, на севере — с Волынским и Давыдковом, на юго-востоке — с Раменками, на юго-западе — с Очаковом. Название — от бывшей деревни, известной с XVIII века. В XIX веке — дачная местность. С 1960 года — в черте Москвы. С середины шестидесятых годов — район массового жилищного строительства (руководитель проекта застройки — архитектор Е. Н. Стамо). Название сохранилось в наименовании Матвеевской улицы.

Главное в справке отсутствует: на территории "современного микрорайона" находится Ближняя дача, куда Сталин переселился после убийства Аллилуевой и где умер в полном беспросветном одиночестве, самого себя загнав в "котел" и попав в окружение смерти. Истеричный выкрик Берии: "Хрусталев, машину!" — прозвучал как раз в Матвеевке; роковое кольцо разомкнулось, ворота Ближней дачи отворились, машина понеслась из Подмосковья в Кремль, и началась другая русская история XX столетия. С той же вечной ласковой гнильцой, но уже без кровавых потоков.

Мы переехали в Матвеевку, когда мне было пять. То есть в 67-м. До этого жили в Сокольниках, тоже на вполне заслуженной окраине; там толпились деревянные бараки, летом пахло перепревшим черноземом, а почти все остальное время года — едким дымом. Все топили печки. Чем придется. Щепой, картоном, фанерой, отслужившими фонарными столбами, даже черными шпалами — вонючими, пропитанными варом. В выходные мама клала на ко́злы кривое бревно и долго-долго водила пилой, брала полено, как младенца в одеяле, прижимала руками к груди и тащила к сараю — колоть. Но протопить квартиру все равно не удавалось. Одно из самых мерзких ощущений детства — обледеневший ободок горшка. Зато по пути в детский сад мы всякий раз встречали лошадь, которая тащила тележку молочника; лошадь кивала мне, я отвечал ей вежливо, как нас учили: "Здравствуйте". А вдоль Оленьих переулков проходил трамвай, сверкая искрами и звякая на поворотах.

Матвеевка — совсем другое дело. Никаких вам лошадей, трамваев, бараков и запахов топки; типовые блочные дома, типовой детский сад, квадратно-гнездовая школа, обсаженная вишнево-яблоневым садом. В квартире собраны в гармошку батареи, на кухне сияет плита, а полы покрыты паркетом! Мелким, в елочку. Правда, в подвале под нами всегда подтекала вода и в неизбывной сырости плодились блохи; никогда мне не забыть котенка, заживо заеденного ими: он чесался, чесался, вдруг вытянулся и остекленел, а в шерсти продолжала копошиться черная орда… И все равно: тепло, горячая вода из кранов и огромная эмалированная ванна. Настоящая столица! Современный город!

В двух минутах ходьбы (а не в пяти трамвайных остановках) — свежепостроенный универсам, рядом — полноценный гастроном, в те времена — немыслимая роскошь. От рыбного прилавка всегда несло подтухшим хеком и осклизлой мойвой, зато в морозилке лежали креветки, маленькие, розовые, со злыми черными глазами, 1 рубль 64 копейки кило. А на бакалее высился прозрачный конус, из которого нам наливали сок. Самый вкусный был, конечно же, томатный; рядом с конусом стоял стакан с подмокшей солью, из которого торчала алюминиевая ложка. А летом в гастрономе с утра до вечера жужжали аппараты, продавщицы страстно пенили коктейли, пена от мороженого с молоком сладко подсыхала на губах, образуя белые усы. За 8 копеек покупалась булочка с повидлом или маком; дела были сделаны, можно выходить на Веерную улицу.

Она действительно была развернута, как веер, и опоясывала весь микрорайон. Посередине Веерная улица ветвилась; одна боковая дорога вела к электричке, другая, мимо кинотеатра "Планета" с игровыми автоматами, — к известному на всю столицу Круглому дому. Дом был огромный, по форме напоминал то ли болванку, то ли срез грандиозной трубы; какой дурак его спланировал, не знаю. Вероятно, тоже круглый. Жить в этом доме было совершенно невозможно: он захватывал эхо в ловушку, бесконечно гоняя его по спирали, как гимнастический обруч. По утрам во дворе заводили машины; весь дом рычал и содрогался. Днем мальчишки играли в футбол на спортивной площадке — и Круглый дом ревел, как полноценный стадион. По вечерам скамейки у подъездов занимали саблезубые бабули в байковых халатах, сбитых тапках и белых платочках; отовсюду доносился отраженный звук: а вот Манька… анька… анька…

Но при этом Круглый дом символизировал Матвеевку. Она и была похожа на гигантскую матрешку; сталинская дача пряталась внутри пятиэтажек, но Веерная улица сама была окружена деревней, отрезана от города, как некий остров — от материка. Вокруг Матвеевки пластались бесконечные поля; вдоль железной дороги тянулся пролесок, где мрачно гудели шмели, на поваленных стволах сидели желтые лимонницы и коричневые шоколадницы, пахло сухой паутиной, а население упорно рыло погреба, чтобы запасать картошку. То ли на зиму, то ли на случай войны, как придется. Стены укрепляли досками, сверху приколачивали дверцу, на которую вешали амбарный замок. В кустах у переезда прятались мальчишки; заслышав приближающийся поезд, подбегали к рельсам, клали пятаки. Когда проходила электричка, пятаки, сверкая, отлетали в стороны. Они были горячие, гладкие, их раскатывало в плоский блин…

По выходным народ любил предаться неге на природе. Ленивые просто спускались в овраг и сидели у глинистой речки; любители культурно отдохнуть описывали длинный круг и располагались на лужайке рядом с Кремлевской больницей. Расстилали одеяла, полотенца, на отсыревшую газетку выкладывали помидоры, вареные яйца, соль, зеленый лук и черный хлеб, кто-то доставал чекушки, кто-то свинчивал погнувшуюся крышку с голубого китайского термоса с розами. Дети играли в бадминтон. Молодежь наяривала в волейбол. На обратном пути попадались могильные плиты, поросшие мхом… "Но как же любо мне / В деревне посещать кладбище родовое, / Где дремлют мертвые в торжественном покое…"

И деревенские привычки жителей никуда не делись. Под окнами имелись палисаднички, здесь высаживали желтые бархатцы, анютины глазки, нарциссы, настурции; летом и весной выгуливали кур, на рассвете пели петухи. Все балконы были перетянуты веревками, как портупеями; в тени деревьев располагались столики для домино. Раздавались злорадные выкрики: р-р-рыба! Слышался грохот. Над столом взлетали черные костяшки.

И запах гари тоже был. Но не печной, не угольно-фанерной, а помоечной, раскисшей. Почему-то все помойки — и в любое время года — тихо тлели; я не знаю, кто их поджигал; знаю только, что меня тянуло к этим капищам помоек. Я ставил портфель на обломок доски, стараясь его не запачкать смесью глины, пепла и распавшихся объедков, опускался на колени перед костровищем, искал неотгоревший уголь, набирал побольше воздуху и дул. Уголь вспыхивал красным, но тут же синел. Я снова дул, опять он вспыхивал и вновь синел, пока в конце концов не разгорался. Погруженный в маленькое пламя, он светился изнутри. Цель была достигнута, магический обряд свершен. Можно было идти домой обедать. Если штаны прожжены — объясняться с бабушкой и мамой; не очень большая цена за победу и счастье.

Мне было хорошо внутри матвеевской матрешки. Она давала чувство защищенности и прикрывала. Но и не желала выпускать наружу. Отдельный сюжет — путешествие в центр. Настоящий центр, не иллюзорный. Из матвеевского неразмыкаемого круга можно было выбраться тремя путями. Во-первых, на битком набитой электричке, где царила жизнь, пропитанная потом — каким уж нюхом Пастернак учуял "пряники на меду", я не понимаю. Во-вторых, на 77-м автобусе, который вез тебя на Киевский вокзал, петляя, через все роскошные холмы, огибая Поклонную гору. Долго вез, минут 45. В-третьих, на автобусе № 187. Он промахивал служебный вход на сталинскую дачу — зеленый, металлический, похожий на гараж, весьма топорно сваренный; по касательной цеплял Фили и уносил навстречу Ленинским горам. Они же теперь Воробьевы.

Но электричка, если даже приходила вовремя, имела подлую привычку тормознуть на Москве-Сортировочной и застрять — на полчаса, на час; она пропускала серьезные грузы. Сквозь немытое стекло мы наблюдали шеренгу цистерн, считая про себя: десять... пятнадцать... двадцать четыре... Иногда на открытых железных платформах сурово, как раскормленные генералы, ехали толстые танки. Иногда пролетал порожняк. С двенадцати до двух электрички вообще отдыхали, в это время пытаться уехать было бесполезно; вечером они ходили с каждым часом реже, реже; обязательных остановок было все меньше, меньше; и если ты, измотанный, издерганный, задремывал и пропускал Матвеевку, тебя высаживали в Переделкине, а то и в Наре, и ты, обмирая от ужаса, быстро бежал к расписанию: на Москву еще одна пойдет? Или все, куковать?

Примерно то же было и с автобусами. Я научился не мерзнуть на диком морозе, не задыхаться от летней жары, выживать во враждебной среде. Обратная вечерняя дорога была еще веселее; возле станции метро "Университет" медленной квашней росла толпа. Она расползалась, взбухала, густела; иногда темноту рассекали случайные фары, можно было разглядеть выражение лиц, но лучше этого было не делать. Наконец к остановке подкатывал важный автобус; квашня облепляла его и упорно всасывалась внутрь. Счастливчики, утрамбованные в салоне, становились массой. Ох! — слышалось на повороте, и масса стекала налево. Ух! — и она перетекала вправо. А те, кому не повезло, продолжали ждать на остановке —

вдруг сразу после 187-го пустят 220-й, вот же ж ведь месяц назад так было, кто знает, может, случится опять…

Собственно, внутри матрешки жили все; сталинская дача — в матвеевском чреве, Матвеевка — среди кутузовских холмов, очаковских полей; Москва внутри страны, которую боялась, от которой огораживалась. И страна окуклилась и тоже не хотела выпускать. А потом наступил 1979 год. Мы окончили школу, и началась Афганская война. Матрешка рассохлась, распалась, началась совсем другая жизнь. Только сталинская дача удержалась. Она по-прежнему живет внутри матрешки. Даже если самой матрешки давно уже нет.

# Дмитрий Быков

## Под Богом.
## Ленгоры

В Москве есть места, находящиеся под прямым Божьим покровительством, — места, ради которых Москву вообще до сих пор терпят. Хотя, наверное, и не следовало бы. Нынешняя Москва — тощный город. Но есть в ней несколько странных мест, которым ничего не сделается. Есть среди них точки абсолютного зла, вроде Кремля, а есть пространства чистейшей поэзии, где напрямую ощущается присутствие иррационального и таинственного. Таковы Ленинские горы, которые я называю так не из любви к Ленину, а из верности собственному детству. Тогда они так назывались и всегда были для меня пространством абсолютного счастья. Кто такой Воробьев, я не знаю, мне это имя ни о чем не говорит. На самом деле был священник по кличке Воробей, у него Софья Витовтовна, жена Василия I, купила село, названное в его честь. То, что это место называется такими случайными именами, нимало не выражающими его сущность, — Ленин тоже ведь не имел к ним никакого отношения, — лишний раз доказывает его божественную природу: все прекрасное маскируется, чтобы его не трогали. А как их еще назвать? Райскими?

Эта местность защищена от любого техногенного вмешательства и остается в более или менее первозданном виде: к счастью, любая попытка выстроить тут молл с автостоянкой, храм или высотку обречена, поскольку начнутся оползни. А срыть Ленгоры целиком — как-то, знаете, чересчур. Это значит навеки заработать проклятие потомства. Хорошо помню, как Юрий Лужков, который теперь на фоне Собянина многим ностальгически мил, задумал построить прямо на смотровой площадке гигантский магазин с многоэтажным подземным паркингом. Очень все возмущались, собрался митинг, и я на него поперся, и Сергей Никитин на нем пел, и вообще была огромная толпа, включавшая всех знаменитостей нашего Юго-Западного округа; а я тогда сказал — ребята, не волнуйтесь, ничего у них не выйдет. Тут нельзя ничего построить, и не в оползнях дело, а просто Господь этого не хочет. Тут место контакта с потусторонностью, не зря тут Герцен с Огаревым клялись, а Воланд отсюда улетел. Все посмеялись, а зря. Ни черта у них не вышло с этим

магазином, а впоследствии и сам Лужков улетел очень
далеко, оглушительно негодуя. Потом захотели поставить
там князя Владимира, чтобы Владимирская горка была
не в Киеве, а в Москве, которая от этого сразу стала бы
матерью городов русских; и князь был уже изваян, такой
противный, что от него оползло бы и сугубо равнинное
место; и тоже Архнадзор протестовал, все письма подпи-
сывали, а я сказал: не бойтесь, ребята, ничего не будет.
И действительно не вышло, и я почти убежден, что в самом скором времени инициатор этой установки улетит
еще дальше, чем Лужков. И тоже будет кому-нибудь ностальгически мил — потому что в деградирующих импе-
риях всё только ухудшается. Вот был ужасный товарищ
Сталин, никто не спорит, но в аду, где он теперь варит-
ся, у него бывают отпуска — не потому, что он провел
индустриализацию, а потому, что построил Московский
университет, разбил вокруг него лесопарк, насадил в нем
яблони. Получился оазис среди сталинизма и среди московского стиля вампир — кусок чистой влажной природы, с живыми изгородями, тропинками и фруктовыми
деревьями, кислыми яблоками и мелкими круглыми
грушами. И ботанический сад МГУ. Даже если никакой
Москвы не будет, эта точка абсолютного счастья будет все
равно. А те, кто был потом, тоже зверствовали при первой возможности, хотя и не в таких масштабах, — но таких садов уже не разбивали.

Я всегда почему-то воспринимаю Ленгоры как явление весеннее, мартовско-апрельское. В моей жизни
не так много вспышек абсолютного счастья, но вот, на-

пример, походы на Ленинские горы — это всегда восторг. Вот мне лет шесть, и мы с матерью идем, как это у нас на-зывается, "смотреть невест". Ходим мы иногда и до сих пор, с теми же целями, потому что это действительно очень забавно. В Москве есть традиция — с тех самых пор, как в начале пятидесятых гранитным парапетом об-несли смотровую площадку, высшую точку Москвы, туда приезжают свадьбы, обычно сразу после ЗАГСа. Есть две точки, куда они традиционно ездят, — Могила неизвест-ного солдата и Ленгоры. Честно говоря, я совершенно не понимаю, почему надо ездить со свадьбой на моги-лу, хотя бы и символическую. Мне это представляется кощунством. А вот на Ленгоры — это отлично, просто потому, что там действительно очень красиво. (Хотя обе своих свадьбы я провел скромнее — вероятно, потому, что опасался: придет кто-нибудь смотреть невест, будет оценивать… Это же не смотровая площадка невест, в кон-це концов!)

И вот весна, апрель, еще только распускаются пер-вые листочки, и даже еще не распускаются, но трава уже есть, и запах от земли такой, какой бывает именно в апреле: к обычной весенней свежести и гнили, к не-сколько рыбному запаху ранней весны примешивается брожение, какое бывает перед новой травой. Это уже не просто пробуждение, не просто весенняя грязь, кото-рой радуешься, потому что она все-таки лучше смерти, — но именно начало новой жизни, когда в воздухе уже по-является, по-толстовски говоря, скрытая теплота. Воздух марта еще холоден, а в апреле под всем уже чувствуется прочная основа тепла: не бойтесь, возврата не будет, никакой снег уже не пойдет, все повернуло к расцвету, и именно это — а не нагота и нищета, как вам недавно еще казалось, — есть истинная норма жизни. И вот таким апрельским вечером, с розово-синим и даже, пожалуй, красно-синим небом, на Ленинских горах смотришь на невест, по большей части некрасивых, но прелестных (и с красивыми невестами — обязательно некрасивые подруги, которых уже тискают друзья жениха со свидетельскими лентами поперек надутой груди), обязательно все с букетами, и обязательно почему-то с гвоздиками, и даже запах этих гвоздик витает над смотровой площадкой, смешиваясь с кислым духом советского шампанского. Шампанское открывают прямо там. Я терпеть не могу советские праздники с их традициями (трудно придумать что-нибудь глупее похищения невесты, например, и всех этих тостов по бумажке, особенно ужасных в военной среде), — но в этих весенних свадьбах на Ленгорах было какое-то даже языческое величие. Весеннее возрождение, всё такое. И самое удивительное — помню, мать впервые мне это показала, и я с тех пор всегда на это смотрю, — что за два-три дня до листьев резко меняется цвет веток, одни становятся красными, другие зелеными, это соки уже двинулись по ним, и прежде чем все Ленгоры оденутся зеленым дымом, они станут разноцветными из-за этих оживающих веток. А потом возвращаешься домой, всегда пешком. Тут штука в чем? Туда мы ездили на седьмом троллейбусе, и это мой самый любимый маршрут, маршрут счастья. А обратно шли пешком, потому что седьмой с Ленгор идет прямо на Киевский, к нам на Мосфильмовскую не заезжая, и надо делать пересадку, а это такая лишняя трата времени! Гораздо лучше по диагонали через лесопарк. Никаких маньяков тогда не боялись. И идти домой сквозь уже темнеющий лесопарк и в мае слушать там соловьев — это что-то из разряда самых ярких и самых невыразимых воспоминаний: холодеющий, темнеющий воздух, розовые яблони, запах земли, травы, сырой коры — и соловей булькает вдруг среди всего этого. Соловей ведь поет в строгом смысле некрасиво, то есть никакой мелодии, никаких особо извилистых трелей, — но просто какое богатство, разнообразие, все это после дикой монотонности зимы с ее черно-белым миром! Он просто очень много всего умеет, и больше всего пленяет в его голосе именно эта же невыразимость, переполненность: ты никак не можешь передать весь этот восторг, можешь только к нему добавить свое захлебывающееся бульканье. Точней всего его называют азербайджанцы: бюль-бюль. Захлебывается блаженством. Это все сходилось на Ленгорах, потому что там единственный в Москве — по крайней мере в центре, если не брать Лосиный остров или Измайловский парк, — кусок нетронутой природы, дикой, неприкосновенной. Там же, на этих оползающих горах, на почти отвесных спусках, куда и летом не больно-то влезешь, — настоящая дикость, никогда не знаешь, что там найдешь. Мне в детстве всегда казалось, что там зарыты клады. И даже правительственные дачи и Дом приемов, расположенные там же, этого впечатления не портят, потому что они тоже таинственные — и, кажется, очень редко посещаемые.

Зимой там тоже было великолепно. Вероятно, самое счастливое мое время было два выпускных класса и первый курс, потому что были замечательные друзья, совместные походы по театрам и кино, и бесконечные прогулки по Москве, и литературные студии, и детская редакция радиовещания, и работа в газете — мир, короче, очень расширился, в нем появились отличные люди; прибавьте к этому первую любовь с ее новыми удивительными возможностями.

Ходить на лыжах я люблю не очень, а вот с горки — это мне всегда нравилось, и мы ходили на Ленгоры — почему-то всегда в мягкую, почти теплую погоду, с матовым снегом и серым небом, и потом вдруг расчищался очень красный и тихий закат. Там, на Ленгорах, было тогда довольно тихо, мягко падали с веток огромные пласты снега, он был липкий, лыжи вязли, но все равно это было неописуемо хорошо. Там было множество таинственных мест — спасательных станций, лыжных баз, — и таинственней всего мне казались трамплины. Тогда их было два — большой и малый. Люди, которые с этих трамплинов катались, — чаще всего это были одиннадцати-двенадцатилетние школьники, тренировавшиеся в лыжной секции Дворца пионеров, — казались мне полубогами: я вообще не понимал, как с этой искусственной горы можно съехать, прыгнуть и потом лететь. Я ни за какие деньги, ни при каких обстоятельствах не смог бы сделать этого. Иногда, когда никто не видел, можно было подняться на полотно этого трамплина, подробно рассмотреть пластмассовые коврики, которыми оно устлано, — и когда я оттуда смотрел вверх, мне вообще было непонятно, как могут люди себя заставить оторваться от поручней и на корточках, постепенно распрямляясь, поехать вниз. И как они потом приземляются на лыжи? Иногда мы смотрели эти соревнования и вместе со всеми орали. У нас была славная компания: один умер, спившись, другой сейчас в Штатах, третий вообще в Австралии, девушки, по-моему, все в России, но давно про всё забыли. Память, как говорится в народе, девичья.

У Ленгор есть, разумеется, свой культурный миф, но я тут говорю преимущественно о личном отношении, на которое этот миф влиял минимально. Скажем, Герцен: они тут с Огаревым дали свою знаменитую клятву, и смотрите, какой узор судьбы! Первые воспоминания Герцена связаны именно с семейными легендами о нянюшке и *Grand Armée,* с домашними воспоминаниями о войне 1812 года, с московским пожаром, за полгода перед которым он родился. В честь победы над Бонапартом на Воробьевых горах задумали построить храм Христа Спасителя, проект его начертил Витберг, и именно этот проект в главных чертах пригодился Рудневу, когда он моделировал сто сорок лет спустя московские высотки (Ленгоры, кажется, единственная точка в Москве, откуда видно все семь). Проект Витберга не состоялся, доказав тем самым, что лучше на горах ничего не строить; начались пресловутые оползни, вдобавок Витберга обвинили в растрате, и он поехал в вятскую ссылку (ужасна вообще была его судьба, лучше б ему и не проектировать этого храма — пока судили, от стыда умерли его отец и первая жена, а он ведь действительно честный швед, не брал ни копейки; разворовали другие, да и само это строительство было обречено. Нельзя трогать "корону Москвы", как называл Александр Первый Воробьевы горы!). А в Вятке, тоже в ссылке, уже был в это время Герцен, тот самый, который поклялся на Воробьевых горах в 1827 году, пятнадцати лет от роду, вместе с другом своим Огаревым отдать жизнь за народное благо, как декабристы. Декабристы разбудили Герцена, Герцен дал клятву. И в Вятке они увиделись с Витбергом, который тоже желал служить Отечеству, но вот как получилось. Всё великое начинается на Воробьевых горах и имеет высокие шансы закончиться в Вятке. Страшно сказать, но монумент Герцену и Огареву в одном из глухих и тихих мест поставили уже при мне, и нашел я его с трудом. Это такая стела в виду двух сросшихся языков пламени и с небольшим барельефом. Там ли точно они давали клятву или чуть правей и выше — науке неизвестно. Правду сказать, я не очень люблю Герцена, великого все-таки публициста (а Огарева, посредственного поэта, и подавно не люблю); и давать клятвы, по-моему, даже для 1827 года невыносимо дурной тон, но эта местность располагает к патетическим жестам и с этого внезапного порыва двух экспансивных юношей началась воробьевская мифология. Нет, вру! Где-то в этих же местах бедная Лиза рвала цветы и, как мы помним, кормила ими свою мать. Но насчет Лизы еще неизвестно — она бросилась в пруд под Симоновым монастырем, а это гораздо

ДМИТРИЙ БЫКОВ

ниже по течению Москва-реки. Зато Воланд улетал как раз близ пристани, к которой швартовался речной трамвайчик (вынесенный на берег, как мы помним, после свистка Азазелло). На месте их отлета теперь верхняя станция канатной дороги, на которой я множество раз катался и фотографировался: она мне отчасти заменила ялтинскую, на которую я теперь по разным причинам поехать не могу и не смогу, наверное, еще долго.

Да, речные трамвайчики! Это совершенно особая радость: Москва-река, в отличие от державной Невы, мелка, тепла, грязна и ничуть не державна. Я думаю, Питер вообще больше похож на столицу — даже в своем нынешнем, потерто-провинциальном виде: вид с Дворцового моста на Неву, сама невская перспектива, да хоть бы и любой местный парк, пусть не Летний сад, пусть Елагин, — гораздо более масштабное и торжественное зрелище. Москва — не столица, а обжорный ряд, заповедник для элиты, помесь банка и бутика. И река у нас не торжественная, а теплая, зеленая, прогулочная, и когда по ней проходит первый в году речной трамвай, тоже называющийся "Москва", — значит, всё, весна. Вдоль Москвареки ездят велосипедисты, катаются на скейтбордах и роликах (а теперь еще и на сегвеях, и на соловилах, мы там ездим с друзьями), выгуливают псов — в общем, это место отдыха и пикников, загорания на покрывалах, поедания фастфуда (купаться запрещено), и ничего столичного здесь нет, кроме разве массивных Лужников на другом берегу. Вот это мне нравится в Москве — что при всех своих понтах она все-таки не имперская. Есть в ней Кремль,

504

довольно чужеродный, — ну и ладно: Москва ютится в переулках, дворах, и река ее течет не прямо, она петляет. А именно от реки и зависит характер города. И теплая, вся в пуху от тополей Москва-река, и белые усы пены, расходящейся за трамвайчиком, и Нескучный сад, тоже таинственный и почти всегда пустынный, — вот лицо Москвы, а не парады и не ГУМ. Время тут стоит, как вода в пруду, и никогда не сдвинется.

И, само собой, эрос. Ленинские горы — не столько корона Москвы, сколько ее — как бы это сказать? — помните, у Аксенова: "бугорок любви"... Это самое эротическое место в Москве вообще, потому что кругом студенты, МГУ, и все, кому негде, ходят летом в эти заросли с целями вполне определенными. Я, во всяком случае, ходил. Там, ровно в том месте, где Москва-река делает петлю, лес начинается почти прямо от берега. Чуть подняться — и несколько прекрасных тенистых полян, практически недоступных для людских глаз. Теплыми летними вечерами лучшего места не найти. Места для чего? Для всего. Сколько раз я там целовался — сосчитать невозможно, а раз десять и не только целовался, и кто бы подумал, что в Москве так легко найти место, где можно всё это проделать на природе? Надо, разумеется, знать места, но я же там вырос, в конце концов. И именно там когда-то я полез целоваться к девушке, которую любил, вероятно, больше всех остальных за всю свою уже долгую жизнь. Никого больше так не любил и никого не ненавидел так. Семнадцать лет всё это продолжалось, и оно того стоило.

ДМИТРИЙ БЫКОВ

Именно на Ленинских горах я впервые понял, что ходить под Богом — не значит постоянно находиться в центре всеобщего внимания и вообще преуспевать; кто действительно под Богом — тот как бы в центре циклона, его никому не видно, и он может спокойно предаваться любимым занятиям, цветению, увяданию, прели, снова цветению. Ленинские горы находятся под непосредственным покровительством самого главного хозяина, они надежно защищены от вмешательств, и жизнь тут представлена в истинной своей полноте: роскошное рыжее осыпание в сентябре-октябре, прелестная влюбленность в апреле, летняя страсть, зимняя сыпучая мягкость и всегда тайна. Очень правильно вышло, что я тут неподалеку живу. В любом другом месте еще неизвестно, что бы из меня получилось.

# Об авторах

МАГДА АЛЕКСЕЕВА. Родилась в Москве в 1931 году. Живет в Петербурге. Журналист и прозаик. Автор книги "Как жаль, что так поздно, Париж!".

ЮРИЙ АРАБОВ. Родился в Москве в 1954 году. Прозаик, поэт. Автор сценариев к фильмам А. Сокурова.

АЛЕКСАНДР АРХАНГЕЛЬСКИЙ. Родился в Москве в 1962 году. Прозаик, историк литературы, известный телеведущий (программа "Тем временем").

ВЛАДИМИР БЕРЕЗИН. Родился в Москве в 1966 году. Прозаик, критик, эссеист. Автор множества книг, в том числе биографии Виктора Шкловского.

НИКОЛАЙ БЕСЧАСТНОВ родился в 1951 году в Москве. Искусствовед, педагог, автор учебных пособий по изобразительному искусству.

**МАРИНА БОРОДИЦКАЯ.** Родилась в Москве в 1954 году. Поэт, переводчик английской поэзии. Автор книг для детей.

**ЕВГЕНИЙ БУНИМОВИЧ.** Родился в Москве в 1952 году. Поэт, публицист, педагог. Автор мемуарной книги "Вкратце жизнь".

**ДМИТРИЙ БЫКОВ.** Родился в Москве в 1967 году. Поэт, прозаик, журналист, литературный критик, теле- и радиоведущий. Лауреат премий "Большая книга" (дважды) и "Национальный бестселлер" (дважды).

**РОЛАН БЫКОВ.** Великий актер и режиссер, родился и умер в Москве (1929–1998). Посмертно издана мемуарная книга "Я побит — начну сначала".

**АЛЕКСЕЙ ВАРЛАМОВ.** Родился в Москве в 1963 году. Прозаик, филолог, публицист. Лауреат премии "Большая книга". Автор многих романов и книг-биографий в серии "ЖЗЛ".

**ОЛЬГА ВЕЛЬЧИНСКАЯ** родилась в Москве в 1948 году в семье художника, сама художник-график. Автор мемуарной книги о Москве "Квартира № 2 и ее окрестности".

**ВИТАЛИЙ ВОЛЬФ** родился в 1933 году в Москве. Художник, плакатист. Автор мемуарной книги "Записки художника".

**ЮРИЙ ГАВРИЛОВ** (1944–2013). Родился в эвакуации в уральском городе Верхняя Салда. В 1946 году семья вернулась в Москву. Писатель, историк, педагог. Автор книги о Москве "Родное пепелище".

**ДМИТРИЙ ГЛУХОВСКИЙ.** Родился в Москве в 1979 году. Прозаик, журналист, военный корреспондент. Его роман "Метро 2033" породил целую мифологию московского метрополитена и стал началом книжной серии.

**МАРИЯ ГОЛОВАНИВСКАЯ.** Родилась в Москве в 1961 году, детство провела под Киевом на даче деда, украинского классика Саввы Голованивского. Прозаик, эссеист, переводчик. Профессор МГУ.

**ДМИТРИЙ ДАНИЛОВ.** Родился в Москве в 1969 году. Прозаик, поэт, автор романов "Горизонтальное положение", "Описание города", "Есть вещи поважнее футбола", "Сидеть и смотреть".

АЛЁНА ДЕРГИЛЁВА родилась в Москве в 1952 году. Художник, график. Автор цикла московских акварелей, представленных в этой книге.

ВЕРОНИКА ДОЛИНА. Родилась в Москве в 1956 году. Поэт, бард, автор прекрасных московских романсов.

ДЕНИС ДРАГУНСКИЙ. Родился в Москве в 1950 году. Сын Виктора Драгунского и герой "Денискиных рассказов". Писатель, политолог, филолог. Автор многих книг прозы, в том числе "Вид с метромоста".

АЛЕКСЕЙ КОЗЛОВ. Родился в Москве в 1935 году. Легендарный джазмен, саксофонист, композитор. Автор мемуарной книги "Козел на саксе".

МАЙЯ КУЧЕРСКАЯ. Родилась в 1970 году и выросла в Москве. Прозаик, критик. Профессор филологии Высшей школы экономики. Автор бестселлера "Современный патерик", романа "Тётя Мотя".

АНДРЕЙ МАКАРЕВИЧ. Родился в Москве в 1953 году. Солист и лидер рок-группы "Машина времени". Художник, прозаик. Автор биографической книги "Сам овца" и многих других.

АЛЕКСАНДР МИНКИН родился в Москве в 1946 году. Политический обозреватель "МК", автор "Писем президенту" и театральный критик, автор книги "Нежная душа".

МАРИНА МОСКВИНА. Родилась в Москве в 1954 году в знаменитом доме Нирнзее в Большом Гнездниковском переулке. Прозаик, детский писатель, радиожурналист.

ОЛЬГА ТРИФОНОВА. Родилась в Москве в 1938 году. Прозаик. Вдова писателя Юрия Трифонова, директор музея "Дом на набережной".

ЛЮДМИЛА УЛИЦКАЯ. Родилась в Давлеканово Башкирской АССР (в эвакуации) в 1943 году. После войны семья вернулась в Москву. Прозаик, драматург, лауреат литературных премий "Большая книга", "Русский Букер" и многих других.

ОЛЕГ ФОЧКИН. Родился в Москве в 1965 году. Журналист, историк, автор множества очерков по истории Москвы и книги "Городские легенды".

ИВАН ЦЫБИН. Родился в "Кремлевском" доме в 1969 году. Живет в Москве и Петербурге. Тележурналист, режиссер-постановщик Первого канала, ведущий на Пятом канале.

СЕРГЕЙ ШАРГУНОВ. Родился в Москве в 1980 году в семье священника. Прозаик, журналист, главный редактор сайта "Свободная пресса". Автор многих книг, в том числе романа "1993".

ВЛАДИМИР ШАРОВ. Родился в Москве в 1952 году в семье писателя Александра Шарова. Прозаик, эссеист, историк. Роман "Возвращение в Египет" удостоен премий "Русский Букер" и "Большая книга".

ГЛЕБ ШУЛЬПЯКОВ. Родился в 1971 году и живет в Москве. Поэт, прозаик, драматург, переводчик. Автор многих книг, в том числе "Цунами", "Музей Данте".

ТАТЬЯНА ЩЕРБИНА. Родилась в Москве в 1954 году. Жила в Париже и Мюнхене. Поэт, прозаик, журналист, переводчик.

*Литературно-художественное издание*

Людмила Евгеньевна Улицкая
Дмитрий Львович Быков
Дмитрий Алексеевич Глуховский и др.

# Москва:
## МЕСТО ВСТРЕЧИ
### ГОРОДСКАЯ ПРОЗА

*Составители* Елена Шубина, Алла Шлыкова

16+

*Главный редактор* Елена Шубина

*Редактор* Алла Шлыкова

*Художник* Андрей Бондаренко

*Младший редактор* Вероника Дмитриева

*Корректор* Надежда Власенко

*Компьютерная верстка* Марата Зинуллина

ООО «Издательство АСТ»
129085, г. Москва, Звёздный бульвар, дом 21, строение 1, комната 705, пом. I, 7 этаж.
Наш электронный адрес: **www.ast.ru**

Общероссийский классификатор продукции
ОК-034-2014 (КПЕС 2008); 58.11.1 — книги, брошюры печатные

Произведено в Российской Федерации
Изготовлено в 2020 г.
Изготовитель: ООО «Издательство АСТ»

Подписано в печать 23.12.2019. Формат 60×90/16.
Печать офсетная. Усл. печ. л. 32,0.
Доп. тираж 4000 экз. Заказ №13235.

Отпечатано с готовых файлов заказчика
в АО «Первая Образцовая типография»,
филиал «УЛЬЯНОВСКИЙ ДОМ ПЕЧАТИ»
432980, Россия, г. Ульяновск, ул. Гончарова, 14

ISBN 978-5-17-099718-3

9 785170 997183 >

«Баспа Аста» деген ООО
129085, Мәскеу қ., Звёздный бульвары, 21-үй, 1-құрылыс, 705-бөлме, I жай, 7-қабат.
Біздің электрондық мекенжайымыз: www.ast.ru
E-mail: astpub@aha.ru
**Интернет-магазин:** www.book24.kz
**Интернет-дүкен:** www.book24.kz
Импортёр в Республику Казахстан ТОО «РДЦ-Алматы».
Қазақстан Республикасындағы импорттаушы «РДЦ-Алматы» ЖШС.
Дистрибьютор и представитель по приему претензий на продукцию в Республике Казахстан:
ТОО «РДЦ-Алматы»
Қазақстан Республикасында дистрибьютор
және өнім бойынша арыз-талаптарды қабылдаушының
өкілі «РДЦ-Алматы» ЖШС, Алматы қ., Домбровский көш., 3«а», литер Б, офис 1.
Тел.: 8(727) 2 51 59 89,90,91,92
Факс: 8 (727) 251 58 12, вн. 107; E-mail: RDC-Almaty@eksmo.kz
Өнімнің жарамдылық мерзімі шектелмеген.

Өндірген мемлекет: Ресей
Сертификация қарастырылмаған